실크로드 세계사

3

THE SILK ROADS

고대 제국에서 G2 시대까지

실크로드 세계사

피터 프랭코판 지음 | 이재황 옮김

3

A NEW
HISTORY
OF THE WORLD

Silk Roads

책과함께

차례

머리말 7

1. 실크로드의 탄생 19
2. 신앙의 길 59
3. 기독교도의 동방으로 가는 길 85
4. 혁명으로 가는 길 113
5. 화합으로 가는 길 139
6. 모피의 길 175
7. 노예의 길 199
8. 천국으로 가는 길 229
9. 지옥으로 가는 길 265
10. 죽음과 파괴의 길 343
11. 황금의 길 385
12. 은의 길 413
13. 북유럽으로 가는 길 447
14. 제국으로 가는 길 481

15. 위기로 가는 길 507
16. 전쟁으로 가는 길 531
17. 석유의 길 577
18. 화해로 가는 길 609
19. 밀의 길 685
20. 대량학살로 가는 길 719
21. 냉전의 길 755
22. 미국의 실크로드 789
23. 초강대국 대결의 길 817
24. 파멸로 가는 길 849
25. 비극으로 가는 길 899
맺음말 : 새로운 실크로드 935

감사의 말 959
옮긴이의 말 964
주(3권) 969
찾아보기 1001

일러두기

1. 이 책은 Peter Frankopan의 THE SILK ROADS(Bloomsbury, 2015)를 완역한 것이다.
2. 각국의 인명과 지명은 기본적으로 외래어 표기법을 따랐다. 다만 한 가지 원칙이나 일관성을 지키기에는 이 책이 포괄하는 기간, 지역, 나라가 원체 길고 많고 복잡하여 필요한 경우 병기를 하는 등 다소 융통성을 부여했다. 널리 알려져 익숙해진 표현이나 용례를 적용하기 어려운 경우에도 예외를 두었다.
3. 본문의 소제목은 독자의 편의를 돕기 위해 원문에 없는 내용을 추가하였음을 밝혀둔다.

밀의 길

히틀러의 음모

영국 잡지 《홈스 앤드 가든스Homes & Gardens》는 오랫동안 자기네가 실내장식 분야의 선두주자라고 자부해왔다. 이 잡지는 최근 선전 문구에서 이렇게 말한다.

"화려한 실생활 속의 집과 정원으로 꾸민 멋진 특집과 전문가의 조언, 실용적인 정보를 담은 이 잡지는 실내장식을 위한 영감의 궁극적인 원천입니다."

이 잡지 1938년 11월호는 알프스의 풍광이 펼쳐진 어느 산의 은신처에 대한 찬사를 쏟아냈다. 기자는 이렇게 썼다.

"이 밝고 바람이 잘 통하는 샬레(산장)의 배색 기조는 밝은 비취색이다."

기자는 집 주인이 꾸며놓은 꽃꽂이를 보고 그의 열정에 유쾌해졌다. 마침 주인 역시 이 집을 "장식하고 디자인하고 가구를 꾸미고 설계한 사람"이었다. 그의 수채화 스케치가 손님용 침실들에 걸려 있었고, 오래된 판화들도 있었다. "익살맞은 이야기꾼"인 주인은 여러 "뛰어난 외국인들, 특히 화가, 음악가, 가수들"과 어울리기를 좋아했고, 때로는 식후 여흥을 위해 "현지 예능인들"을 초대해서 모차르트나 브람스의 곡을 연주하도록 했다. 기자는 집 주인 아돌프 히틀러에게서 매우 깊은 인상을 받았다.[1]

아홉 달 뒤인 1939년 8월 21일, 고대하던 전화가 전화교환대로 왔다. 《홈스 앤드 가든스》가 그의 현대식 사무실 옆에 있다고 보도한 곳이고, 총통이 '그 친구들, 즉 장관들'을 접하는 곳이었다. 저녁식사 도중 메시지 하나가 히틀러에게 전달되었다. 그 자리에 있던 한 사람은 이렇게 말했다.

"그는 메모를 훑어보더니 잠깐 허공을 응시했다. 그리고 얼굴이 시뻘게지더니 탁자를 쾅 내리쳤다. 너무 세게 쳐서 유리 잔이 덜그럭거렸다."

그는 손님들을 돌아보며 흥분한 목소리로 말했다.

"내가 잡았어! 내가 잡았어!"[2]

그는 자리에 앉아 식사를 했다. 틀림없이 그의 앞에는 언제나처럼 '눈과 입을 즐겁게 해주는 인상적인 갖가지 야채 요리들'이 놓여 있었을 것이다. 1년 전 《홈스 앤드 가든스》 기자가 감탄했던 식사였고, 히틀러의 개인 요리사 아르투르 칸넨베르크가 준비한 것이었다. 칸넨베르크는 저녁에 가끔 주방에서 나와 아코디언을 연주하기도 했다.[3]

식사를 마친 뒤 히틀러는 손님들을 불러모았다. 그는 자신이 들고 있는 메모지에, 기다리던 모스크바에서 온 답신 내용이 들어 있다고 말했다. 누구나 인정하는 소련의 주인 스탈린이 독일과 불가침 협정을 맺는 데 동의했다는 것이다. 통신문은 이러했다.

"나는 [이것이] 우리 두 나라 사이의 관계를 호전시키는 결정적인 계기가 되기를 희망합니다."[4]

이틀 뒤 이 소식이 발표되고 나서 히틀러와 그의 측근들은 테라스에 서서 눈아래 펼쳐진 계곡을 내려다보고 있었다. 거물 나치 알베르트 슈페어Albert Speer는 이렇게 썼다.

"바그너의 악극 〈신들의 황혼〉의 마지막 막도 이보다 더 효과적으로 상연되기는 어려울 것이다."[5]

역설적으로 이 이례적인 합의는 영국과 프랑스의 외교정책에 의해 촉발된 것이었다. 두 나라는 독일 총리 히틀러가 1930년대에 큰 정치적 도박을 하는 것을 보고 놀라 그를 견제할 방법을 찾는 데 필사적으로 매달렸다. 물론 성과는 별로 없었다. 사실 성과가 너무 없었기 때문에 이탈리아의 통치자 무솔리니는 영국 정치가와 외교관들에 관해 자기네 외무부 장관 갈레아초 치아노에게 이렇게 털어놓았다.

"그 사람들에게는 제국을 건설한 프랜시스 드레이크 같은 위대한 모험가 자질이 전혀 없어. 이들은 결국 오래 내려온 케케묵은 부잣집 자손들이어서 제국을 말아먹고 말 거야."[6]

독일이 체코슬로바키아를 점령하자 영국은 강경 노선을 채택했다. 1939년 3월 31일 오후, 네빌 체임벌린 총리는 하원에서 엄숙하게 말했다.

"폴란드의 독립을 위협하는 행동이 있을 경우, 우리 폐하의 정부는 즉시 폴란드 정부에 할 수 있는 모든 지원을 제공해야 한다고 생각합니다. 정부는 폴란드 정부에 이런 취지로 확약을 했습니다. 덧붙여 프랑스 정부가 이 문제에 대해 폐하의 정부와 같은 입장임을 제게 분명히 인정했다는 점을 말씀드립니다."[7]

이런 주장은 폴란드의 안전을 보장하기는커녕 그 비운을 확정지어버렸다. 총리는 하원에서 에드워드 우드 외무부 장관이 이날 아침 일을 원만하게 수습하기 위해 이반 마이스키 소련 대사를 만났다고 말했지만, 폴란드에 대한 다짐이 일련의 사건에 시동을 걸어 곧바로 우크라이나와 남부 러시아의 밀밭에 영향을 미쳤다. 전쟁은 수백만 명의 사망자를 내게 된다.[8]

그런 군사행동의 목표는 독일을 교착 상태로 묶어두고 전쟁으로 위협해서 동쪽 이웃 폴란드에 대한 어떤 행동도 하지 못하도록 저지하는 것이었다. 그러나 실제로는 히틀러가 에이스 카드 한 장을 쥐고 있었고, 히틀러 자신도 이를 금세 알아차렸다. 물론 그 카드를 쓰려면 엄청나게 뻔뻔스러워야 했지만 말이다. 여기에 공산 국가 소련과 거래할 기회가 있었다. 소련은 여러 측면에서 나치스 독일의 숙적이었지만, 갑자기 공통 기반이 생겼다. 영국과 다른 나라들의 개입이 기회를 제공한 것이다. 스탈린 역시 카드 게임이 어떻게 돌아가는지를 알아차렸다. 그에게도 역시 기회가 주어져 있었다. 그 이점을 살리려면 마찬가지로 엄청나게 뻔뻔스러워야 했다. 바로 히틀러와 협정을 맺는 것이었다.

독일과 소련의 비밀 협정

두 나라가 동맹을 맺는다는 생각은 타당성이나 현실성의 영역 밖에 있는 것으로 보였다. 1933년 히틀러가 권좌에 오른 이후 독일과 소련의 관계는 급격히 악화되었다. 양국의 독설에 찬 언론 보도들은 상대를 악마 같고 무자비하고 위험한 존재로 그렸다. 교역은 거의 단절되었다. 1932년에 소련으로 수입되는 물량의 거의 절반을 독일이 차지했지만, 6년 뒤 이 수치는 5퍼센트 이하로 떨어졌다.[9] 그러나 안전 보장이 폴란드로 확대되자 두 나라는 마침내 어떤 공통적인 부분을 가지게 되었다. 바로 두 나라 사이에 끼어 있는 나라를 파괴하고자 하는 바람이었다.[10]

1939년 봄, 부산스러운 외교 활동이 펼쳐졌다. 베를린 주재 소련 대리대사 게오르기 아스타코프가 독일의 일급 동유럽 전문가와 만나 관계 개선의 바탕을 마련하고 교역 재개 등 협력이 가능한 분야를 모색했다. 이런 회담들은 금세 가속도가 붙어, 프리드리히-베르너 폰 데어 슐렌부르크 독일 대사와 러시아의 신임 외무부 장관 뱌체슬라프 몰로토프가 모스크바에서 회동을 가질 정도로 한 걸음 전진했다. 몰로토프의 전임자 막심 리트비노프는 해임되었다. 그는 유대인 출신이어서 반유대주의적인 독일 정권과 협상하는 데 걸림돌이었다. 처칠은 리트비노프에 대해 이렇게 썼다.

"독일의 적대감의 대상이 된 이 뛰어난 유대인은 (……) 망가진 연장처럼 버려졌다. (……) 그리고 세계 무대에서 사라져 흐릿하고 왜소한 존재로 경찰의 감시 대상이 되었다."[11]

여름이 되자 상황은 더 진전되었다. 요아힘 폰 리벤트로프Joachim von Ribbentrop 독일 외무부 장관은 모스크바에 메시지를 보내, 국가사회주의와 공산주의는 전혀 다른 것이기 때문에 "우리 두 나라가 반목할 이유가 전혀 없다"고 설명했다. 여러 가지 일들에 관해 의논할 용의가 있다면 관계를 더욱 개선할 수 있다고 그는 주장했다. 문제의 중심에 있는 것은 폴란드였다. 폴란드를 분할하여 두 나라가 나누어 가지는 거래가 가능한가 하는 것이었다.[12]

이 문제는 스탈린이 직접 떠맡았다. 폴란드는 러시아 혁명 이후 혐오의 대상이었다. 우선 베르사유의 평화협정에 따라 1914년 이전에 러시아 땅이었던 곳을 폴란드에 주었다. 그리고 폴란드는 1917년 이후 군사행동을 취해, 볼셰비키가 권력을 장악하는 것을 위협했다. 수백만 명이 체포되고 수십만 명이 처형된 1930년대 소련의 대숙청에서 폴란드 스파이에 대한 공포는 일상적이고 흔한 모습이었다. 독일과 협상하기 불과 2년 전에 스탈린은 "폴란드 군사기구Polska Organizacja Wojskowa의 스파이 네트워크 근절"을 요구하는 명령에 직접 서명했다. 이에 따라 수만 명이 체포되고 이들 가운데 5분의 4 이상이 총살되었다.[13] 독일의 협력 문의, 특히 폴란드와 관련한 문의에 대한 스탈린의 대답은 긍정적이고 고무적인 것이었다.

곧바로 후속 조치가 이어졌다. 스탈린의 응답이 전해지고 이틀 뒤에 두 대의 포케불프 콘도르 항공기가 모스크바에 착륙하여 소련 의장대의 영접을 받았다. 두 개의 깃발이 바람에 펄럭였다. 하나는 망치와 낫이 그려진 깃발이었다. 도시 프롤레타리아와 농민이 사용하는 연장으로, 분명히 공산주의의 상징이었다. 다른 하나는 제3제국 깃발이었다. 히틀러가 《나의 투쟁Mein Kampf》에서 설명한 대로 그가 직접 디자인한 것이었다.

"붉은색에서 우리는 [국가사회주의] 운동의 사회사상을 볼 수 있다. 흰색에서는 국민주의적 사상을, 스바스티카에서는 아리아인의 승리를 위한 투쟁 임무를 볼 수 있다."[14]

그것은 20세기의 가장 이례적이고 예기치 못한 장면 가운데 하나였다. 독일인들이 비행기에서 내릴 때 공산주의와 파시즘을 상징하는 깃발들이 나란히 나부끼고 있었다. 대표단은 독일 외무부 장관 리벤트로프가 이끌고 있었다. 전에 그를 가르쳤던 교사가 "학급에서 가장 멍청하고 허영심이 가득하며 주제넘은" 학생이었다고 평했던 그가

이제 숙적 사이의 협상을 중개하는 임무를 맡은 것이었다.[15]

크렘린에 가서 스탈린과 몰로토프를 만난 리벤트로프는 우호적인 관계를 맺고 싶다는 희망을 피력했다. 그는 이렇게 말했다.

"독일은 러시아에 아무것도 요구하지 않습니다. 평화와 교역만을 원할 뿐입니다."

스탈린은 늘 그렇듯이 직설적인 대답을 했다.

"여러 해 동안 우리는 서로의 머리에 똥바가지를 부어왔고, 우리 선전원 아이들은 양국의 우호에 관해서는 익숙지 않습니다. 이제 갑자기 우리 인민들에게 모든 것을 잊었고 용서되었다는 것을 믿게 해야 합니까? 일은 그렇게 빨리 이루어지지 않습니다."[16]

실제로는 빨리 이루어졌다. 몇 시간 안에 협상의 윤곽이 그려지고 합의 문안이 발표되었으며, 발트해와 폴란드에서의 영향권을 규정한 비밀 부속 문서까지 만들어졌다. 사실상 서로에게 규정된 선까지는 들어가서 마음대로 할 수 있는 백지 위임장을 주었다. 만족한 스탈린은 자정이 넘은 시각에 축배를 들겠다며 보드카를 가져오라고 시켰다.

"나는 독일의 폴크(volk, 인민)들이 그들의 퓌러(Führer, 총통)를 얼마나 사랑하는지 압니다."

그는 독일어 단어를 섞어 말했다.

"그분의 건강을 위해 한잔하고 싶습니다."

건배가 몇 잔 더 이어졌고, 몰로토프는 기쁨을 억누를 수 없었다. 그는 활짝 웃으며 말했다.

"이 정치적 관계의 위업을 시작하신 분은 우리의 위대하신 스탈린 동지입니다. 나는 스탈린 동지의 건강을 위해 마시겠습니다."[17]

스탈린의 기쁨은 이튿날 모스크바 외곽에 있는 그의 다차(시골

별장)에서도 이어졌다. 그곳에서 그는 고위 정치국원들과 함께 오리 사냥을 했다. 물론 이것은 서로 속고 속이는 게임, "누가 누구를 속일 수 있는지를 보는 게임"이라고 그는 말했다.

"나는 히틀러가 어떻게 나올지를 알아. 그자는 자기가 한 수 위라고 생각하지. 그러나 실제로 상대를 속이는 것은 나야."[18]

물론 히틀러도 똑같이 생각하고 있었다. 알프스의 전원에 있는 그에게 자정께 메모가 전달되었다. 협정이 최종 조인되었다는 보고였다. 그의 반응은 스탈린의 경우와 마찬가지로 자신이 계속 따고 있음을 확신하는 도박꾼 같은 모습이었다. 그는 의기양양하게 소리쳤다.

"우리가 이겼어!"[19]

소련 지도자 스탈린은 시간을 벌기 위해 독일과 협상을 했다. 그는 히틀러나 그가 제기하는 장기적인 위협에 관해 어떤 환상도 갖고 있지 않았다. 실제로 1934년에 열린 공산당 제17차 당대회에서는 독일과 그 총리 히틀러가 제기하는 위험을 보여주기 위해 《나의 투쟁》의 몇 구절이 낭독되었다. 스탈린은 직접 히틀러의 이 악명 높은 책을 읽고, 독일이 동방으로 영토를 확장해야 한다고 주장한 구절들을 강조했다.[20]

그러나 소련은 오랜 혼란을 겪고 난 후 회복이 필요했다. 근시안적이고 잔혹한 정책이 가져온 처참한 기근은 1930년대 초에 수백만 명을 기아와 질병으로 죽게 했다. 재난은 끔찍했고, 엄청난 규모였다. 당시 여덟 살 소년이었던 한 목격자는 우크라이나 하르키우의 자기 교실에서 한 소녀를 바라보던 일을 회상했다. 소녀는 수업 도중에 책상 위에 엎드려 눈을 감고 있었다. 깊이 잠이 든 듯했다. 그러나 사실은 굶어 죽은 것이었다. 사람들이 소녀를 묻겠지 하고 그는 생각했다.

"그들이 어제 사람들을 묻었던 것처럼. 그리고 그제, 그리고 매일 그랬던 것처럼."[21]

이후 몇 년 동안 소련 사회는 스스로를 파괴했다. 스탈린이 가까운 경쟁자들과 이전 동료들을 상대로 공작을 벌일 때 공산당 안의 고위층은 아무런 보호책도 제공하지 못했다. 모스크바에서 열린 여러 차례의 공개재판에서 소련뿐만이 아니라 국제적으로도 유명 인사가 된 사람들이 반혁명 분자로 떠들썩하게 고발되어 재판을 받고 사형 선고를 받았다. 사형당한 사람들 가운데는 1917년 혁명의 영웅들인 그리고리 지노비예프, 레프 카메네프, 니콜라이 부하린, 카를 라데크 등도 들어 있었다. 그들에게는 파시스트의 개, 테러리스트, 퇴폐 분자, 해충 같은 악의에 찬 규탄이 쏟아졌다. 기소자 대표는 안드레이 비신스키Andrey Vyshinsky였다. 지성사와 문화사를 희화화하기라도 하듯이, 비신스키는 그 후 자신의 악독한 공격에 대한 상을 받았다. 소련 과학원의 법정法政 연구소가 그의 이름을 따서 개명된 것이다.[22]

그다음 관심의 대상은 군부였다. 최고사령부는 대량 살해는 이루어지지 않았지만, 왜곡되고 가차 없는 논리에 의해 유린되었다. 하급 장교가 폭동 교사의 죄를 범했다면 그 상급자는 공모 또는 태만으로 유죄라는 것이 당연한 논리였다. 무법자에게 두들겨 맞아 자백이 하나 나오면 그것이 수많은 사람들을 체포하는 데 이용되었다. 한 비밀경찰 요원이 나중에 증언한 바에 따르면, 그 목표는 "가능한 한 많은 사람들이 연루된 군사적 음모가 붉은 군대 안에 존재"[23]한다는 것을 입증하는 것이었다.

군 최고지휘부의 101명 가운데 10명만이 체포를 면했다. 구금된 91명 가운데 9명만이 총살을 면했다. 이들 가운데는 소련의 원수 5명

중 3명과 제독 2명이 포함되었다. 또한 공군 고위직 전원과 군 관구사령관 전원, 그리고 거의 모든 사단장이 포함되었다. 붉은 군대는 궤멸되었다.[24] 이런 상황에서 스탈린은 재건을 위해 숨 돌릴 틈이 필요했다. 독일의 접근은 하늘이 준 선물이었다.

반면에 히틀러는 더 큰 것을 노리고 있었다. 그는 독일이 장기적으로 힘과 세력이 있는 위치를 구축하려 할 때 꼭 필요한 자원들을 확보하고자 발버둥을 쳤다. 문제는 독일이 대서양에 접근하고 아메리카, 아프리카, 아시아와의 교역에 나서기에는 지리적으로 불리한 위치에 있었다는 점이다. 이에 따라 히틀러는 동방으로 시선을 고정시켰다. 그가 소련과 화해한다는 결정을 내린 배경에는 이것이 그에게 자신만의 실크로드에 접근할 수 있게 해주리라는 생각이 자리 잡고 있었다.

폴란드와 우크라이나라는 전리품

이에 따라 히틀러는 협정이 조인된 뒤 휘하 장군들을 알프스의 샬레로 불러모았다. 그들에게 합의된 내용과 자신의 계획을 설명하기 위해서였다.

그는 그랜드피아노에 기댄 채 자신에 대해 길게 이야기했다. 독일 국민이 자신과 같은 지도자를 만난 것은 행운이라고 단언했다. 자신은 국민이 완전히 신뢰할 수 있는 사람이라고 했다. 그는 이어, 이제 기회를 잡을 때가 되었다고 선언했다. 그는 휘하의 고위 장교들에게 이렇게 말했다.

"우리는 아무것도 잃을 게 없소."

독일은 현재 처한 경제 상황에서 몇 년 버티지 못할 것이라고 했다. 그는 장군들에게 말했다.

"우리에게는 다른 방도가 없소."[25]

소련과의 동맹은 베르사유 조약에 의해 상실한 땅을 되찾도록 해주는 것만이 아니었다. 그것은 독일의 미래도 보장해줄 터였다. 모든 것이 독일의 승리에 달려 있었다. 그리고 항상 이를 기억하는 것이 중요했다. 그는 말했다.

"마음에서 연민을 지워버리시오. 잔인하게 행동하시오. 8000만 인민은 자신의 권리를 찾아야 하오. 그들의 생존권을 확보해야 하오."[26]

그는 폴란드 침공을 이야기하고 있었다. 그러나 또한 소련과의 화해가 가져다줄 새로운 시작에 대해서도 이야기했다. 스탈린과 협정을 체결한 것은 히틀러에게 단순히 정치적인 벼랑 끝 게임에서 몫을 늘릴 수 있는 기회에 그치지 않았다. 그것은 자원을 얻을 수 있는 가능성도 제공했다. 그는 처음 명성을 얻은 이후 자주 독일 민족을 위한 레벤스라움Lebensraum, 즉 생활 공간에 대해 이야기했지만, 지금 걸려 있는 것은 구체적인 전리품이라고 장군들에게 말했다. 곡물, 소, 석탄, 납, 아연 같은 것들이었다. 그것들을 차지해야만 독일은 마침내 자유로워질 수 있었다.[27]

듣고 있던 사람들이 모두 수긍한 것은 아니었다. 히틀러는 전쟁이 6주 만에 끝날 것이라고 말했다. 하지만 발터 폰 라이헤나우Walther von Reichenau 장군은 전쟁이 6년도 더 걸릴 것이라고 구시렁댔다.[28] 쿠르트 리프만Curt Liebmann 장군 역시 공감하지 않았다. 그 연설은 자화자찬이고 경솔하고 "완전히 역겨운" 것이었다고 그는 말했다. 히틀러는 책임감이라고는 눈곱만큼도 없는 사람이었다. 그러나 현대의 나치스 독일에 관한 최고 권위자가 지적했듯이, 반대 의견을 내놓은 사람은

아무도 없었다.[29]

히틀러는 독일의 장래를 보장하는 방법을 찾았다고 확신했다. 특히 취약한 부분은 농업의 부진이었다. 최근 연구가 보여주듯이, 농업은 1930년대 동안 독일이 전쟁 준비에 돌입하여 자원과 시간과 돈을 소모하면서 고통을 겪은 분야였다. 실제로 새로운 입법은 농업에 대한 투자액을 줄이는 데 이바지했다.[30] 독일은 여전히 수입에 의존하는 나라로 남았다. 국내 생산이 자급자족하기에 충분하지 않았기 때문이다.[31]

히틀러는 1939년 8월 단치히에서 고위 외교관들을 만나 1차 세계대전 기간 동안 독일에 부과된 불가능한 부담 이야기를 꺼냈다. 그가 오랫동안 반복해서 이야기한 주제였다. 그러나 이제 그는 해법이 있다고 주장했다. 그들에게는 우크라이나가 필요했다. "지난 전쟁 때처럼 다시 굶주리지 않기 위해서"[32]였다.

1939년 불가침 협정 조인과 함께 우크라이나가 (더 정확히는 그 풍요롭고 비옥한 땅의 산물이) 그에게 넘어왔다. 리벤트로프가 모스크바를 방문한 이후 몇 달 동안 나치스 독일과 소련 관리들이 여러 차례 모스크바와 베를린 사이를 오갔다. 독일은 시작이 협정으로 연결될 수 있다고 확신했다. 특히 1939년 8월 리벤트로프가 몰로토프에게 말했듯이, "흑해에서 발트해까지 이르는 모든 영토 문제"[33]에 관해서는 말이다. 더 미묘한 논의들은 교역 조건, 특히 소련의 밀과 석유와 다른 물자들의 물량 및 가격 문제에 집중되었다. 독일의 폴란드 침공과 그 이후를 지탱하는 데 필요한 물자들이었다. 스탈린은 히틀러의 전쟁 야욕에 기름을 붓고 있었다.[34]

동맹으로 인해 히틀러는 폴란드 공격에 필요한 자원에 대한 확신과 약속을 얻게 되었다. 그는 스탈린과의 협상 이후 동방에서 독일의 위치를 보장받았다는 생각에 마음이 놓였다. 소련 지도자 스탈린은 협정이 조인될 때 이렇게 말했다.

"나는 소련이 파트너를 배신하지 않을 것이라는 나의 진실한 약속을 보증할 수 있습니다."[35]

그러나 날카로운 고위 관리 한 사람이 알아차렸듯이, 폴란드를 분할하는 데 동의함으로써 독일은 더욱('덜'이 아니다) 취약해졌다. 소련의 국경선이 서쪽으로 엄청나게 이동했기 때문이다. 소련과 우호관계를 유지한 채 서아시아와 지중해 지역의 영국 거점들에 집중하는 것이 낫다고 독일군 총참모장 프란츠 할더 Franz Halder는 적었다.[36]

독일의 폴란드 침공

역사적인 협정을 맺은 지 겨우 일주일이 지난 1939년 9월 1일, 독일군 병사들은 국경 밖으로 쏟아져 나가 폴란드의 방어를 뚫고 진군했다. 그들의 목표는 바르샤바를 향해 전진하면서 영토를 점령하고, 폴란드 지도층을 참살하는 것이었다. 히틀러는 이렇게 말했다.

"나라의 상층부를 궤멸해야만 그들을 노예 상태로 밀어넣을 수 있다."

이에 따라 관리들과 지도급 인물들이 표적이 되었다. 자기네가 무엇을 해야 할지 알고 있던 사람들이 그 일을 맡았다. "사회의 상층부"를 찾아내 섬멸하라는 지시를 받은 25개 팀 책임자 가운데 15명이 박사학위(주로 법학과 철학) 소지자였다.[37]

독일과 소련의 관계 재조정 및 폴란드 침공은 영국과 프랑스를 곤란에 빠뜨렸다. 두 나라는 모두 독일에 선전포고를 했지만, 폴란드에 병력이나 보급 측면에서 의미 있는 지원은 제공하지 않았다. 영국 공군은 몇 차례 제한적인 폭격 작전에 나섰지만, 독일 상공으로 날아간 비행기들이 싣고 간 것은 폭탄이 아니라 전단이었다. 전단을 뿌리는 목적도 그저 희망을 품어보는 것이거나 심지어 완전히 순진하다고 할 만한 것이었다. 1939년 9월 초 어느 날 내각 회의에서 맨 처음 논의된 안건에 대한 기록에는 이런 구절이 있다.

"독일 당국이 우리 선전활동을 두려워하고 있다고 믿을 만한 충분한 근거가 있다. 그리고 비행기가 아무런 제재도 받지 않고 독일 북서부 전역으로 날아갈 수 있다는 것은 독일 국민의 사기를 떨어뜨리는 효과가 있을 것이다."

앞으로 더 많은 전단을 뿌리면 큰 효과를 거둘 것이라는 데 각료들은 동의했다.[38]

그러는 사이에 인도와 중앙아시아에서 공포에 질린 보고들이 런던으로 밀려들었다. 몰로토프와 리벤트로프가 조인한 협정은 독일에 필수적인 물자 공급 채널을 제공하여 유럽에서 전쟁이 일어날 상황을 조성했지만, 거기에 그치는 것이 아니었다. 카불 주재 영국 공사 윌리엄 프레이저-타이틀러William Fraser-Tytler는 소련이 아프가니스탄을 침공할 경우 영국이 군사적 지원을 제공할지의 여부에 대해 현지에서 억측이 많다고 알렸다.[39] 이런 우려는 인도 사무부에서도 마찬가지였다. 로렌스 던다스Lawrence Dundas 장관은 런던의 전시내각에 절망에 가까운 인도 방위의 현실을 담은 문서를 보냈다. 특히 그 방공 태세는 여덟 문의 75밀리미터 포로 구성된 포대 하나 외에는 아무것도 없는 상황이었다.[40]

런던에서는 단기적으로 중앙아시아가 위태로워진다는 데 대해 회의적이었지만, 독일과 소련의 동맹이 동방에서 영국의 이익을 위협한다는 점은 인정되고 있었다. 1940년 봄이 되자 불가피해 보이는 최후의 결전에 대한 고려가 조심스럽게 나오기 시작했다. 참모본부는 전시내각에 제출한 '1940년 소련과의 적대가 미치는 군사적 영향'이라는 제목의 보고서에서 이렇게 설명하고 있다.

"소련 정부가 인도 및 아프가니스탄에 대한 행동을 취하는 데 머뭇거릴 것 같지는 않습니다."

이렇게 되면 "연합국의 힘을 최대한 분산"[41] 시키게 될 터였다. 또 다른 보고서가 오싹할 정도로 명료하게 정리했듯이, 독일과 소련의 협력이 연합국에 심각한 해를 끼칠 방법은 너무도 많았다. 영국이 이란과 이라크에서 석유를 통해 얻는 이득은 위태로워지거나 사라질 수 있으며, 최악의 경우 적에게 넘어갈 수 있었다.[42]

이런 우려에는 근거가 있었다. 독일은 1930년대에 서아시아와 중앙아시아에서 활발하게 움직였다. 항공사 루프트한자는 이 지역에 광범위한 상업용 수송 네트워크를 구축했고, 지멘스와 토트Organisation Todt는 이라크, 이란, 아프가니스탄의 산업 부문들에 깊숙이 진출했다. 수많은 도로와 다리가 독일 엔지니어들에 의해 설계되었고, 독일 기술자들이 건설하거나 건설을 감독했다. 원격 통신 기반시설들은 텔레풍켄 같은 회사들이 건설했고, 이들의 전문 기술은 수요가 매우 많았다.[43]

이런 인연은 이 지역 곳곳에서 독일을 긍정적으로 바라보게 했고, 이는 이슬람 세계에서 히틀러가 과단성 있고 자신이 믿는 것을 꿋꿋이 지키는 지도자로 인식되면서 더욱 강화되었다. 이런 메시지는 독일 군사 정보기관인 아프베어가 통제하는 요원들에 의해 더욱 강화되었다. 그들은 동부 지중해와 히말라야 산맥 사이의 여러 지역에서 적극적으로 연줄을 만들고 지지를 확보했다.[44]

중앙아시아와 인도에서의 경쟁

사실 1940년 1월 독일 최고사령부에서는 소련을 부추겨 중앙아시아와 인도에 개입하게 하는 방식을 놓고 열띤 토론이 벌어졌다. 베어마흐트(국방군)에서 가장 존경받는 고위 장교 알프레트 요들Alfred Jodl은 독일과 소련이 함께 서아시아로 밀고 들어가는 계획을 제안했다. 이는 노력이 "비교적 적게 드는" 일이면서도 동시에 "영국에 위협이 되는 분쟁 지역을 만드는"[45] 일이 될 터였다. 1929년 왕좌에서 물러난 뒤 베를린에 살고 있던 아마눌라 칸을 복위시킨다는 대담한 별도 계획 역시 치밀하게 세워졌다.[46]

전략적으로 민감한 지역에서 문제를 일으키려는 노력도 기울여졌다. 오사마 빈 라덴의 1930년대판인 '이피의 빈자貧者' 미르자 알리 칸Mirza Ali Khan이 인도의 북서 변경 주에서 불안 상태를 조성하여 영국의 관심과 자원을 분산시킬 완벽한 파트너로 꼽혔다. 그는 금욕주의의 전도사이고 신비주의적이나 잔혹한 인물이었다. 종교적으로는 보수적이었지만 사회적으로는 혁명가였다. 한 가지 문제는 그를 찾아내는 것이었다. 그는 도피의 달인이어서 영국인들을 수도 없이 따돌렸다. 또 다른 문제는 은밀하게 찾아야 한다는 것이었다. 한번은 일이 참사로 끝났다. 아프베어가 의심을 피하기 위해 나병 전문가로 변장시킨 두 독일 요원이 아프가니스탄군이 묻어놓은 매복에 걸려 죽거나 다친 것이다. 마침내 미르자 알리 칸과 접촉하는 데 성공했지만 그는 영국에 맞서 도움을 주는 대가로 터무니없는 요구를 했다.[47]

이 지역의 다른 여러 곳에서 펼쳐진 독일의 관계 구축 작업은 마찬가지로 정력적이었다. 이란과 이라크의 많은 사람들은 히틀러의 저돌성과 선전술에 현혹되었다. 예컨대 나치스 정권의 뿌리 깊은 반유대주의와 일부 지도급 이슬람 학자들의 반유대주의는 자연스럽게 겹쳤다. 예루살렘의 무프티암(이슬람 법의 해설자인 무프티를 지휘하는 최고위직 — 옮긴이)인 무함마드 아민 알후세이니는 히틀러의 등장을 환영했고, 나중에 그를 '알하지(순례자) 무함마드 히틀러'라고 불렀다. 독일 지도자 히틀러의 반유대주의는 기꺼이 유대인들의 죽음을 요구한 그에게 좋은 먹잇감이었다. 그는 유대인을 "찌꺼기이자 병균"[48]이라고 불렀다.

이 지역에서 독일의 인기는 더욱 높아졌다. 일부 학자들은 히틀러가 1930년대에 내세운 이데올로기가, 페르시아가 언어와 풍습을 '정화'하기 위해 채택한 프로그램 및 반半신화적인 황금시대로 돌아가자는 (나치스도 그렇게 했다) 노력과 비슷하다는 점을 강조했다. 사실 페르시아라는 국명을 이란으로 바꾼 것은 아마도 베를린에 나가 있던 페르시아 외교관들이 샤에게 '아리아인 우월주의'를, 그리고 이란의 새로운 정체성과 쉽게 연결시킬 수 있는 어원적이고 의사擬似역사학적인 공유 유산을 각인시킨 결과였던 듯하다.[49]

이라크 아랍 사회주의 부흥당(바스당)의 기반도 마찬가지로 나치스의 선전과 부활 사상에서 많은 것을 끌어왔다.[50] 그리고 그 후 히틀러와 사우디아라비아 국왕 압둘아지즈 1세의 사절들 사이에 인상적인 교류가 있었다. 히틀러는 1939년 사절들에게 이렇게 말했다.

"우리는 세 가지 이유로 훈훈한 공감대를 가지고 아랍인들을 보고 있습니다. 첫째, 우리는 아랍 땅에서 어떠한 영토적 열망도 추구하지 않습니다. 둘째, 우리는 같은 적과 맞서고 있습니다. 셋째, 우리는 모두 유대인들에 맞서 싸우고 있습니다. 나는 쉬지 않고 노력해서 그들을 하나도 남김없이 독일 땅에서 몰아낼 것입니다."[51]

이에 따라 당연하게도 영국과 프랑스는 독일과 소련을 봉쇄하기 위한 계획을 잇달아 내놓았다. 프랑스군 참모총장 모리스 가믈랭Maurice Gamelin은 필요할 경우 후방에서 독일을 압박할 수 있도록 거점(이상적인 곳은 발칸 반도였다)을 구축하는 계획을 세우라고 주문했다.[52] 이 아이디어는 프랑스 총리 에두아르 달라디에Édouard Daladier가 진지하게 검토하고 지지했지만, 이후 지지세가 줄었다. 그 대신에 나온 것이 스칸디나비아를 공격한다는 대담한 계획이었다. 스웨덴의 철광석이 독일에 공급되는 것을 차단하기 위해 구상된 것이었다. 이 계획은 영국 해군부 장관이던 처칠의 열렬한 지지를 받았다. 그는 이렇게 썼다.

"이 수입을 석 달이나 심지어 여섯 달 동안 막는 것보다 (……) 더 치명적인 것은 없습니다."

영국은 "노르웨이의 중립을 깨야 하며", 노르웨이의 연안 해역을 돌파해야 했다. 이런 조치를 취하는 것은 독일의 "전쟁 수행 능력과 (……) 이 나라의 생명"[53]을 위협하게 될 터였다.

독일의 보급 사슬을 무력화하는 데 논의가 집중되었다. 마침내 1940년 봄, 관심이 바쿠로 옮겨갔다. 프랑스 공군 참모총장 조제프 뷔유망Joseph Vuillemin 장군은 연합군이 서아시아의 기지들을 이용하여 소련의 시설들(특히 아제르바이잔에 있는)을 공격하는 계획을 지지했다. 이라크의 영국 기지와 시리아의 프랑스 기지에서 작전을 펼치는 비행대들이 두세 달 사이에 캅카스 지역의 석유 생산을 절반으로 줄일 수 있다는 주장이었다. 계획의 첫 번째 초안에 따르면 이는 "러시아와 독일에 결정적인 타격"을 줄 수 있었다. 이후의 수정 계획들은 더욱 낙관적인 추정을 장담했다. 공격 횟수를 줄이면 성과는 줄겠지만 빠른 시일 내에 이룰 수 있다는 것이었다.[54]

캅카스 폭격의 결과는 극적일 것이라고 영국의 전략가들은 동의했다.

"그 즉각적인 결과로 소련의 공업 및 농업경제가 파괴되어 갈수록 마비되고 작동하지 않게 될 것입니다. 이에 따라 독일이 자기네 편의와 의지에 따라 소련의 생산물을 합리적으로 활용한다는 계획이 모두 물거품이 되고, 이런 관점에서 전쟁의 승패에 결정적인 영향을 미칠 것입니다."

프랑스와 영국의 전략가들은 소련의 석유 관련 시설들을 파괴하는 것이, 독일의 위협을 제거하는 최선의 길이라고 확신했다.[55]

이런 합동작전 계획들은 히틀러가 전격적으로 프랑스를 공격하면서 좌절되었다. 많은 사람들에게 독일의 공격은 천재적인 전술로 보였다. 사전에 치밀하게 계획되고 전쟁으로 단련된 군대(외국 땅을 점령한 경험이 풍부했다)의 눈부신 작전 수행을 통해 기습적으로 방어군을 덮쳤다.

그러나 최근 연구가 보여주듯이 프랑스에서의 성공은 실제로는 상당 부분 우연의 결과였다. 히틀러는 적어도 한 번 겁을 먹고 부대들에게 위치를 고수하라고 명령했으나 명령은 각 부대 지휘관들에게 전달되지 않았고, 이들이 멈춰야 할 곳에서 수 킬로미터 더 전진한 뒤에야 전달되었다. 늠름한 프로이센 태생의 탱크부대장 하인츠 구데리안Heinz Guderian은 계속 진격하다가 명령 불복종으로 직위에서 해임되기까지 했다. 물론 위치를 고수하라는 명령은 아마도 그에게 전달되지 않았던 듯하다. 이 시기에 히틀러는 너무도 두려워한 나머지 자신의 군대가 함정에 빠졌다고까지 생각했다. 이에 따라 그는 거의 신경쇠약에 가까운 증세를 보였다.[56] 빠른 진격은 요행을 얻은 도박꾼에게 잘못 돌아간 전리품이었다.

서유럽에서 제국의 시대는 1차 세계대전과 함께 끝이 났다. 그것은 서서히 사라지지 않았다. 독일은 지금 녹아웃 펀치를 날리려 하고 있었다. 영국 공군이 본토 공습('브리튼 섬 항공전')에 대비하여 출격할 준비를 하면서, 큰 목소리가 한 시대의 종말을 알렸다.

카불 주재 독일 공사 한스 필거Hans Pilger는 여름이 끝나기 전에 히틀러가 런던에 있을 것이라는 예측을 열심히 퍼뜨리고 다녔다. 아프가니스탄 정부의 주요 인사들에게는 대영제국이 붕괴할 때를 대비한 시나리오들을 제시했다. 이 나라가 전쟁 초기에 선택했던 중립 정책을 포기한다면 독일은 영국령 인도 북서부의 상당한 땅덩어리와 카라치 항을(물론 이 지역이 자기네에게 굴러들어올 경우다) 내주겠다고 약속했다.

이는 솔깃한 제안이었다. 심지어 카불 주재 영국 공사 프레이저-타이틀러조차도 영국이라는 배가 "침몰하고 있는 듯하며", "계속 떠 있을 수 있는" 기회를 잡으려면 용기와 믿음이 필요하다고 인정했다. 현지 경제의 붕괴를 막기 위해 아프가니스탄 면화 작물의 수송비 인하 등의 조치를 취한 것은 최소한의 제스처일 뿐이었다. 그리고 영국의 선택지가 얼마나 적었는지를 보여주는 징표였다. 이 결정적인 순간에 아프가니스탄은 이전 정책을 고수했다. 아니면 적어도 곧바로 독일과 한편이 되지 않고 망설였다.[57]

1940년 여름 무렵에 영국인들과 그 제국은 필사적으로 매달리고 있었다. 전년도 여름 모스크바에서 자정이 넘은 시각에 나치스 독일과 공산주의 소련이 펜대를 놀려 협정에 조인한 사건은 세계를 아주 다른 모습으로 만들었고, 그것도 아주 빨리 변화시켰다. 미래는 베를린에서 소련을 거쳐 아시아와 인도아대륙 깊숙이까지 이어지는 새로운 일련의 연결점들에 달려 있었다. 그것은 교역과 자원이 서유럽이 아니라 그 중심부를 향하게 할 터였다.

그러나 이러한 방향 수정은 소련의 지속적이고 끊임없는 지원에 의존하는 것이었다. 폴란드 침공 이후 몇 달 동안은 독일로 상품과 물자가 흘러들어왔지만, 언제나 그렇게 순조롭지만은 않았다. 협상은 팽팽했다. 특히 수요가 많았던 밀과 석유 등 두 가지 자원의 경우에는 더했다. 스탈린은 이 문제를 직접 감독해서 독일이 요구한 80만 톤의 석유를 보낼 것인지 그 일부만 보낼 것인지, 그리고 어떤 조건으로 보낼 것인지를 결정했다. 일일이 화물 선적을 논의하는 것은 긴장되고 시간이 걸리는 일이었다. 더구나 독일 전략가들에게는 그것이 거의 상시적인 불안의 근원이었다.[58]

당연히 독일 외무부는 상황이 얼마나 위태로운지 알고 있었고, 소련에 지나치게 의존하는 일의 위험성을 강조하는 보고서를 쏟아냈다. 지도부가 바뀌거나, 그들이 고집을 부리거나, 아니면 단순한 거래상의 이견이 발생하거나 등의 이유로 독일은 위험에 처할 수 있었다. 이것이 히틀러가 유럽에서 계속 놀라운 군사적 승리를 거두는 가운데 제기된 하나의 커다란 위협이었다.[59]

독일이 우크라이나에서 얻는 것

수백만 명의 독일 병사들과 수백만 명의 소련인의 목숨, 그리고 수백만 명의 유대인의 목숨을 앗아가게 한 결정은 이런 불안감과 불확실성

속에서 내려진 것이었다. 바로 소련을 침공한다는 결정이었다. 늘 그렇듯이 히틀러는 1940년 7월 말 새로운 모험을 발표하면서 그것을 이데올로기 투쟁으로 위장했다. 이제 볼셰비즘을 제거할 기회라고 그는 요들 장군에게 말했다.[60] 그러나 사실 문제가 된 것은 원자재와 무엇보다도 식료품이었다.

1940년 후반기와 1941년 초에 침략을 위한 물류 관리에 나선 것은 군인들만이 아니었고, 경제 입안자들 역시 마찬가지였다. 이들을 이끈 사람은 농업 전문가 헤르베르트 바케Herbert Backe였다. 그는 1920년대 초 나치스 당에 입당한 뒤 꾸준히 승진을 거듭하여 식량농업부 장관 리하르트 다레Richard Darré의 측근이 되었다. 바케는 나치스의 대의에 맹목적으로 헌신한 데다 농업 문제에 밝았기 때문에 가격을 규제하고 수입과 수출 시장을 통제하는 1930년대의 개혁에서 점차 영향력을 늘려갔다.[61]

바케는 독일의 문제에 소련이 해법이 될 것이라는 생각에 집착했다. 러시아 제국이 팽창하면서 스텝 지대는 유목민들의 목장에서 곡창 지대로 서서히 변모했다. 평평한 대지에 아득하게 펼쳐진 벌판은 모두 곡물 경작지가 되었다. 땅은 엄청나게 비옥했고, 특히 광물질이 많아 검은색을 띠는 곳은 더욱 그러했다. 러시아 과학원이 이 지역을 탐사하기 위해 보낸 과학 조사단은 흑해에서 중앙아시아 깊숙이까지 펼쳐진 이 지역에 대해 감상적으로 서술했다. 이곳의 환경은 생산성이 매우 높은 대규모 곡물 경작에 딱 들어맞는다고 흥분하며 보고했다.[62]

남부 러시아와 우크라이나의 농업은 1917년 혁명 이전에 무서운 속도로 성장했다. 국내 수요가 증가하고 수출이 확대되고 있는 데다, 가장 우수한 밀 품종과 수천 년 동안 유목민과 그들이 기르던 가축들

이 초지로 썼던 땅에서 산출을 극대화하는 방법에 대한 과학적 연구가 이루어진 덕분이었다.[63]

스텝 지대에서는 19세기 말과 20세기 초에 생산이 급격하게 늘어나고 있었는데, 바케만큼 그곳의 잠재력에 대해 잘 알고 있는 사람은 없었다. 그의 전공 분야와 박사학위 논문 주제도 러시아 곡물이었다.[64] 작달막하지만 강단 있으며 안경을 쓰고 말쑥하게 차려입은 바케는 팀을 이끌고 침략의 목표와 목적이 무엇이어야 하는지에 대한 밑그림을 잇달아 그려냈다.

우크라이나는 열쇠였다. 흑해 북안과 카스피해 너머까지 펼쳐지는 풍요로운 농작물 평원을 손아귀에 넣으면 "우리를 모든 경제적 압박에서 해방"시킬 터였다.[65] 독일은 "막대한 부"를 지닌 소련의 이 지역을 장악하면 "천하무적"이 된다.[66] 소련의 호의와 믿을 수 없는 그 지도부에 의존하는 일은 끝나고, 영국의 지중해와 북해 봉쇄의 효과도 크게 감소할 것이다. 이것은 독일이 필요로 하는 모든 자원들을 제공할 기회였다.

히틀러는 1941년 여름 마침내 공격을 시작한 뒤에, 무엇이 걸려 있는지에 대해 바로 이런 이야기를 하게 된다. 독일군이 침략 초기에 무서운 속도로 동쪽으로 이동할 때 히틀러는 좀처럼 흥분을 억누를 수 없었다. 그는 신이 나서 주장했다. 독일은 이 새로 정복한 땅에서 결코 떠나지 않을 것이라고. 이 땅들은 "우리의 인도", "바로 우리의 에덴동산"이 될 것이라고.[67]

선전부 장관 요제프 괴벨스 역시 이 공격이 모두 자원, 특히 밀 등 곡물과 관련된 것임을 믿어 의심치 않았다. 그는 1942년에 쓴 글에서 특유의 덤덤하고 냉담한 어조로 전쟁이 "곡물과 빵" 때문에, "풍성

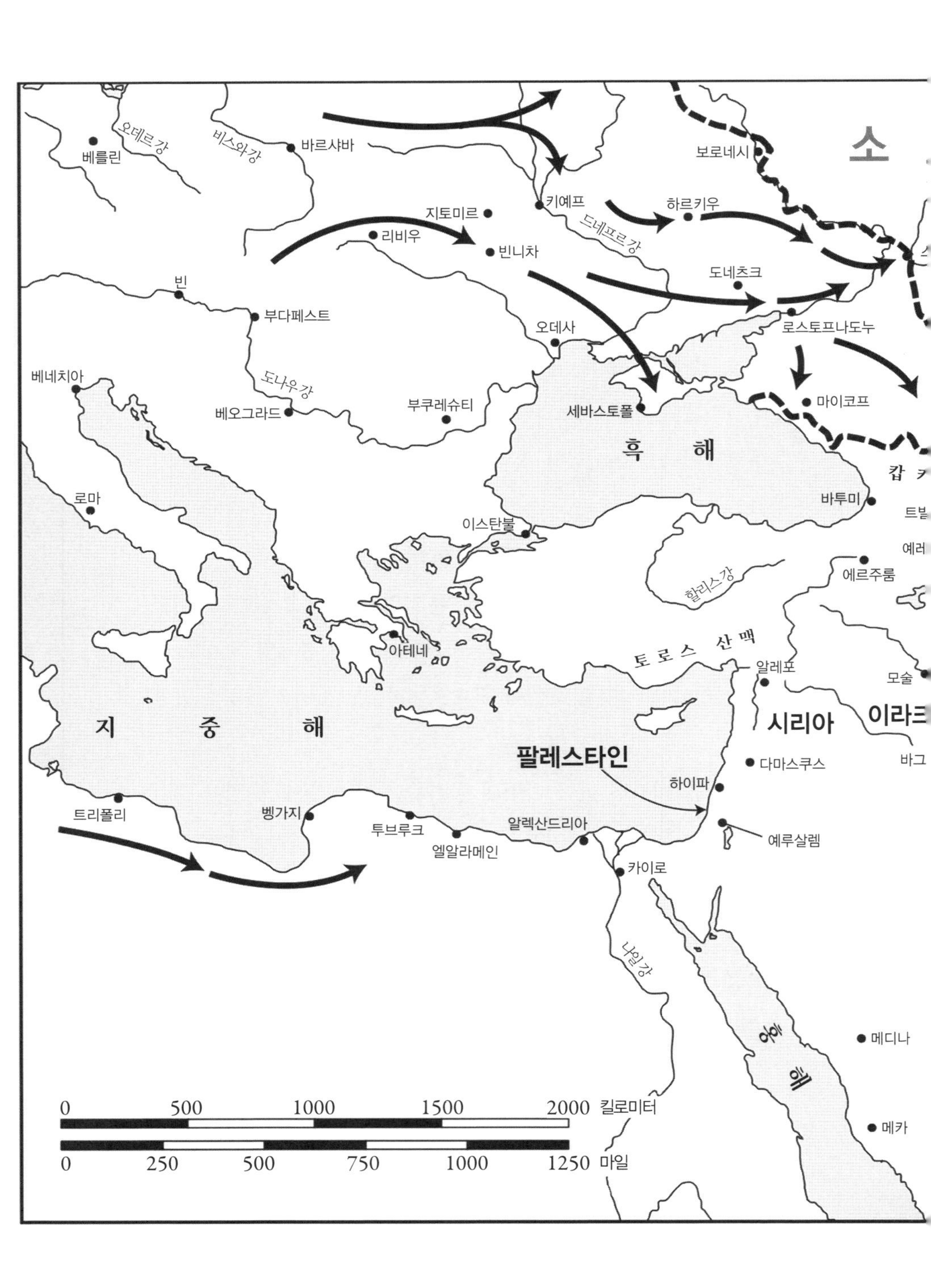

소
베를린
오데르강
비스와강
바르샤바
보로네시
키예프
하르키우
지토미르
리비우
빈니차
드네프르강
도네츠크
빈
부다페스트
오데사
로스토프나도누
베네치아
도나우강
베오그라드
부쿠레슈티
세바스토폴
마이코프
흑 해
로마
이스탄불
바투미
에르주룸
할리스강
아테네
토 로 스 산 맥
알레포
모술
지 중 해
시리아
팔레스타인
다마스쿠스
하이파
트리폴리
벵가지
투브루크
엘알라메인
알렉산드리아
예루살렘
카이로
나일강
홍 해
메디나
메카
0 500 1000 1500 2000 킬로미터
0 250 500 750 1000 1250 마일

2차 세계대전 당시의 실크로드
독일의 동방 진출
페르시아 회랑
우랄 강
아랄해
시르다리야강
알마아타
비슈케크
카스피해
히바
카라쿰 사막
타슈켄트
페르가나 분지
텐 산 산맥
아무다리야강
부하라
코칸드
바쿠
크라스노보츠크
사마르칸트
두샨베
파미르 고원
아시가바트
메르브
마자르이샤리프
잘랄라바드
키즈빈
테헤란
아프카니스탄
페샤와르
힌두쿠시 산맥
콤
헤라트
카불
라왈핀디
가즈니
페르시아
이스파한
칸다하르
라호르
인더스강
시스탄
아바단
바스라
쿠슈크
케르만
퀘타
시라즈
델리
페르시아만
인도
아라비아해

한 아침, 점심, 저녁 식탁을 만들기 위해" 시작되었다고 단언했다. 그는 이어, 이것이 독일의 전쟁 목적이며 다른 목적은 없다고 말했다.

"동방의 광활한 들판에서는 누런 밀이 흔들거리고 있을 것이다. 우리 국민과 전체 유럽 사람들을 먹이고도 남는 밀이."[68]

이런 언급 뒤에는 급박한 현실이 도사리고 있었다. 독일은 갈수록 식량과 물자가 떨어져가고 있었다. 소련 곡물을 들여와도 만성적인 공급 부족 사태를 해결할 수 없었다. 예컨대 1941년 2월에 독일 라디오는 영국의 교역 봉쇄로 인해 유럽 전역에서 식량 부족이 발생했다고 보도했다. 독일은 이 봉쇄가 '정신착란'(아나운서들은 이를 '영국 치매'라고 표현했다)과 다름없는 짓이라고 비난했었다.[69] 1941년 여름이 되자 괴벨스는 베를린의 가게 선반이 비었다고 일기에 썼다. 팔려고 내놓은 채소를 보는 것은 진기한 일이었다. 이것이 가격 불안정을 불러오고 암시장을 번성하게 했다. 이것은 다시 독일의 팽창이 정확하게 어떤 실익을 가져다주었느냐고 묻기 시작하는 주민들의 조바심(아직 들썩일 정도는 아니었지만)을 더욱 키웠다. 히틀러의 선전 책임자가 확실히 초조해할 만한 사태 전개였다.[70] 한 지방 관리는 이렇게 말했다.

"[독일의 이 지역의] 과로하고 진이 빠진 남자와 여자들은 전쟁이 왜 더 먼 아시아와 아프리카까지 확대되어야 하는지 이해하지 못하고 있습니다."

행복했던 나날들은 이제 아득한 추억이었다.[71]

해법은 바케와 그가 이끈 분석가 집단에 의해 제공되었다. 바케 자신은 1940년 말 물자 공급에 관한 연례 보고서에서 독일의 악화되는 식량 사정을 고통스럽게 언급했다. 1941년 1월 장관 회의에 4개년 계획 책임자 자격으로 참석한 헤르만 괴링은 머지않아 고기 배급제를 시행해야 할 것이라고까지 말했다. 이는 전쟁에 대한 지지뿐만 아니라 나치스에 대한 지지까지 잃을수 있다는 우려에서 거듭 거부되어온 조치였다.[72]

바케의 제안은 급진적이었다. 소련은 광대해서 지리와 기후가 다양하지만, 대략적인 선으로 나눌 수 있었다. 우크라이나와 남부 러시아, 캅카스 산지를 포괄하는 남부는 들판과 자원이 있는 '잉여' 구역이었다. 중북부 러시아와 벨라루시, 발트해 연안 지역 등의 북부는 '부족' 구역이었다. 바케가 밝혔듯이 이 선 한쪽에 있는 사람들은 곡물을 생산했고, 그 반대쪽에 있는 사람들은 그것을 소비하기만 했다. 독일의 식량 문제에 대한 해법은 잉여구역을 점령하는 것이었다. 그리고 후자는 무시하면 되었다. '잉여' 구역을 점령하여 그 산물을 독일이 차지해야 했다. '부족' 구역은 잘라내게 된다. 이 지역 사람들의 생존은 관심 밖이었다. 그 지역이 잃는 것은 독일이 얻는 것이 된다.

바르바로사 작전

이것이 의미하는 현실은 바르바로사 작전이 개시되기 불과 몇 주 전 베를린에서 열린 회의에서 설명되었다. '바르바로사 작전'은 소련 침공의 암호명이다. 5월 2일, 전략가들은 이 공격의 우선순위와 예상되는 결과에 대해 논의했다. 독일군은 진군해나가면서 식량을 현지에서 징발해야 했다. 약속의 땅은 공격 개시 시기에 수확을 시작할 것으로 기대되었다. 독일의 베어마흐트(국방군)는 국경선을 넘어서는 순간부터 소련으로부터 보급을 받게 된다.

회의에서는 '부족' 구역에 거주하는 사람들에게 미칠 영향 또한 언급되었다. 그들은 단칼에 쳐버리게 된다. 역사상 가장 으스스한 기록에 속할 이 회의록은 이렇게 간단히 이야기한다.

"우리에게 필요한 것을 그 땅에서 징발한다면 그 결과로 x백만 명의 사람들이 틀림없이 굶어 죽을 것이다."[73]

이 죽음은 독일을 먹여살리기 위해 치러야 하는 대가였다. 이 수백만 명은 독일의 성공과 생존을 위한 부수적인 피해이자 불가피한 희생물이었다.

이 회의는 이어, 일을 순조롭게 진행하기 위한 수송 문제를 검토했다. 평원의 경작지와 운송을 위한 기반시설들을 연결하는 간선로들이 물자를 배에 실어 독일로 운송해올 수 있도록 보장하게 된다. 수확물 수집과 앞으로의 경작을 감독할 농업 지도자들이 민간인 복장에 차게 될 잿빛 도는 은색의 완장도 세심하게 살폈다. 한 유명 학자가 지적했듯이, 이 회의는 일상과 살인이 뒤섞인 사례였다.[74]

그 이후 3주 동안 사망자 수를 예측하기 위한 총체적인 노력이 기울여졌다. '부족' 구역에서 죽을 것으로 예상된 'x백만'이라는 수치를 구체화하려는 것이었다. 5월 23일, 기본적으로 이미 도달한 결론을 갱신한 20쪽짜리 보고서가 제출되었다. 소련의 '잉여' 지역은 분리되며, 그곳의 곡물과 기타 농산물은 수집되어 독일로 운송된다. 베를린 회의에서 논의되었던 대로 현지 주민들은 결과를 감내해야 했다. 이전에 공란으로 남겨두었던 예상 사망자 수는 이제 분명하게 밝혔다. 보고서는 이렇게 되어 있다.

"이 나라의 수천만 명의 사람들이 과잉 인구가 되어서 죽거나 시베리아로 이주해야 할 것이다. 그곳의 주민들을 굶어 죽지 않게 구제하려면 (……) 유럽에 대한 식량 공급을 희생하는 수밖에 없다. 그렇게 하면 독일은 전쟁이 끝날 때까지 버틸 가능성이 없어진다."[75]

이 공격은 그저 전쟁 승리만을 염두에 둔 것은 아니었다. 이는 말 그대로 죽느냐 사느냐 하는 문제였다.

5월 2일 회의의 참석자 명단은 남아 있지 않지만, 이 의제와 결론 곳곳에는 바케의 흔적이 묻어난다. 히틀러는 그를 매우 존중했으며, 그에 대한 신임도는 그의 상급자들을 능가했다. 바케의 아내가 일기에 썼듯이, 독일 지도자 히틀러는 침략 계획을 짜는 브리핑 과정에서 누구보다도 그의 조언을 듣고자 했다. 그리고 1941년 여름에 마침내 발표된, 수정된 그의 논문 서문이 있다. 그는 소련이 자기네 자원을 적절하게 이용하는 데 실패했다고 썼다. 독일이 그곳을 점령한다면 틀림없이 더 효율적으로 사용할 수 있었다.[76]

무엇보다도 인상적인 것은 그가 침공 3주 전인 1941년 6월 1일에 쓴 짧은 메모다. 소련이 앞으로 겪게 될 일에 대해 동정할 필요는 전혀 없다고 그는 썼다.

"소련 사람들은 이미 수백 년 동안 가난과 굶주림과 물자 부족을 견뎌왔다. (……) 독일의 생활수준에 맞추어 소련 사람들의 생활방식을 바꾸려고 해서는 안 된다."

그는 이어, 소련 사람들의 위는 "늘어날 수 있다"고 말했다. 따라서 굶주리게 될 사람들에게 연민을 품는 것은 부적절한 일이었다.[77] 그의 생각은 명료해서 다른 사람들에게 울림을 주었다. 소련 공격 준비에 박차를 가하던 때에 괴벨스도 일기에서 이를 언급했다. 그는 이렇게 썼다.

"[바케는] 자기 부서를 아주 능숙한 방식으로 지배한다. 그가 있으면 못 할 일이 전혀 없다."[78]

앞에 놓인 문제의 중요성은 관련된 사람들이 잘 알고 있었다.

1941년 겨울에 식량 부족 사태가 닥칠 것이라고 괴벨스는 자신의 일기에서 예측했다. 너무 심각해서 이전의 기근들은 하찮아 보일 정도라고 했다. 그는 이어 명백한 추론을 거쳐, 그것은 자신들의 문제가 아니며 고통을 당하는 것은 독일인이 아니라 소련 사람들일 것이라고 말했다.[79] 독일인들이 영국인들처럼 소련 라디오 방송을 열심히 들었다고 보면, 괴벨스는 침략 개시일 사흘 전에 이런 뉴스를 듣고 자신감을 얻었을 것이다.

"중부 러시아에서는 들판이 푸른 카펫처럼 보입니다. 동남부 지역에서는 밀이 익어가고 있습니다."

수확이 막 시작되었고, 풍작인 듯했다.[80]

공격 준비가 막바지에 이르면서 고위 장교들은 물론 사병들까지도 무엇이 걸려 있는지를 마음속에 새겼다. 바이에른 출신의 직업군인으로 베어마흐트에서 거침없이 승진했던 프란츠 할더에 따르면, 히틀러는 통상 솔직하고 단정적이었다. 이것은 최후의 결전이라고 그는 1941년 3월 휘하 장군들에게 말했다. 소련에서 무력은 "가장 잔인한 방식으로" 사용되어야 한다. 이 전쟁은 "박멸의 전쟁"이 될 터였다.

"부대 지휘관들은 걸려 있는 문제가 무엇인지 알아야 합니다."

소련에 관한 한 "오늘의 엄격함은 내일의 관대함"[81]이라고 히틀러는 말했다.

이 모든 것은 1941년 5월에 더욱 명료하게 정리되었다. 이 무렵에는 공식적인 '소련에서의 병사들의 행동 지침'이 마련되어 침공에 참여하는 사람들에게 회람되었다. 이 행동 지침은 선동가, 유격대원, 파괴공작원들과 유대인들로 인해 예상되는 위협을 나열하면서, 독일 병사들은 아무도 믿지 말고 어떠한 자비심도 보이지 말아야 한다고 강조했다.[82] 점령 지역을 어떻게 통제해야 하는지에 대한 명령도 내려졌다. 반란이나 저항이 있을 경우 연좌제도 이용된다. 독일의 이익에 어긋난 활동을 한다고 의심되는 사람은 즉결재판을 해서 유죄 판결이 나면 총살한다. 군인이든 민간인이든 가리지 않는다.[83]

마침내 여러 가지 지시들이 내려졌다. 이른바 '정치위원 처리 지침'도 그중 하나로, 예상할 수 있는 일들에 대해 그림을 곁들여 경고했다. 적은 국제법과 인도주의에 어긋나는 방식으로 행동할 가능성이 높다고 했다. 소련의 정치 엘리트인 정치위원들은 "야만적이고 아시아적"이라고밖에 할 수 없는 방식으로 싸운다. 따라서 그들에게는 자비심을 보여서는 곤란했다.[84]

대량학살로 가는 길

히틀러가 꿈꾼 것

독일이 소련 침공을 준비하면서 장교와 병사들에게 보낸 메시지는 일관되고 가차 없었다. 남부의 밀밭을 점령하는 데 모든 것이 달려 있다는 것이었다. 병사들에게는 소련 국민이 먹는 음식은 독일 아이들의 입에서 빼앗아간 것으로 생각하라고 말했다.[1] 고위 지휘관들은 부하들에게, 독일의 미래가 그들의 승리에 달려 있다고 말했다. 전차부대 사령관 에리히 회프너Erich Hoepner는 바르바로사 작전이 시작되기 직전에 자기 부대에 내린 작전 명령에서, 소련을 박살내야 한다고 강조했다. 그것도 "유례없이 가혹하게" 박살을 내야 한다고 했다.

"모든 군사작전은 구상을 가지고 해야 하며, 실행은 적을 무자비하고 완전하게 절멸시킨다는 굳은 의지를 앞세워야 한다."[2]

슬라브인에 대한 경멸과 볼셰비즘에 대한 증오, 그리고 반유대주의가 장교단의 혈관에 흐르고 있었다. 한 유명 역사가는 이렇게 썼다.

"이 이데올로기적 효모들이 섞여, 발효하면 쉽게 장군들을 대량학살의 종범으로 변환시킬 수 있었다."[3]

히틀러는 공포를 실행에 옮기도록 쾌치면서 미래에 관한 백일몽을 꾸었다. 크림 반도는 독일인들을 위한 리비에라 해안이 될 것이라고 생각했다. 고속도로로 흑해의 이 반도와 본국을 연결하여, 모든 독일인들이 얼마 전부터 생산된 폴크스바겐('국민차')을 타고 이곳에 갈 수 있다면 얼마나 멋질까? 그는 엉뚱하게도 나이가 젊어 이 모든 일이 어떻게 되어가는지를 볼 수 있었으면 하고 바랐다. 그는 자신이 앞으로 있을 수십 년 동안의 엄청난 흥분의 시기를 놓치는 것은 유감스러운 일이라고 생각했다.[4]

하인리히 힘러 역시 마찬가지로 주요 도로를 따라 늘어선 '정착촌 줄Siedlungsperlen'이 있고 이주민들이 모여 살며 마을들이 둥그렇게 펼쳐진 장밋빛 전망을 머릿속에 그렸다. 이 마을들에는 독일 농민이 모여 살고, 비옥한 검은 땅에서 농작물을 수확한다.[5]

히틀러와 그의 측근들은 독일의 자원 기반을 확장하는 일에서 두 나라를 본보기로 삼았다. 첫째는 대영제국이었다. 독일은 동방의 드넓은 새 영토에 발자국을 찍게 된다. 마치 영국이 인도아대륙에서 그랬던 것처럼. 식민지 개척에 나선 독일의 소수 주민들이 소련을 지배하게 된다. 마치 소수 영국인들이 라지Raj('통치'를 의미하는 산스크리트어로, 영국의 인도아대륙 지배 또는 그 통치 기구를 말한다—옮긴이)를 통해 통치했던 것처럼. 유럽 문명은 정말로 열등한 문화에 승리를 거둘 것이다. 인도를 다스린 영국은 소수의 사람들이 어떻게 대규모 인구를 지배할 수 있었는지를 보여주는 모델로서 나치스 지도부에 의해 끊임없이 인용되었다.[6]

히틀러가 자주 언급한 또 다른 모델이 있었다. 그는 여기서 유사성을 보았고, 여기에 자극받았다. 바로 미국이었다. 독일은 유럽인 정착민들이 아메리카 대륙에서 그곳 원주민들에게 했던 일을 할 필요가 있다고 히틀러는 새로 임명된 동방점령지부 장관 알프레트 로젠베르크에게 말했다. 현지 주민들은 몰아내거나 아니면 몰살해야 했다. 볼가 강은 독일의 미시시피 강이 될 것이라고 그는 주장했다. 다시 말해서 문명 세계와 그 너머의 무질서 사이의 경계선이었다.

19세기에 미국의 대평원에 정착했던 사람들이 틀림없이 동방에 모여 정착할 것이라고 그는 말했다. 독일인, 네덜란드인, 스칸디나비아인과 또한 미국인들도 새로운 기회의 땅에서 미래와 보상을 찾을 것이라고 그는 확신에 차서 예측했다.[7] 멀리 동방에 펼쳐진 우크라이나와 남부 러시아의 들판 덕분에 새로운 세계 질서가 떠오를 전망이었다. '미국인의 꿈'은 끝났다고 히틀러는 단언했다.

"유럽은(더 이상 미국이 아니다) 무한한 가능성의 땅이 될 것이다."[8]

그가 흥분한 것은 단지 흑해와 카스피해 북쪽의 띠 모양의 땅이 지닌 가능성에만 근거하지 않았다. 모든 곳에서 나타나는 조짐들이 독일 쪽에 유리하게 급변하고 있음을 보여주었다. 독일의 협공의 한 부분은 북쪽으로부터 세계의 중심을 향해 움직이고 있었고, 다른 한쪽은 남쪽에서 북아프리카와 서아시아를 거쳐 오고 있었다. 1941년 북아프리카 사막에서 거둔 일련의 승리로 에르빈 로멜과 아프리카 군단은 이집트를 지척에 두고 있었고, 이에 따라 수에즈 운하의 통제권 확보에 바짝 다가서게 되었다. 바르바로사 작전이 시작되던 바로 그 무렵이었다. 한편으로 프랑스의 붕괴는 1차 세계대전 협상 타결 이후 프랑스가 시리아와 레반트에 건설했던 공군기지를 독일 공군에 빼앗김으로써 독일의 세력 범위를 더욱 확장할 수 있는 가능성을 열어놓았다.

세계의 운명은 가느다란 실에 매달려 있었다. 핵심적인 문제는 언제 소련을 침공할 것이냐, 그리고 기습으로 스탈린을 잡을 수 있느냐에 달린 듯했다. 작물을 파종한 뒤, 그러나 그것이 수확되기 전에 공격을 개시하는 것이 중요했다. 독일 병사들이 소련으로 진격하면서 그것을 이용할 수 있도록 하기 위해서다. 1940년 독-소 협정으로 소련은 이미 100만 톤의 곡물과 거의 비슷한 물량의 석유, 그리고 상당량의 철광석과 망간을 독일로 선적하도록 되어 있었다. 1941년 5월 막대한 양의 추가 화물을 인수하고 나자 그 순간은 거의 임박해 있었다.[9]

깨진 동맹

1941년 초여름 독일군이 동부로 모여드는 것을 보고 깜짝 놀란 소련의 세묜 티모셴코Semyon Timoshenko 국방부 장관과 게오르기 주코프Georgy Zhukov 장군은 선제공격을 개시하고 이어 진격을 감행하여 바르샤바와 폴란드 북부, 그리고 프로이센 일부를 공격하자는 제안을 내놓았다. 스탈린의 생각과는 반대였다. 서로 긴밀하게 부합하는 두 기록에 따르면 스탈린은 이 계획을 묵살하고 받아들이지 않았다. 그는 화가 나서 분명하게 물었다.

"당신들 미쳤소? 독일을 자극할 셈이오?"

그는 티모셴코를 향하며 말했다.

"다들 보시오. (……) 티모셴코는 건강하고 머리가 크지만 뇌는 분명히 작군요."

그러고는 이렇게 위협했다.

"당신이 국경에서 독일을 자극한다면, 우리 허락 없이 군대를 움직인다면, 목을 날려버릴 것이오. 명심하시오."

그러더니 그는 돌아서서 문을 쾅 닫고 나가버렸다.[10]

이는 스탈린이 히틀러의 공격이 임박했음을 믿지 않았다는 것이 아니다. 다만 아직은 그러고 싶지 않았다는 것이다. 사실 스탈린이 나치스 정부와의 교역을 직접 챙긴 이유는 소련군을 급속하게 재건하고 현대화하는 동안에 독일을 주의 깊게 지켜보기 위한 것이었다. 그는 자신이 여전히 많은 카드를 쥐고 있다고 확신했다. 그렇기 때문에 공격이 임박했다는 정보가 베를린과 로마, 심지어 도쿄의 요원들로부터도 들어왔지만(모스크바의 각국 대사관으로부터 경고와 신호가 들어온 것은 물론이다) 이런 보고들을 간단히 일축했다.[11] 그의 가차 없는 태도는 침공이 시작되기 겨우 닷새 전에 독일 공군사령부 안의 첩자에게서 온 보고에 대한 반응에 잘 압축되어 있다. 그는 이렇게 휘갈겨댔다.

"당신 '정보원'에게 (……) 꺼져버리라고 하시오. 그놈은 '정보원'이 아니오. 거짓 정보를 흘리는 놈이오."[12]

스탈린 주위에 있던 사람이 모두 그처럼 심드렁했던 것은 아니다. 6월 초 독일군의 움직임이 나타나자 일각에서는 붉은 군대를 방어 위치로 이동시켜야 한다고 주장했다. 그러나 스탈린은 못 믿겠다는 듯이 말했다.

"우리는 독일과 불가침 협정을 맺었소. 독일은 서방에서 전쟁에 묶여 있고, 나는 히틀러가 소련을 공격해서 두 번째 전선을 열지 않으리라고 확신하오. 히틀러는 바보가 아니고, 소련은 폴란드나 프랑스나 심지어 영국이 아니라는 점을 인식하고 있소."[13]

6월 21일 무렵에는 뭔가 심각한 일이 벌어지고 있음이 분명해졌다. 모스크바 주재 스웨덴 공사 빌헬름 아사르손Vilhelm Assarsson은 둘 중 하나라고 생각했다. 자신이 이례적으로 광범위한 영향을 미칠 '독일

제3제국과 소비에트 제국' 사이의 역사적 대결을 가장 가까이에서 지켜보게 되거나, 독일이 '우크라이나와 바쿠 유전'에 관한 여러 가지 요구를 쏟아내거나. 만약 후자라면 그는 그저 '세계 최대의 갈취 사례'를 목격할 뿐이라고 생각했다.[14]

몇 시간 뒤, 그것은 허세가 아니었음이 분명해졌다. 1941년 6월 22일 새벽 3시 45분, 스탈린은 주코프 장군에게서 걸려온 전화에 잠이 깼다. 주코프는 국경 전역에서 방어선이 뚫려 소련군이 공격을 받고 있다고 보고했다. 스탈린은 처음에 믿으려 하지 않았다. 그는 히틀러가 무언가를 강압적으로 타결하려는 목적에서 취한 선행 조치라고 결론지었다. 아마도 교역에 관한 것일 터였다. 그러나 차츰 그는 이것이 사생결단임을 깨달았다. 충격을 받아 멍해진 그는 긴장증에 걸린 듯한 상태에 빠져 몰로토프에게 성명을 발표하도록 했다. 몰로토프는 방송에 출연하여 엄숙하게 말했다.

"문명국의 역사에서 일찍이 없었던 배신 행위가 일어났습니다."

그러나 의문의 여지는 없었다.

"적은 분쇄될 것이고, 우리는 승리할 것입니다."

그러면서도 소련이 악마와 함께 춤을 추었고, 이제 그 대가를 치러야 할 시간이 왔다는 사실에 대한 언급은 없었다.[15]

독일군의 진격은 가차 없고 파괴적이었다. 비록 대개 그렇게 생각하듯이 침략군이 잘 준비되지도 않았고 장비를 잘 갖추지도 않았지만 말이다.[16] 며칠 만에 민스크가 함락되고 40만 명의 소련군 병사들이 포위되어 궁지에 몰렸다. 브레스트가 함락되고 방어군은 금세 보급품이 떨어졌다. 그러나 언제나 희망마저 빼앗겼던 것은 아니었다. 한 젊은 병사는 1941년 7월 20일 벽을 긁어 이런 글을 남겼다.

"나는 죽어가고 있습니다. 그러나 항복하지는 않을 겁니다. 나의 조국이여, 안녕히!"[17]

이때쯤 스탈린은 일어나고 있는 일의 규모를 깨닫기 시작했다. 7월 3일, 그는 라디오 연설에서 독일의 침략은 "소련 인민들이 죽느냐 사느냐" 하는 문제라고 말했다. 그는 청취자들에게 침략자들이 "차르 체제"와 "지주의 지배"를 부활시키려 한다고 규정했다. 그나마 사실에 가까운 것은 공격자들이 독일 왕공과 귀족들을 위한 "노예"를 얻으려는 의도라고 한 그의 주장이었다.[18] 이것은 대략 맞는 말이었다. 왕공과 귀족이 나치스 관원과 독일 기업가를 의미한다면 말이다. 오래지 않아 포로로 잡힌 소련군 병사들과 현지 주민들을 데려다 강제노동을 시키는 것이 보편화되었다. 시간이 지나면서 1300만 명 이상의 사람들이 도로를 건설하고 들에서 농사를 짓고 공장에서 일을 했다. 직접 나치스 정권을 위해서 하기도 했고, 독일 사기업(그 상당수는 오늘날에도 여전히 사업을 하고 있다)을 위해서 하기도 했다. 유럽에 노예제도가 부활한 것이다.[19]

1941년 여름이 지나면서 독일은 거의 제지할 수 없을 듯이 보였다. 9월에는 포위전 끝에 50만 명 이상의 소련군 병사들이 사로잡히고 키예프가 함락되었다. 몇 주 뒤 소련의 심장을 찌르는 창 노릇을 해왔던 세 개의 전투단이 칼리닌(현재의 트베리), 툴라, 보로디노에 도착했다. 보로디노는 1812년 나폴레옹 침략군의 기세가 꺾였던 곳이다. 독일군은 여전히 방어벽을 뚫고 나아갔다.

10월이 되자 모스크바가 위험해졌다. 불안이 확산되면서 지도부를 쿠이비셰프로 피난시키기 위한 계획이 만들어졌다. 이전에 사마라로 불렸던 쿠이비셰프는 모스크바에서 동쪽으로 1000킬로미터 이상

떨어진 볼가 강 굽이에 있고, 강은 이곳을 지나 카스피해로 들어간다. 레닌의 시신은 붉은 광장에서 치워져 다른 곳에 보관되었다. 스탈린도 모스크바를 떠날 준비를 마쳤으나, 소련 지도부 때문에 마지막 순간 마음을 바꿔 머물기로 결정했다. 몇몇 기록에 따르면, 그가 타고 갈 열차의 시동이 걸렸고 경호원들도 떠날 준비를 마치고 플랫폼에 나와 있었다고 한다.[20]

11월이 되자 캅카스로 가는 마지막 요충지 로스토프나도누가 함락되었다. 그달 말에 독일의 제3, 제4 전차단이 모스크바에서 30킬로미터 거리에 있었다. 12월 1일, 오토바이 정찰대가 모스크바에서 겨우 8킬로미터 떨어진 지점까지 접근했다.[21] 히틀러는 기쁨에 넘쳤다. 북쪽의 레닌그라드와 모스크바를 박살내 소련을 멸망시킨다는 계획은 장기적으로 남쪽의 '잉여' 구역을 확보하는 데 가장 중요한 일이었다. 공격이 시작되고 두 달 뒤 소련의 국경선이 뒤로 밀리자 그는 흥분에 차서 미래에 관해 이야기했다. 그는 1941년 8월에 이렇게 말했다.

"우크라이나와 이어서 볼가 강 유역이 언젠가는 유럽의 곡식 창고가 될 거야. 우리는 땅에서 실제로 자라는 것보다 훨씬 많은 것을 수확할 거야. (……) 어느 날 스웨덴이 철 공급을 끊어버려도 상관없어. 우린 그걸 소련에서 얻으면 되니까."[22]

그러는 동안 독일의 건설 및 기술 팀들이 군대를 뒤따라 동쪽으로 갔다. 1941년 9월, 새로 만들어진 존더코만도 R(Sonderkommando는 '특수 부대'라는 뜻으로, R는 Russia의 약어다) 대원들이 베를린을 출발하여 우크라이나로 갔다. 새로 점령한 영토에 기반시설을 건설하는 것이 목표였다. 이 부대는 야외 취사장과 이동 사무실, 수리 공장, 경찰 송수신기를 장착한 100여 대의 차량 등을 갖추었다. 그들의 업무는 한 역사가가 "유럽의 정복 및 제국 건설의 역사에서 가장 급진적인 식민 활동"[23]이라 부른 것을 가능하게 하는 것이었다.

흑해 연안의 오데사에 도착하자 책임을 맡은 장교들(지진아와 병역 기피자, 부적응자 등이 잡다하게 섞인 무리)은 가장 좋은 주거지들을 차지하여 자기네 본부로 썼다. 그러고는 명백하게 장기 계획에 해당하는 부류의 기관들을 만들기 위해 분주히 움직였다. 도서관, 음반 수집소, 강의실, 승전을 기념하는 독일 영화를 상영하기 위한 영화관 같은 것들이었다.[24]

침공은 완벽한 성공을 거둔 것처럼 보였다. 본국 독일로 자원을 보내도록 지정된 거의 모든 지역이 반년 안에 정복되었다. 레닌그라드와 모스크바가 아직 함락되지 않았지만, 두 도시가 모두 항복하는 것은 시간문제인 듯했다. 다른 곳들 역시 희망적인 조짐이 보였다. 이라크에서의 폭동이 서둘러 소집된 영국군에 의해 진압되기는 했지만(그들은 하이파 거리에서 버스를 징발해서 동쪽으로 달려가 반란을 제압했다), 카스피해 남쪽의 석유가 풍부한 땅에 있는 독일의 새 친구들이 곧 잘되리라고 낙관할 만한 근거가 있는 듯했다.[25]

독일에게 아랍의 중요성

히틀러는 소련을 침공할 무렵에는 이미 아랍인들의 독립 의사에 공식적인 찬동을 표한 바 있다. 또한 예루살렘의 무프티암에게 편지를 써서 연대 의사를 표명하고, 아랍인들이 뿌리 깊은 문명을 지니고 있으며 독일과 공통의 적(영국인과 유대인)을 가진 민족이라고 찬양했다.[26] 그들은 무슬림 세계와의 유대를 다지기 위해 많은 노력을 기울였는데, 한 독일 학자는 특히 사우디아라비아를 "와하브파(18세기 아라비아 반도 내륙에서 일어나 이슬람 개혁을 주장한 종파—옮긴이) 스타일의 제3제국"이라며 찬양하는 글을 쓰기까지 했다.[27]

당시 영국의 입장에서는 사태가 절망적으로 보였다. 이라크에서는 참사를 간발의 차로 모면했다고, 인도 주둔군 사령관 아치볼드 웨이블Archibald Wavell은 썼다. 그리고 이란을 지키기 위한 조치가 긴요했다. 그곳에서는 자칫하면 독일의 영향력이 확대될 상황이었다. 1941년 여름에 그는 처칠 총리에게 이렇게 썼다.

"인도 방어를 위해서는 독일인들을 이라크에서 몰아내야 합니다. 그렇게 하지 못하면 지금 이라크에서 임기응변식으로 대응하고 있을 뿐인 사태가 반복될 것입니다."[28]

이란에 대해 우려한 웨이블의 말은 옳았다. 그곳에서는 전쟁이 시작된 이래 독일의 선전이 줄기차게 이어지고 있었다. 한 미국 기자는 1941년 여름 테헤란의 서점들이 괴벨스의 어용 잡지인 《시그널Signal》로 뒤덮여 있고, 영화관에서는 프랑스와 서유럽에서 거둔 독일의 승리를 찬양하는 〈서방에서 승리하다Sieg im Westen〉 같은 선전영화들을 상영하고 있다고 보도했다.[29]

히틀러의 소련 공격은 또한 이란에서 열광적인 반응을 불러왔다. 몇몇 보도에 따르면 군중이 테헤란 중심가 세파흐 광장에 모여 소련의 도시들이 차례로 베어마흐트에 의해 함락되고 있다는 소식에 환호했다.[30] 침략 이후에 영국 공사 리더 불러드Reader Bullard는 런던에 이렇게 보고했다.

"이란인들은 대체로 독일이 과거 적이었던 소련을 공격한 일에 대해 기뻐하고 있습니다."[31]

유명한 페르시아 연구자 앤 램튼Ann Lambton은 전개되는 상황에 대해 어떻게 보느냐는 질문을 받고, 친독일적인 공감대가 군대와 시장에 널리 퍼져 있다고 단언했다. 그런 정서는 "친독일적인 경향이 있고 독일의 승리를 바라는 젊은 장교들" 사이에서 특히 팽배했다.[32] 영국 공사관 무관도 비슷한 생각을 피력하면서, 독일에 대한 현지인들의 긍정적인 인상과 영국에 대한 부정적인 감정을 비교했다.

"독일이 이란에 세력을 뻗칠 경우 영국의 주장을 지지할 가능성이 높은 사람은 아직 소수이며, 반면에 독일은 상당히 적극적인 지지를 받을 것으로 예상합니다."[33]

테헤란 주재 독일 공사 에르빈 에텔Erwin Ettel도 같은 견해였다. 그는 영국이 이란을 공격해올 경우 "단호한 군사적 저항"에 직면할 것이며, 샤는 공식적으로 독일의 지원을 요청할 것이라고 베를린에 보고했다.[34]

이란이 히틀러 쪽에 붙을지 모른다는 불안은 독일이 동쪽으로 진격하면서 저항이 분쇄되고 있다는 소식이 들리자 더욱 고조되었다. 그런 상황이었으므로 최근까지 인도 주둔군 사령관이었고 이제 중동 사령부 사령관에 임명된 클로드 오킨레크Claude Auchinleck 장군은 히틀러의 부대가 1941년 8월 중순까지 캅카스에 도달할 것이라고 보고했다.[35] 영국의 입장에서 볼 때 이것은 재앙이었다. 독일은 석유가 절대적으로 필요했다. 그들이 바쿠와 캅카스 지역의 물자를 장악한다면 그것은 너무도 좋지 않은 일이었다.

더욱 좋지 않은 일이지만, 그 경우 독일이 이란과 이라크의 유전에 "아주 가까이" 접근해서 "온갖 장난질"[36]을 칠 것이라고 인도 사무부 장관 리어폴드 에이머리Leopold Amery는 적었다. 다시 말해 그동안 독일이 배, 비행기, 탱크 등의 연료로 쓸 석유의 안정적인 공급처가 없다는 것은 치명적인 약점이었으나 이제 그 해법을 찾을 수 있게 되었을 뿐만 아니라 그것이 영국의 전쟁 수행 능력을 저해할 수 있다는 것이다. 오킨레크 장군은 팔레스타인에서 바스라와 이란의 유전 지대로 연결되는 띠 모양의 지역을 방어하기 위한 계획('카운터넌스 작전Operation Countenance')을 세우는 것이 긴요하다고 결론지었다.[37]

미·소의 어색한 동맹관계

이란은 그 전략적 위치로 인해 중요성이 더욱 커졌다. 스탈린은 앞서 1939년에 히틀러와 거래를 했지만, 2년 뒤 독일의 침공으로 영국 및 그 친구들과 어울리지 않는 동맹자가 되었다. 이에 따라 미국은 이런 발표를 했다.

"미국 정부는 소련이 무력 침공에 맞서 벌이고 있는 투쟁을 강화한다는 목적에서 가능한 모든 경제적 지원을 하기로 결정했습니다."[38]

이는 모스크바 주재 미국 대사 로렌스 스타인하트Laurence Steinhardt가 스탈린에게 해준 개인적인 언질과 연결되어 있었다. 그는 미국이 확고하게 "히틀러를 물리치기 위해 '총력'을 다할" 것이며, 이를 위해 필요한 일은 모두 할 것이라고 말했다.[39]

문제는 무기와 물자를 어떻게 소련에 공급하느냐였다. 북극해에 있는 항구들로 실어다 주는 데는 수송의 어려움이 있었고, 한겨울에는 위험하기까지 했다. 한편으로 블라디보스토크 이외에 동방에 적당한 항구가 없다는 것 역시 문제였다. 무엇보다 태평양의 부동항들을 일본이 지배하고 있기 때문이었다. 해법은 분명했다. 바로 이란에 대한 통제권을 장악하는 것이었다. 그렇게 되면 현지의 독일 요원들과 동조자들이 발판을 마련하는 일을 막을 수 있고, 연합군이 잃으면 곤란한 천연자원을 보호할 수 있으며, 베어마흐트의 동방 진군을 저지하고 중단시키는 일에 함께 노력할 기회를 얻을 수 있었다.

이는 연합군의 전쟁 목표에도 부합했지만, 영국과 소련 각자에게 장기적인 보상을 약속했다. 이란을 점령하면 두 나라는 정치적 영향력과 경제적 자원, 전략적 가치라는 측면에서 오랫동안 갈망해오던 것을 얻을 수 있었다. 히틀러가 모스크바에 있는 과거의 동맹자를 공격하기로 결정한 것이 이렇게 흥분되는 기회를 제공한 것이다.

1941년 8월, 영국군이 이란을 침략했고, 동시에 소련군도 이동했다. 엄청난 전략적·경제적 중요성을 지닌 지역에서 자국의 이익을 늘리기 위해 차이는 한구석으로 밀쳐졌다. 영국군과 소련군이 이란 북부 카즈빈에서 만났을 때 커다란 환성이 일었고, 그들은 거기서 담배를 나누며 이야기꽃을 피웠다. 소련군은 외국 기자들을 만나자 보드카를 내놓고 연합군을 위해 축배를 들었다. 그들은 스탈린의 건강을 위해 잔을 들었고, 그다음엔 처칠, 그다음엔 몰로토프, 그다음엔 프랭클린 루스벨트 미국 대통령을 위해 마셨다. 그런 뒤에 같은 순서로 다시 한 바퀴 돌았다. 그 자리에 있던 한 미국 기자는 이렇게 썼다.

"보드카 스트레이트로 서른 잔의 축배를 든 끝에 기자 절반은 탁자 밑에 널브러졌다. 소련군들은 여전히 술을 마시고 있었다."[40]

독일 국민을 즉각 축출한다는 최후통첩을 발동하는 문제를 놓고 샤가 머뭇거리자, 영국은 새로이 시작된 페르시아어 BBC 라디오 전파를 통해 샤가 수도에서 중요한 것들을 빼돌렸으며 개인 사업체에서 강제노동을 시키고 있고 테헤란의 수돗물로 개인 정원에 물을 대고 있다고 비난하는 보도들을 방송하기 시작했다. 이는 사실이 아니었다. 그리고 리더 불러드의 회고록에 따르면, 이런 비판들은 이미 널리 퍼

져 있었다.[41]

샤는 영국의 요구에 대해서는 얼버무린 채 루스벨트 미국 대통령에게 "침략 행위"에 대해 호소하고 "세계 정의와 민족의 자유권"을 위협하고 있다고 비난했다. 루스벨트는 답장에서, 그것은 모두 옳은 말이지만 샤가 유념해야 할 것이 있다고 말했다.

"독일의 정복 움직임은 계속되고, 유럽을 넘어 아시아, 아프리카와 심지어 아메리카로까지 확산될 것이 확실합니다."

다시 말해 이란은 히틀러와의 우호관계를 고려함으로써 위험한 도박을 하고 있다는 것이었다.[42] 결국 영국은 직접 나서서 이제 골칫거리가 되고 있는 레자 칸을 강제 퇴위시키고 그의 아들 모하마드 레자Mohammad Rezā를 대신 왕위에 올렸다. 그는 깔끔하고 멋지게 차려 입은 한량이었으며, 프랑스 범죄소설과 빠른 자동차와 그보다 더 빨리 사귈 수 있는 헤픈 여자를 좋아했다.[43]

많은 이란인은 그런 외부의 간섭을 참을 수 없었다. 1941년 11월, 군중이 모여 이렇게 외쳤다.

"히틀러 만세!"

"소련과 영국을 타도하자!"

그들은 자기네 나라의 운명이 점령군으로 보이는 군인들에 의해 결정되는 것에 대해 증오심을 분출했다.[44] 이것은 이란의 전쟁이 아니었다. 2차 세계대전이라는 분쟁과 무력 충돌은 테헤란이나 이스파한 같은 도시 주민들과는 아무런 관계도 없는 것이었다. 그들은 자기네 나라가 유럽 열강들 사이의 다툼에 휘말려 들어가는 모습을 초조하게 지켜보았다. 그러나 그들이 지켜보는 것은 아무런 의미가 없었다.

이란의 상황이 강압을 통해 통제하에 들어오자, 프랑스 함락 이후 시리아에 자리 잡은 프랑스 기지들에 대한 조치들도 취해졌다. 그곳들이 서아시아에서 영국과 그 동맹국들에 맞서는 데 이용될 수 있었기 때문이다. 이라크 하바니야에 있는 영국 공군기지에서 서둘러 보낸 호커 허리케인 전투기 부대가 독일에 협력하고 있는 비시 프랑스의 기지들을 폭격하기 위해 파송되었다. 하바니야 기지는 1차 세계대전이 끝난 뒤 영국이 이라크에 보유하고 있던 기지 가운데 하나였다.

1941년 후반기에 있었던 이 공습에 참여한 한 전투기 조종사는 프랑스 공군들과 "밝은 색의 옷을 입은 한 무리의 처녀들"이 일요일 아침 칵테일파티를 즐기고 있던 곳으로 낮게 날아 들어가 폭격을 했다고 나중에 회상했다. 영국 전투기들이 공격하자 유리와 병과 하이힐이 여기저기서 튀었고, 사람들은 모두 숨어버렸다. 허리케인 전투기 조종사였던 그는 그런 모습이 "너무도 우스꽝스러웠다"고 썼다. 그는 나중에 유명 소설가가 된 로알드 달Roald Dahl이었다.[45]

'잉여' 구역으로의 진격

대략 이 시기에 베를린으로 들어오는 소식들은 한없이 좋아 보였다. 소련은 곤경에 빠져 있었고 이란, 이라크, 시리아에서도 곧 성공을 거둘 것으로 보여, 독일이 7세기 이슬람 대군이나 칭기즈칸 및 그 후손들의 정복에 비견될 일련의 정복을 목전에 두고 있는 듯했다. 성공은 곧 손에 잡힐 것 같았다.

그러나 현실은 상당히 달랐다. 소련과 다른 지역에서 독일의 진군은 극적인 것처럼 보였지만, 여러 가지 고충을 겪고 있었다. 우선 동쪽으로 진격하는 동안 전투 과정에서 죽는 병사 수가 예비대 병력 수보다 훨씬 많았다. 큰 승리를 거두면 많은 사람들을 포로로 잡을 수 있었지만, 이는 대개 많은 희생을 치러야 가능한 것이었다. 할더의 추산에 따르면 베어마흐트는 침략을 시작한 이후 처음 두 달 동안의 전투에서 병력의 10퍼센트를 잃었다. 40만 명 이상의 사상자가 생겼다는 말이다. 9월 중순이 되자 죽거나 부상당한 병사는 50만 명 이상으로 증가했다.[46]

너무나 빠른 전진 역시 보급선에 거의 감내하기 어려운 부담을 안겼다. 식수 부족은 거의 처음부터 문제가 되었고, 이는 콜레라와 이질의 발병으로 이어졌다. 8월이 가기도 전에 예리한 사람들은 상황이 낙관적이지 않다는 사실을 깨달았다. 면도날과 치약, 칫솔, 필기 용구, 바늘과 실은 침공 초기에 대표적인 부족 물자였다.[47] 늦여름의 장마로 인해 병사들과 장비는 모두 흠뻑 젖었다. 한 병사는 집에 보내는 편지에 이렇게 썼다.

"담요와 장화와 옷을 제대로 말릴 겨를이 없습니다."[48]

이런 상황에 대한 소식이 괴벨스에게 전해지자, 그는 어려움을 이겨내려면 강철 같은 의지가 필요하다고 일기에 썼다. 시간이 지나면 현재의 고난은 "좋은 추억이 될"[49] 것이라고 했다.

서아시아와 중앙아시아에서의 전망도 사실과는 거리가 멀었다. 그해 초에는 낙관론이 팽배했지만 독일은 북아프리카를 시리아, 이라크 및 아프가니스탄과 연결한다는 전망에 열광했던 대중에게 보여줄 것이 별로 없었다. 점령은 고사하고 의미 있는 진출을 이루어낸다는 전망조차도 실체가 없는 환상에 지나지 않았다.

이에 따라 이례적인 영토 획득에도 불구하고 독일 최고사령부는 사기 진작을 위한 노력을 기울이기 시작했다. 소련이 흔들리고 있는 것처럼 말이다. 1941년 10월 초, '잉여' 구역으로 진격했던 남부 집단군

쪽의 사령관 라이헤나우 육군 원수는 명령을 내려 병사들에게 투지를 불어넣도록 했다. 그는 엄숙하게 말했다.

"[각개 병사는] 국가 이상을 창도하는 사람이며, 독일 국민에게 가해진 온갖 잔학 행위에 대해 보복을 하는 사람이다."[50]

그것은 다 좋다 치자. 그러나 추위를 이기기 위해 장화 속에 신문지를 쑤셔넣는 병사들에게 그런 강력한 표현들이 어떤 영향을 미칠지 알기는 어려웠다. 병사들은 부상을 당하면 얼어 죽고, 차가운 소총 개머리판에 살갗을 붙이고 살아야 하는데 말이다.[51] 살을 에는 듯한 겨울이 깊어가며 빵을 도끼로 잘라야 할 정도였는데, 히틀러는 에리크 스카베니우스 Erik Scavenius 덴마크 외무부 장관에게 경멸조로 이렇게 말했다.

"독일 국민이 더 이상 강하지 않고 자신의 핏줄을 희생시키려 한다면 (……) 그들은 죽어야죠."[52]

도움을 주는 데는 격려의 말보다 화학적 자극이 더 유용했다. 독일은 동부전선의 살을 에는 듯한 추위 속에서 복무하는 병사들에게 메트암페타민(필로폰)을 대량으로 나누어주었다.[53]

심각한 보급 문제 역시 이 침공의 특징이 되었다. 모스크바를 에워싸고 있는 전투단은 매일 기차 27편의 석유 공급이 필요한 것으로 추산되었다. 그런데 11월에 고작 3편이 도착했다. 하루가 아니라 한 달을 통틀어 말이다.[54] 이 전쟁을 주시하고 있던 미국 경제학자들은 '독일의 군사적·경제적 상황'과 '독일의 동부전선 보급 문제'라는 제목의 보고서에서 바로 이 문제에 초점을 맞추었다. 그들은 200킬로미터 전진할 때마다 화차 3만 5000대분의 보급품을 추가하거나 전선으로 보내던 것을 만 톤씩 줄여야 하는 것으로 추산했다. 전진 속도가 커다란

문제임이 드러나고 있었다.[55]

후방에서 최전선으로 계속 보급을 유지하는 일은 너무도 어려웠다. 더욱 절박한 문제가 있었다. 이 침략의 배후에 있는 대원칙은 우크라이나와 남부 러시아라는 풍요로운 땅을 잘라내는 것이었다. 이른바 '잉여' 구역이다. 침공이 시작되기 전 소련에서 곡물을 실어 보내던 시기에도 전쟁이 식료품 공급과 식생활에 미치는 영향은 예컨대 영국에서보다 독일에서 훨씬 더 두드러졌다. 하루 칼로리 섭취량은 동방을 점령함으로써 늘어나기는커녕, 1940년 말부터 이미 줄기 시작했던 것이 더욱 곤두박질쳤다.[56] 사실 바르바로사 작전이 시작된 이후 독일로 선적된 곡물의 양은 1939~1941년 소련에서 수입된 양에 비해 훨씬 적은 수준이었다.[57]

독일 라디오 방송은 사기를 진작시키고자 애썼다. 그리고 확신을 주려 했다. 독일은 늘 곡물 비축량이 많았다고, 1941년 11월의 한 방송은 보도했다.

"이제 전시에 우리는 이런 식의 호사를 누리지 못한 채 살아가야 합니다."

그러나 좋은 소식이 있다고 이 뉴스는 이어갔다. 1차 세계대전 때와 같은 물자 부족과 어려움은 걱정할 필요가 없다는 것이었다. 1914~1918년과 달리 "독일 국민은 당국의 식료품 조절을 믿어도 된다"라고 했다.[58]

이것은 투지가 담긴 말이었다. 틀림없이 무궁무진한 동방의 곡식 창고를 점령한다는 생각은 환상이었음이 점점 분명해지고 있었기 때문이다. 병사들은 식료품을 현지 조달하라는 명령을 받았으나 그렇게 할 수 없었고, 간신히 목숨을 부지하며 가축 서리에 의존할 수밖에 없었다. 한편으로 히틀러와 그 측근들이 희망을 품었던 약속의 땅은 본국의 식량 사정을 해결하기는커녕 고갈의 원인인 것으로 드러났다. 소련은 초토화 전술을 펼쳐 이 땅에서 나는 대부분의 물자를 파괴해버렸기 때문이다.

한편 병력 운용의 우선순위에 관한 베어마흐트 내부의 혼란스럽고 상충하는 주장들은 치명적인 문제로 자라날 씨앗을 뿌렸다(병력, 전차, 자원, 연료를 중앙과 북방과 남방 중 어느 쪽으로 보내야 하는지를 놓고 끝없는 논쟁이 벌어졌다). 소련 남부 점령지의 농산물 예상 생산량에 관한 1942년 봄의 미국 보고서는 우크라이나와 남부 러시아의 예상 수확량을 비관적으로 보았다. 잘해야 침공 전 수확량의 3분의 2 정도가 가능할 것이라고 예측했다. 그 정도만 되어도 다행이라는 얘기였다.[59]

따라서 독일은 이 동방 원정으로 아무리 영토를 확보했다 하더라도, 약속했던 것은 고사하고 필요한 것조차 얻는 데 실패했다. 소련 침공 불과 이틀 후에 바케는 4개년 경제계획의 일환으로 밀 수요량에 관한 전망을 제출했다. 독일은 매년 250만 톤의 적자에 직면하고 있었다. 베어마흐트는 독일인들의 식량을 위해 이를 해결할 필요가 있었다. 그리고 수백만 톤의 기름을 짤 수 있는 씨앗과 수백만 마리의 소와 돼지를 확보할 필요가 있었다. 독일인들이 먹을 것이었다.[60] 이것이 히틀러가 휘하 장군들에게 "모스크바와 레닌그라드를 쑥대밭으로 만들라"고 명령한 이유 가운데 하나였다. 그는 "병사들이 겨울까지 그곳에 남아 그들을 먹여야 하는 상황이 오지 않기를"[61] 바랐다.

최종 해결책의 승인

식량 부족과 기아로 수백만 명이 죽을 것이라고 예측한 독일은 이제 그 고통을 누가 당해야 하는지를 가려내야 했다. 맨 앞줄은 소련군 포로들이었다. 그들을 먹일 필요는 없었다고 괴링은 경멸하듯이 썼다. 자기네는 어떤 국제적인 의무에도 매여 있지 않은 듯했다.[62] 1941년 9월 16일, 그는 '일하지 않는' 전쟁포로들에 대한 음식물 공급을 중단하라는 명령을 내렸다. 너무 약하거나 부상이 심해 노예노동을 할 수 없는 사람들이었다. 한 달 뒤 '일하는' 포로들에 대한 식량 공급이 이미 줄어든 상태에서 추가 삭감이 이루어졌다.[63] 그 결과는 처참했다. 330만 명의 소련군 포로 가운데 1942년 2월까지 200만 명이 죽었다. 대부분이 굶어 죽은 것이었다.[64]

이 과정을 더욱 단축하기 위해 먹여야 하는 입의 수를 줄이는 새로운 기법들이 고안되었다. 전쟁포로를 수백 명씩 모아 폴란드군 막사를 소독하는 데 썼던 살충제를 실험했다. 덮개가 있는 화물차에 포로들을 태우고 관을 통해 그 차의 배기가스를 끌어들여 일산화탄소 중독의 영향도 실험했다. 이런 실험들은 1941년 가을에 이루어졌는데, 그 장소는 곧 같은 기술을 대규모로 사용해서 악명을 떨치게 되는 곳들이었다. 바로 아우슈비츠와 작센하우젠이다.[65]

침공이 개시된 지 겨우 몇 주 만에 시작된 이 대량학살은 독일의 공격 실패와 경제적·전략적 계획의 절망적인 좌절에 대한 역겨운 반작용이었다. 우크라이나와 남부 러시아의 드넓은 곡창지대는 기대했던 것을 만들어내지 못했다. 그리고 즉각 치러야 할 대가가 있었다. 히틀러가 대화에서 언급했던 현지 주민의 국외 추방과 이주가 아니었다. 사람들은 너무 많고 먹을 것은 부족해지자 독일 사회의 각계각층과 언론, 그리고 대중의 의식에 악마가 된 두 대상이 생겨났다. 바로 소련인과 유대인이었다.

슬라브인을 종족적으로 열등하고 변덕스러우며 고통과 폭력에 대한 수용력이 강한 민족으로 묘사하는 것은 전쟁 전에 꾸준히 개발되어온 것이었다. 이런 비방은 1939년에 조인된 몰로토프-리벤트로프 협정 이후 누그러지기는 했지만, 침공 이후 다시 활개치기 시작했다. 학자들이 강력하게 주장했듯이, 이것이 곧바로 1941년 늦여름에 시작된 소련인에 대한 대학살로 이어진다.[66]

반유대주의는 전쟁 전 독일에서 더욱 깊이 배어들었다. 물러난 카이저 빌헬름 2세는 바이마르 공화국이 "유대인들에 의해 준비되고, 유대인들에 의해 만들어지고, 유대인들의 돈으로 유지되었다"라고 말했다. 그는 1925년에 이렇게 썼다.

"유대인과 모기는 인류가 어떤 방식으로든 몰아내야 할 골칫거리요. (……) 나는 가장 좋은 방법이 가스를 쓰는 것이라고 생각하오!"[67]

이런 태도는 이례적인 것이 아니었다. 1938년 11월 9일 밤부터 새벽까지 유대인들을 상대로 벌인 조직적 폭력('수정의 밤Kristallnacht')은 유대인 주민들을 "다른 민족들의 살과 생산물과 노력을 먹고사는 기생충"[68]이라고 일상적으로 경멸했던 독설이 최고조에 이른 것이었다.

그런 이야기(그리고 행동)가 가져올 결과에 대한 공포가 점차 커져가면서 일부 사람들은 이미 새로운 동맹자를 만드는 문제를 고려하기 시작했다. 나중에 이스라엘의 첫 총리가 되는 다비드 벤-구리온은 1930년대 중반에 팔레스타인의 아랍 지도자들과, 유대인들의 이주를 위한 협정을 타결하기 위해 노력했다. 그러나 이는 아랍의 한 온건파에 속한 사람이 이끈 사절단이 베를린으로 파견되어 나치스 정권이 아랍인들의 계획(서아시아에서의 영국의 이익을 침식하기 위한 것이었다)을 지원하는 방안에 대한 협상을 타결하면서 무위로 돌아갔다.[69]

전쟁 첫 달이 끝나기 전인 1939년 9월, 폴란드 안의 모든 유대인들을 이주시키는 계획에 대한 합의가 이루어졌다. 이 계획은 적어도 처음에는 그들을 강제 이민을 통해 독일 땅에서 제거하기 위한 것으로 보였다. 사실 1930년대 말에 독일계 유대인들을 마다가스카르 섬으로 추방하는 구체적인 계획이 만들어졌다. 계획은 남서 인도양에 있는 이 섬 원주민 말라가시인들의 조상이 유대인으로까지 거슬러 올라간다는 19세기 말에서 20세기 초의 지리학자, 인류학자 다수의 일반적인 (그러나 그릇된) 믿음에 근거한 것으로 보였다. 물론 말도 안 되는 이야기였다.[70]

나치스 독일에서는 유대인들을 다른 곳으로 강제추방하는 문제를 논의하기도 했다. 실제로 (그리고 고집스럽게도) 히틀러는 거의 20년 전부터 팔레스타인에 유대인 국가를 만드는 것을 지지해왔다. 1938년 봄, 그는 독일계 유대인들을 서아시아로 이주시켜 새로운 국가를 만들어 살게 하는 방안을 지지했다.[71] 실제로 1930년대 말에 아돌프 아이히만이 이끄는 고위 대표단이 파견되어 팔레스타인 시온주의자들의 대표와 만나기까지 했다. 흔히 '유대인 문제'로 불리는 것을 영원히 해결하는 방안을 논의하기 위해서였다. 역설적이게도 나중에 이스라엘에서 반인도 범죄로 처형되는 아이히만은 더 많은 유대인들을 독일에서 팔레스타인으로 이주시키는 방안을 논의하고 있었던 것이다. 이는 반유대주의적인 나치스 지도부와 예루살렘 및 그 주변 유대인 공동체의 지도부 양쪽이 모두 관심을 보였던 문제다.[72]

이 논의는 합의를 이끌어내지 못했지만, 독일인들은 여전히 유익

한 동반자가 될 수 있는 상대로 여겨졌다. 전쟁이 시작된 이후에도 말이다. 1940년 가을, 레히Lehi(이스라엘 해방전사단)로 불린 운동의 창시자 아브라함 슈테른Avraham Stern은 베이루트에 있던 독일 고위 외교관에게 급진적인 제안이 담긴 전갈을 보냈다(레히는 팔레스타인 전문가들 사이에서 '슈테른 패거리'로 알려지게 되었고, 그 단원 가운데는 나중에 이스라엘 총리가 되는 이츠하크 샤미르 등 이스라엘 건국 공로자들이 포함되어 있었다).

이 전갈은 독일과 슈테른 등이 대변한다고 하는 "유대인의 진정한 민족적 열망" 사이에 "공통의 이익이 존재할 수 있다"는 말로 시작된다. 슈테른은 이어 "이스라엘 해방운동의 열망이 인정"된다면 "독일 편에 서서 적극적으로 전쟁에 참여"하겠다고 제안했다. 유대인들이 국가를 창설하여 해방될 수 있다면 히틀러는 틀림없이 그 덕을 볼 것이라고 했다. 이는 "미래의 서아시아 세력 판도에서 독일의 입지를 강화"할 뿐만 아니라, "모든 인류의 눈에" 제3제국의 "도덕적 기반이 엄청나게 강화"[73]될 것이라고 했다.

이 말은 허세였다. 사실 슈테른은 실용적이었다. 그가 품었던, 독일과 동맹을 맺는다는 희망은 그의 조직 성원 모두가 공감하고 있던 것은 아니었지만 말이다. 그는 그 직후에 자신의 입장을 설명하면서 "우리가 독일에 원하는 것이라고는" 유대인 신병들을 팔레스타인으로 보내는 것뿐이라고 했다. 그렇게 함으로써 "영국에 맞서 조국을 해방시키기 위한 전쟁이 그곳에서 시작"되도록 하자는 것이었다.

"유대인은 나라를 얻을 것이며, 독일인들은 이에 따라 서아시아에서 중요한 영국 기지를 제거할 수 있고 또한 유럽에서의 유대인 문제를 해결하게 된다."

이런 주장은 논리적인 듯했다. 그리고 소름 끼치는 이야기였다.

유대인 지도자들은 고금을 통틀어 최고의 반유대주의자들에게 적극적으로 협력을 제안하며 유대인 대학살 가해자들과 협상을 했던 것이다. 인종청소의 시작을 열두 달도 채 남겨놓지 않은 시점이었다.[74]

히틀러에게 유대인을 어디로 쫓아버릴 것이냐는 중요하지 않았다. 그의 반유대주의는 그렇게 강력했다. 팔레스타인은 그런 후보지 가운데 하나일 뿐이었다. 소련 내륙의 깊숙한 지역들도 진지하게 논의되었다.

"유대인들을 어디로 보낼 것인지는 중요하지 않소."

히틀러는 1941년 크로아티아군 사령관 슬라브코 크바테르니크Slavko Kvaternik에게 이렇게 말했다. 시베리아도 좋고 마다가스카르도 좋았다.[75]

이런 심드렁한 태도는 소련에서 문제가 잘 풀리지 않으면서 이제 더 공식적이고 더 잔인한 어떤 것으로 강경하게 변했다. 나치스 전략가들이 유대인을 강제수용소로 모으면 큰 어려움 없이 대량학살을 할 수 있음을 깨달았기 때문이다.[76] 총체적으로 반유대적인 정권이, 자원 고갈에 직면하자 대규모 살육을 고려한 것은 큰 변화가 아니었다. 유대인들은 이미 폴란드의 강제수용소에 끌려와 있었다. 먹이기에는 너무 많은 인구가 있다는 사실을 나치스 지도부가 깨닫게 된 시기에, 그들은 편리하고도 손쉽게 처리할 수 있는 대상이었다.

아이히만은 이미 1941년 7월 중순에 이렇게 썼다.

"올 겨울은 위험합니다. 더 이상 유대인 모두를 먹일 수 없을지도 모릅니다. 일을 할 수 없는 유대인들을 어떤 효과 빠른 처방에 의해 삶을 마치게 하는 가장 인도적인 방법이 없는지 심각하게 고려해야 합니다."[77]

노인, 병약자, 여자, 아이들과 "노동을 할 수 없는" 사람들은 소모품으로 치부되었다. 그들은 소련 침공 전에 그렇게 치밀하게 예측되었던 사망자 'X백만'의 첫 대상이었다.

전례 없이 규모가 크고 공포스러웠던 일련의 사건들은 이렇게 시작되었다. 인간을 가축처럼 유치장으로 실어 보내고, 그곳에서 그들은 노예노동을 할 사람들과, 자신의 생명이 다른 사람들의 생존을 위해 치러지는 대가로 간주되는 사람들로 나뉘었다. 남부 러시아와 우크라이나, 그리고 스텝 지대 서부가 인종청소의 원인이 되었다. 이들 땅에서 밀이 예측량만큼 산출되지 않은 것이 유대인 대학살의 직접적인 원인이었다.

1930년대 말 이후 경찰이 유대인 및 비유대인 외국인을 비밀리에 등록해온 파리에서는 추방 과정이 훨씬 더 수월했다. 그저 카드 색인을 뒤적거려 그것을 독일 점령자들에게 보내고 그런 뒤에 온 가족을 구금해서 동방(주로 폴란드에 있는)의 강제수용소로 수송하기 위해 경비요원들을 보내면 되었다.[78] 네덜란드 같은 다른 점령된 나라들에서도 유대인 등록은 제도화된 광범한 나치스 반유대주의 프로그램의 일부였으며, 역시 이제 필요를 넘어서는 잉여로 분류된 사람들을 추방하는 과정을 애처롭게도 쉽게 만들었다.[79] 잉여 구역에 대한 생각으로 소련을 공격했지만, 이제 생각은 잉여 인구를 처리하는 문제를 중심으로 돌아갔다.

침공으로 이루려 했던 희망이 물거품이 되자 나치스 지도부는 독일의 문제에 대한 해법은 하나라고 결론지었다. 1941년 5월 2일 바르바로사 작전을 준비하기 위해 베를린에서 열린 회의를 기괴하게도 닮은 또 하나의 회의가 여덟 달 남짓 뒤에 나무가 많은 베를린 교외의 반제에서 열렸다. 다시 한 번, 문제는 수치를 어림하기 어려운 수백만 명의 죽음이라는 과제에 집중되었다. 1942년 1월 20일 추운 날 아침에 도달한 결론에 주어진 이름은 사람을 오싹하게 만드는 것이었다. 그것을 만든 사람들이 보기에 유대인들에 대한 인종청소는 그저 문제에 대한 대응일 뿐이었다. 유대인 대학살은 '최종 해결책Endlösung'이었다.[80]

미국의 참전

얼마 지나지 않아 독일에 대한 반격에 가속도가 붙으면서 탱크와 비행기, 무기와 보급품들이 런던과 워싱턴에서 모스크바로 수송되었다. 이때 이용된 것은 고대 이래 기능을 발휘해온 이른바 '페르시아 회랑'이라 불리는 곳을 지나는 네트워크이자 교역로이자 교통로였다. 페르시아만의 항구들인 아바단, 바스라, 부시르 등에서 아라크, 콤을 거쳐 내륙의 테헤란으로, 그리고 캅카스 산맥을 지나 소련에 이르렀다. 또한 러시아의 극동 지역을 통해 중앙아시아로 들어오는 길도 열렸다.[81]

소련이 전에 영국과 가졌던 교역관계도, 문제는 있었지만 다시 활성화되었다. 식량과 자원을 무르만스크와 북부 러시아로 실어다주는 북극해 호송대는 18세기와 19세기 동안에도 매우 위험한 것이었다. 노르웨이의 북해 연안을 안마당처럼 여기는 독일 잠수함과 티르피츠호 및 비스마르크호 같은 중무장한 군함의 사정거리 안에서 그러한 일을 하는 데는 엄청난 힘과 용기가 필요했다. 때로는 출발했던 수의 절반도 못 되는 배가 목적지에 갔다가 돌아오기도 했다. 그리고 이 경로를 항행했던 많은 병사들이 전쟁이 끝나고 수십 년이 지난 뒤에도 그들의 복무 사실이나 그들이 보여준 용기에 대한 훈장을 받지 못했다.[82]

독일군이 세계의 중앙에서 밀려나면서 서서히, 그러나 분명하게 흐름이 바뀌고 있었다. 한동안은 히틀러의 도박이 성공하는 듯했다. 이미 명목만 아닐 뿐이지 유럽의 주인이었던 그가 중앙아시아를 남쪽과 북쪽에서 열어젖히려는 노력은 그의 군대가 볼가 강 연안에 도달했을 때는 제대로 되고 있는 듯했다. 그러나 독일군이 끊임없이, 그리고 난폭하게 베를린 쪽으로 되밀리면서 점령지가 하나씩 손에서 빠져나갔다.

히틀러는 무슨 일이 일어났는지를 깨닫고 절망에 빠졌다. 영국의 한 기밀 보고서는, 히틀러가 동방에서 틀림없이 승리하고 있는데도 1942년 4월 26일에 한 연설에서 분명한 편집증과 체념의 징표를 드러내고 있으며 이와 함께 이른바 메시아 콤플렉스라고 하는 것의 증거가 늘어나고 있음을 보여주었다.[83] 심리학적 관점에서 볼 때 히틀러는 엄청난 모험가이며, 충동적 도박꾼의 모습에 걸맞은 사람이었다.[84] 그의 운은 결국 바닥이 나기 시작했다.

1942년 여름에 조류가 바뀌기 시작했다. 로멜은 이집트의 엘알라메인에서 저지당해, 무함마드 아민 알후세이니의 계획을 망가뜨렸다. 그는 카이로 주민들에게, 유대계 주민들의 집 주소와 직장 명부를 준비해 그들을 검거하고 가스차(그 지방에 주둔하고 있던 광신적인 한 독일 장교가 개발한 것이다)에서 몰살시키도록 일러놓은 상태였다.[85]

미국의 참전 역시 전세의 변화를 이끌어내기 위해서는 시간이 필요했다. 일본의 진주만 공격에 충격을 받아 행동에 나선 미국은 두 전선에서 전쟁에 나설 준비를 했다. 1942년 중반 무렵 역사적인 미드웨이 전투에서 승리함으로써 미국은 태평양 지역에서 공세에 나설 수 있었고, 한편으로 이듬해 초부터 북아프리카, 시칠리아와 이탈리아 남부에, 그리고 나중에 유럽의 다른 지역에 배치된 대규모 부대 역시 전

쟁의 흐름을 돌릴 수 있다는 희망을 주었다.[86]

그리고 스탈린그라드의 상황이 있었다. 1942년 봄 히틀러는 암호명 '청색 작전Operation Blue'을 승인했다. 독일군이 남부 러시아를 휘돌아 제3제국 전쟁 계획의 중심이 된 캅카스의 유전을 확보한다는 것이었다. 공격은 야심차고 위험한 것이었다. 그리고 고위 장성들과 히틀러 자신도 느꼈듯이, 승리는 여기에 달려 있었다. 히틀러는 이렇게 단언했다.

"우리가 마이코프와 그로즈니의 석유를 얻지 못한다면 나는 전쟁을 끝내는 수밖에 없소."[87]

스탈린그라드는 큰 문제였다. 그 이름 때문에 명성이 있기는 했지만 그곳을 점령하는 일이 꼭 필요한 것은 아니었다. 그곳이 중요한 공업 중심지이기는 했다. 그러나 그 중요성은 볼가 강 굽이에 자리 잡은 그 전략적 위치에 있었다. 스탈린그라드를 무력화하는 것은 독일이 캅카스에서 얻으려는 이득을 보호하는 데 필수적이었다.

1942년 가을이 되면 사태가 아주 나쁘게 돌아간다는 것이 분명해졌다. 독일의 공격은 늦게 시작되었고, 금세 곤란한 상황에 직면했다. 인력과 군수품, 그리고 갈수록 귀해지는 연료(독일에게 없어서는 안 될 자원)가 스탈린그라드에서 대량으로 소모되고 있었고, 그것만으로도 상황이 매우 불리했다. 더욱 좋지 않았던 것은 관심이 작전의 주요 전략 목표인 석유에서 다른 곳으로 분산되었다는 점이다. 슈페어 같은 히틀러의 핵심 측근 가운데 일부는 시간이 지연되면 어떤 결과가 초래되는지를 알고 있었다.

"우리는 10월 말까지, 즉 소련의 겨울이 시작되기 전에 이 전쟁을 승리로 끝내야 합니다. 그러지 못하면 우리는 영원히 승리할 수 없습니다."[88]

어떻게 독일 병사들을 동방과 서방에서 몰아낼 것인지, 그리고 베를린을 향해 압박해 들어가게 될 양쪽 전선의 부대들이 어떻게 협력할 것인지 하는 문제가 아직 남아 있었지만, 1942년 말이 되면 새로운 연합군인 영국, 미국, 소련의 생각은 미래로 옮겨가고 있었다. 세 나라의 지도자들이 1943년 테헤란에서, 1945년 봄 얄타에서, 그리고 몇 달 뒤 마침내 포츠담에서 만났을 때 또 하나의 거대한 대결에 쏟아부은 노력과 비용, 거기서 얻은 트라우마가 서유럽을 녹초로 만들었음이 분명해졌다.

옛 제국들은 서서히 막을 내려야 한다는 사실이 분명해졌다. 이 과정을 어떻게 잘 관리하느냐가 문제일 뿐이었다. 도덕성의 악화가 만연해 있다는 징표가 드러나는 가운데 곧 닥쳐올 문제는 어떻게 하면 덜 나쁜 결정을 내리느냐 하는 것이었다. 심지어 그것이 성공적으로 실행에 옮겨지지 못할지라도 말이다.

1944년 10월에 처칠은 모스크바 방문에서 "유명한, 그리고 여느 때보다 넉넉한 소련의 환대" 덕분에 "생기를 얻고 기운을 차려" 고국으로 돌아간다고 스탈린에게 말했다. 비망록은 라흐마니노프의 〈피아노 협주곡 3번〉이 연주되었고, "간단한 쇼핑" 시간을 가졌으며, 회담에서는 여러 가지 결론을 도출했다고 적고 있다. 이 기록은 전후 유럽의 운명에 관해서는 적지 않고 있다. 그것은 공식 기록에서는 삭제되었다.[89]

둘로 쪼개진 유럽

1939년 영국 하원이 지키겠다고 다짐했던 폴란드 영토 보전은 포기되었고, 그 국경은 처칠이 "거래하기 적합한" 순간이라고 판단하면서 우악스럽게 변경되었다. 파란 색연필로 폴란드의 3분의 1은 독일 땅으로 옮기고, 3분의 1은 소련에 속한 지도가 그려졌다(나머지 3분의 1은 독일이 점령했지만 자국 직할령으로 삼지 않고 총독을 두어 통치한 '폴란드 총독부'다—옮긴이). 그는 또한 중부 유럽과 동유럽의 나라들에 대한 분할도 제의했다. 서로가 만족할 수 있는 방식일 터였다. 예를 들어 루마니아에서는 90 대 10으로 러시아가 영국에 비해 우위를 갖는 구조였고, 그리스에서는 그와 정반대였다. 불가리아, 헝가리, 유고슬라비아에서는 50 대 50의 분할이 적용되었다. 처칠 스스로도 "수백만 명"의 운명이 "되는 대로" 결정된다는 것이 "상당히 냉소적"으로 받아들여지리라는 것을 인식하고 있었다. 그렇지만 스탈린의 비위를 맞추자니 유럽 대륙 절반의 자유를 희생하는 대가를 치러야 했다.

"이 문서는 태웁시다."

처칠이 말하자 스탈린은 이렇게 대답했다.

"아니, 가져가세요."[90]

처칠은 진짜 상황을 너무 늦게 깨달았다. 그는 1946년 미국 미주리 주 풀턴에서 유럽에 '철의 장막iron curtain'이 쳐져 있다고 경고하는 유명한 연설을 했다. "중부 유럽 및 동유럽에 있는 옛 나라들의 수도 바르샤바, 베를린, 프라하, 빈, 부다페스트, 베오그라드, 부쿠레슈티, 소피아"[91]가 이제 소련의 영향권 아래 들어갔다고 말했다. 베를린의 절반과 빈을 제외한 모든 도시들이 그런 상태로 남게 된다. 2차 세계대전은 유럽 전역에 드리워진 폭압의 검은 그림자를 걷어내기 위한 것이었다. 결국 '철의 장막'이 드리워지는 것을 막기 위해 할 수 있는 일이 아무것도 없었고, 하지 않았다.

그렇게 유럽은 2차 세계대전이 끝나자 둘로 쪼개졌다. 그리고 이후 수십 년 동안 쪼개진 유럽의 탄생에서 한 역할에 대해 대가를 치르지 않은 채 악독한 나치스를 물리친 성과만을 가지고 기뻐했다. 또한 전후의 새로운 협상 과정에서 내준 대륙의 한 부분에 대해 많은 생각을 할 수도 없었다. 독일의 패배는 전쟁으로 인한 만성적인 체질 약화를 불러왔고, 영국과 프랑스는 경제가 피폐해졌으며, 네덜란드, 벨기에, 이탈리아와 스칸디나비아 나라들은 경제가 붕괴했다.

이런 혼란은 공포로 이어졌다. 광범한 핵무기 연구를 수반할 수 있는 군비 경쟁에 대한 공포뿐만이 아니라 직접적인 대결이 벌어질 것이라는 공포도 있었다. 소련군은 유럽에서 다른 연합군들에 비해 4 대 1의 수적 우세를 보였고 탱크 배치의 이점도 확보하고 있어, 독일이 항복한 이후 새로운 충돌이 일어날지 모른다는 공포가 만연했다. 그 결과 처칠은 히틀러의 패배로 모든 일이 끝난 것이 아니라 그저 한 국면이 끝났을 뿐이라는 전제 아래 비상 계획을 수립하도록 지시했다. 이 계획의 명칭은 도대체 왜 그것을 준비했는지 이유를 숨기고 있다. 그 '언싱커블 작전Operation Unthinkable'('기상천외 작전')은 분명히 영국 전략가들의 마음속에서 생각할 수 있는 것이었다.[92]

비상 계획을 준비할 필요성은 현실, 즉 독일이 무너지면서 빠르게 변하는 상황에 굳건하게 바탕을 두고 있었다. 스탈린은 갈수록 단호한 입장을 취했다. 틀림없이 자신이 1939년 히틀러와 맺었던 파멸적인 동맹이 깨진 배신감으로 인한 것이기도 했지만, 소련이 독일의 맹공격을 견뎌내기 위해 치러야 했던 엄청난 대가(특히 스탈린그라드와 레닌그라드에서 치렀던)의 결과이기도 했다.[93] 소련의 입장에서는 완충 지대 및 속국의 체계를 만드는 것과 함께, 소련이 위협받는다고 느끼면 직접적인 행동을 취할 수 있다는 공포를 조성하고 강화하는 일이 중요해졌다. 이런 상황에서 서쪽에 있는 나라들의 공업 기반을 목표로 삼고 심지어 제거함으로써 그 나라들을 약화시키는 것은 논리적으로 취해야 할 수순이었다. 초창기 단계의 공산당들에 돈과 물자를 제공하는 것 역시 마찬가지였다. 역사에서 볼 수 있듯이, 공격은 때로 최선의 방어다.[94]

그 결과 가운데 하나는 히틀러의 억압이 스탈린의 억압보다 더 나쁘게 생각되었다는 점이다. 전쟁을 폭압에 대한 승리로 묘사하는 것은 일종의 선택이었고, 정치적인 적을 하나 설정해서 새로 맞아들인 친구의 잘못과 실패에 대해서는 얼버무리는 것이었다. 중부 유럽과 동유럽의 많은 사람들은 이런 민주주의의 승리 이야기에 이의를 제기하며, 자의적인 선 건너편에 있게 된 사람들이 이후 수십 년 동안에 치렀던 대가를 지적할 것이다. 그러나 서유럽은 지켜야 할 자기네 역사가 있었고, 그것은 승리가 강조된다는 의미였다. 또한 잘못에 대해, 그리고 현실정치라고 설명되는 결정들에 대해 입을 다문다는 얘기였다.

이는 유럽연합(EU)이 2012년 노벨 평화상을 받은 일에서 전형적으로 드러난다. 수백 년 동안 자기네 대륙에서뿐만이 아니라 세계 곳곳에서 거의 끊임없이 전쟁을 벌여온 책임이 있는 유럽이 수십 년 동안 충돌을 피하는 데 성공했으니 얼마나 대견한가. 고대 말기에서 이와 비슷한 사례를 찾아보자면 고트족에게 약탈당한 로마에게 100년 뒤에 이 상을 주는 격이며, 아니면 십자군이 팔레스타인의 아크레를 잃은 후 기독교 세계에서 반무슬림적 표현이 수그러들었다고 해서 그들에게 상을 주는 것이나 마찬가지다. 전쟁이 없었던 것은 아마도 다툴 일이 남아 있지 않았던 현실 때문이지, 20세기 말과 21세기 초에 뛰어난 중재자라는 사람들이 잇달아 등장해서 선견지명을 발휘했다거나 비대한 이 유럽 국가들의 국제기구가 무슨 기적을 일으켰기 때문은 아닐 것이다(EU는 회계장부에 대해 몇 년씩 자기네 회계감사관의 서명도 받지 못하는 기구다).

1914년 서유럽에서 해가 지기 시작하면서 새로운 세계가 떠오르고 있었다. 그 과정은 1939~1945년의 전쟁과 함께 가속되었고, 마침내 전쟁이 끝난 뒤에도 여전히 계속되었다. 이제 문제는 유라시아 대륙의 거대한 교역망을 누가 통제할 것이냐였다. 그리고 이것을 꼼꼼하게 생각해볼 충분한 이유가 있었다. 세계의 중심부에 있는 비옥한 땅과 누런 모래에는, 그리고 카스피해의 물속에는 보이는 것보다 더 많은 것이 있음이 드러났기 때문이다.

21 냉전의 길

이란의 개혁가 모사데그

2차 세계대전이 마지막 국면으로 접어들기도 전에 아시아의 심장부를 둘러싼 싸움은 이미 진행되고 있었다. 1942년 1월에 조인된 '삼국 조약'이라는 거창한 이름의 조약에서 영국과 소련은 "지금 벌어지고 있는 전쟁의 결과로 인한 궁핍과 곤란으로부터 이란 국민들을 보호"하고 그들이 충분한 음식과 의복을 제공받도록 보장할 것을 엄숙히 약속했다. 사실 조약의 문구들이 분명하게 보여주듯이 문제는 이란의 안전과는 별 관계가 없다는 것이었다. 그리고 모두가 이란의 기반시설 징발과 관계가 있는 것들이었다. 조약은 따라서 영국과 소련이 이 나라의 도로와 하천, 송유관과 비행장, 그리고 전신국을 마음대로 사용할 수 있다고 선언했다.[1] 그러면서 점령은 아니라고 규정했다. 그것은 동맹국에 도움을 주는 일이었다. 나열된 것은 좋은 말들이었다. 아니, 창조적인 말들이었다.

　표면적으로 이 조약은 독일이 이란으로 팽창하는 것을 막고 페르시아만을 통해 물자를 들여와서 연합군에게 공급하기 위한 것이었다. 그러나 일부에서는 영국의 장기적인 목적이 들어 있다고 생각했다. 예컨대 테헤란 주재 미국 공사 루이스 G. 드레이퍼스Louis G. Dreyfus는 영국의 동향을 담은 전문을 자주 워싱턴으로 보냈다. 그들이 샤에게 갈수록 공격적인 요구를 하고, 이란에 영국의 이익을 해치려 활동하는 제5열이 있다는 문제 제기를 한다는 내용이었다. 그는 1941년 8월에 이렇게 썼다.

"영국이 [상황을] 필경 이란을 점령할 구실로 사용하고 있고, [현재의 상황이 지닌] 잠재력을 고의적으로 과장하고 있다고 확신합니다."[2]

이란에서 자국의 입지를 유지한다는 (그리고 강화한다는) 영국의 목표를 이루는 데는 그 장교와 병사들이 현지 주민들을 다루는 방식이 도움이 되지 않았다. 전쟁이 터지기 꼭 10년 전에 한 언론인은 영국의 행동에 대한 뜨끔한 비판 기사를 써서, 이란인들이 "200년 전 인도인들이 동인도회사로부터 받았다는 처우만큼이나"[3] 나쁜 대우를 받고 있다고 주장했다. 적대감은 영국 장교들이 이란 장교들에게 경례를 할 것을 요구하면서 더욱 심해졌다. 답례도 하지 않으면서 말이다. 영국인들은 "사히브Sahib ('주인')" 행세를 하고 이란인들을 "식민지 백성처럼 다룬다"는 불만이 널리 퍼져 있었다. 이는 자기네끼리 틀어박혀 지내고 잘 나다니지 않으며 경례를 요구하지 않는 소련 장교들과 뚜렷이 대비되었다. 적어도 이 지역에 배치된 한 독일 정보 장교의 눈에는 그렇게 비쳤다.[4]

이 민감한 시기에 영국 공사(나중에 대사)였던 리더 불러드의 태도는 전형적인 것이었다. 그는 전쟁 후반의 식량 부족이나 인플레이션은 점령군의 잘못과 아무런 관련이 없고, 페르시아만에서 무기와 기타 물자를 북쪽으로 보내는 통로인 페르시아 회랑을 유지하는 수송상의 어려움과도 관련이 없다고 생각했다. 잘못은 이란인들에게 있다고 불러드는 썼다.

"이 이란인은 도둑질을 하고 가격을 기근 때 수준으로 올리면서 이득을 곱빼기로 누리고 있습니다. 그러면서 언제나 영국인을 비난합니다."[5]

그는 런던에 보내는 공식 서한에서 "내가 이란인들을 낮게 평가"하는 것에 관해 언급하면서 "대부분의 이란인들은 다음 생에서 검정 파리가 될 것"[6]이라고 경박하게 덧붙였다. 이런 전문들은 처칠 총리의 주목을 끌었다. 처칠은 이렇게 썼다.

"리더 불러드 경은 모든 이란인을 경멸하고 있습니다. 아무리 자연스러운 것이라고 하더라도 그것은 그의 업무 수행과 우리의 이익에 해롭습니다."[7]

문제를 더 크게 만든 것은 그런 특권의식과 오만에서 비롯한 뿌리 깊은 인식이 실제 상황과 일치하지 않았다는 점이다. 그곳에 영국이 조성해놓은 지배적인 위치가 위기에 처했음이 갈수록 분명해지고 있었다.

이란 북부의 채굴권을 미국 석유 생산자 컨소시엄에 주려는 협상이 진행되고 있음을 러시아가 알아차리면서 1944년 테헤란에서는 추한 장면이 연출되었다. 불길에 부채질을 한 것은 이란 대중당(투데당)이었다. 투데당은 좌익 투사들의 무리로, 개혁과 부의 재분배, 그리고 현대화 이슈를 내걸어 소련으로부터 상당한 지원을 받고 있었다. 긴장이 고조된 순간에 소련군 부대가 수천 명의 시위자들과 함께 거리로 나선 것은 협상을 중단시키기 위한 개입이었다. 표면적으로는 시위대를 보호한다는 명목이었다. 많은 사람들에게 이것은 불편한 장면이었다. 소련이 협상을 취소시키기 위해 무력을 사용할 것처럼 보였다. 험상궂은 소련 외무부 차관 세르고 카브타라제Sergo Kavtaradze는 이를 강조했다. 그는 소련을 화나게 하면 후환이 있을 것이라고 경고하기 위해 스탈린이 테헤란으로 보낸 사람이었다.[8]

극적인 상황이 넘치는 대단원에서, 사태는 영리하고 분명하고 완벽한 정치가 모하마드 모사데그Mohammad Mossadegh에게 맡겨졌다. 그는 시대정신zeitgeist을 포착하는 재주가 있었다. 한 영국 관리는 그에 대해 이렇게 썼다.

"그는 어딘가 마차 끄는 말처럼 생겼고, 가는귀가 먹은 듯 긴장하며 듣습니다. 그 외에는 얼굴에 별다른 표정을 드러내지 않습니다. 그는 15센티미터 거리에서 대화를 하는데, 그에게서는 약간 아편 냄새가 풍깁니다. 장황하게 말하는 경향이 있고, 논쟁에 휘둘리지 않는다는 인상을 줍니다."[9]

외무부 파일로 첨부된《옵서버》에는 모사데그의 프로필이 이렇게 적혀 있었다.

"구식 페르시아인. 예의 바르고, 인사와 악수를 남발한다."[10]

나중에 드러나지만, 영국은 그를 너무 과소평가했다.

모사데그는 1944년 말에 다시 의회에 진출하여 이란이 외부 강대국들에 휘둘리거나 겁박당할 수 없고 그래서도 안 된다는 비전을 제시하기 시작했다. 녹스 다시 채굴권과 앵글로-이란 석유회사(이전의 앵글로-페르시아 석유회사)의 행동방식은 지도자가 약하면 무슨 일이 일어나는지에 대한 생생한 교훈이었다. 이란은 몇 번이고 자국 국민에게는 별 도움이 안 되는 경쟁 세력들의 볼모로 이용되고 악용돼왔다고 그는 주장했다. 이란이 누구와 거래할지를 선택해야 한다는 것은 도무지 용납할 수 없는 얘기였다. 그는 이렇게 단언했다.

"석유를 사고 싶어하는 모든 나라와 협상을 합시다. 그리고 우리의 자유를 찾는 일에 나섭시다."[11]

모사데그는 많은 사람들이 오래전부터 마음속에 품어오던 것을 말했다. 땅속에서 나는 석유가 이란에 제한된 이익만을 가져다준다는 것이 부당하다는 사실을. 그것은 동이 닿지 않는 얘기였다. 예컨대 1942년에 영국 정부는 앵글로-이란 석유회사의 영업활동으로부터 660만 파운드의 세금 수입을 올렸다. 반면에 이란은 특허권료로 그 수치의 60퍼센트만을 받았다. 1945년에는 이 차이가 더 커졌다. 영국 국고는 이 사업에 대한 세금으로 무려 1600만 파운드의 수입을 올렸다. 이란은 600만 파운드였다. 겨우 3분의 1을 넘는다는 말이다.[12] 이는 단지 돈에 관한 문제만은 아니었다. 한 정통한 영국 관측통은 문제를 이렇게 정리했다.

"아무리 물질적인 이득을 얻는다 하더라도 개인적인 수모와 자존감 상실을 보상할 수는 없었다."[13]

이 글의 필자 로렌스 엘웰-서튼Laurence Elwell-Sutton이 이어서 인정했듯이, 그런 인식은 흔한 것이 아니었다. 엘웰-서튼은 런던 대학의 동양-아프리카학 학원(SOAS)에서 아랍어를 공부한 뒤 2차 세계대전 전에 이란에 있는 앵글로-이란 석유회사에서 근무했다. 외국어에 재능이 있고 페르시아 문화에 대한 열정을 키웠던 엘웰-서튼은 회사 직원들이 현지 주민을 대하는 태도를 보고 깜짝 놀랐다. 이란인들에 대해 "알려고 노력하는 유럽인이 거의 없었다." 반면에 "'토인들'을 (……) 아마도 인류학자가 아니면 관심이 없을 특이한 습성을 가진 더러운 야만

인으로 바라보는" 모습을 흔히 볼 수 있었다. "인종적 반감"은 재앙으로 끝날 수밖에 없었다. 그는 이렇게 결론지었다.

"종업원들이 그런 생각을 가지게 되었다면, 그 회사가 그랬기 때문일 것이다."[14]

이런 상황이었으니 모사데그 같은 개혁가 배후에서 동력이 만들어지고 있음을 발견하기란 어렵지 않았다. 유럽 제국의 시대는 저물기 시작한 지 오래였다. 이라크에서 거트루드 벨이 '독립은 영국이 주는 선물이 아니다'라는 말을 들었던 데서 분명해졌듯이 말이다. 이란 같은 나라들에서는 이들 나라를 지배하에 두려는 요구가 점점 커져가고 밖으로부터 그들의 운명을 틀어쥐려는 강한 영향력이 미칠 수밖에 없었다. 실제로는 영국은 그 실크로드가 붕괴하면서 말 그대로 퇴각하고 있는 제국이었다.

퇴각하는 영국 제국주의

아시아에서 일어난 군사적 압력의 해일은 동방에서 여러 차례의 '됭케르크 철수'(2차 세계대전 초기 프랑스 북부에 포위되었던 영국군과 프랑스군이 다이너모Dynamo 작전을 통해 철수한 일을 말한다 — 옮긴이)를 불러왔다. 영국의 황금시대가 끝났음을 통렬하게 보여주는 마구잡이 퇴각의 사례들이었다.

일본군이 동남아시아 각지로 퍼져나가면서 수만 명이 버마에서 탈출했다. 일본은 영국과 프랑스가 본국과 더 가까운 곳의 문제에 매달린 틈을 이용하여 오래전부터 전략적·경제적으로 관심을 가져왔던 지역으로 세력을 확장해나간 것이다. 동방의 독일 동맹국인 일본은 금세 넓은 지역에서 제국의 자격을 주장할 수 있는 기회가 생겼음을 알아차렸다. 일본군이 진군해나가면서 많은 사람들이 고통을 겪었다. 대략 8만 명이 굶주림과 병으로 죽었다. 수천 명이 피낭과 싱가포르로 후퇴하면서 말레이 반도에서 일어난 일들도 마찬가지로 극적이었다. 그곳에서는 운 좋은 사람들만이 도시가 함락되기 전에 도망쳐 나왔다. 간신히 늦지 않게 피난했던 한 미혼 여성은 몇 주 뒤, 영국의 혼란스러운 철수는 그것을 목격하거나 그 대열에 끼여 있던 사람들에게는 "절대로 잊거나 용서할 수 없는 것"이었다고 썼다.[15]

퇴각은 유럽과 태평양에서 전쟁이 끝나고서도 계속되었다. 인도에서 완전히 철수한다는 결정은 30년 동안 양보와 약속을 거듭한 끝에 나왔다. 그런 양보와 약속들이 자주와 자치, 그리고 궁극적으로 독립에 대한 기대를 끌어올렸다. 전쟁이 끝날 무렵에 영국의 통치력은 빠르게 사라져가고 있었다. 그리고 몇 달에 걸친 소요와 반제국주의 시위와 파업이 일어나 인도아대륙 북부 곳곳의 도시들을 마비시키면서, 통제 불능의 상태로 빠져들 우려가 있었다.

인도에서 '단계적으로 철수'하려던 당초의 계획(여기에는 소수파인 무슬림을 보호하는 방안도 들어 있었다)은 본국 쪽에서 거부했다. 비용이 많이 들고 너무 오래 걸린다는 이유였다.[16] 그 대신에 영국이 16개월 안에 철수한다는 계획이 1947년 초에 발표되었는데, 이것이 결국 공황 상태를 초래했다. 전쟁이 끝난 뒤 선거에 패배하여 총리직을 사임한 처칠이 하원에서 말했듯이, 이는 파멸을 부르는 결정이었다.

"우리가 전 세계 인구의 5분의 1이 (……) 혼란과 대학살 속에 빠지도록 방치한다면 (……) 우리의 이름과 이력에 엄청난 불명예가 되지 않겠습니까?"[17]

이런 경고가 주목을 끌지 못하면서 인도아대륙에서는 대혼란의 아수라장이 펼쳐졌다. 수백 년 동안 도시와 마을에 살던 가족들이 인류 역사상 가장 큰 규모에 속하는 대량 이주를 시작하면서, 오랫동안 안정적이었던 지역 사회들에서 폭력이 분출했다. 적어도 1100만 명이 펀자브나 벵골 같은 새 땅으로 이주했다.[18] 그러는 동안에 영국은 자국민의 피해를 줄이기 위해 상세한 소개疏開 계획을 수립했다.[19] 이런 관심은 현지 주민들에게까지는 확대되지 않았다.

영국이 잇단 위기로 비틀거리면서, 다른 곳에서도 비슷한 상황이 벌어졌다. 팔레스타인의 미묘한 상황에서 균형을 유지하기 위해 유럽에서 들어오는 유대인의 이민을 줄이려는 조치들이 취해졌다. 이는 구체적으로 정유공장과 하이파 항의 통제권을 유지하고 수에즈 운하를 계속 확보하며 아랍 세계의 주요 인사들과 친밀한 관계를 유지하기 위한 것이기도 했다. 영국 정보기관이 팔레스타인으로 난민을 실어 나르는 배들을 파괴한다는 (그리고 강력하다고 하지만 실재하지 않는 아랍 테러리스트 조직에 비난의 화살을 돌리는) 계획을 마련한 뒤 영국은 좀 더 직접적인 행동에 나섰다.[20]

최악의 상황은 1947년 여름에 발생했다. 프랑스 항구들에서 유대인 망명자들을 싣고 출항한 배들이 공격을 받았다. 임신한 여자들과 아이들, 그리고 많은 노인들을 포함하여 4000명의 유대인이 탄 배가 동쪽으로 가던 도중 영국 구축함에 들이받혔다. 승객들이 팔레스타인에 도착해도 입항을 거부한다는 결정이 이미 내려졌는데도 말이다.[21] 강제수용소에서 살아남은 사람들이나 나치스의 대학살로 가족을 잃은 사람들을 이런 식으로 대하는 것은 대민 관계의 대참사였다. 영국은 해외에서의 자기네 이익을 유지하기 위해서라면 무슨 짓이라도 저지르리라는 것이 분명했다. 그리고 그 과정에서 남들에 대해서는 눈곱

만큼도 생각하지 않을 터였다.

영국의 어설픈 모습은 영국의 보호령 트란스요르단의 지배자 압둘라 1세와의 거래에서 분명하게 드러났다. 압둘라는 영국의 전폭적인 지지 속에 비밀 협정을 통해 1946년 독립 이후 자신의 정권에 대한 영국의 군사적 지원을 약속받았다. 그는 이 약속을 이용하여 영국이 철수한 뒤 자신의 영토를 팔레스타인 전역으로 확장할 계획을 세웠다. 한계는 있었지만 영국의 승인을 받은 셈이었다.[22] 그의 총리 타우피크 아부 알후다Tawfik Abu al-Huda는 영국 외무부 장관 어니스트 베빈으로부터 이런 이야기를 들었다고 한다.

"그것은 분명히 할 만한 일인 것 같습니다. 그러나 유대인에게 배당된 땅은 침범하지 마십시오."[23]

어떠한 조언을 했든, 영국이 발을 빼고 있는 세계의 또 다른 부분을 덮친 혼란은 유럽 제국주의 세력의 해로운 영향을 보여주는 증거였다. 1948년의 아랍-이스라엘 전쟁이, 영국이 고개를 끄덕이고 팔꿈치로 찌르고 눈짓을 해서 실행한 정책의 결과는 아니겠지만, 그것은 치안 세력이 바뀌면서 힘의 공백이 생겼음을 드러냈다.[24]

사태는 이라크에서도 그다지 나을 바 없었다. 1948년 살리흐 자브르Salih Jabr 이라크 총리가 영국에게 공군기지 사용권을 25년 연장하는 협정에 동의하자 소란이 일었다. 합의 소식이 전해지자 파업과 폭동이 일어났고, 결국 자브르의 사퇴까지 불러왔다. 성난 군중이 그를 자리에서 쫓아낸 것이다.[25] 영국에 대한 반감은 여러 가지 이슈들로 인해 확산되었다. 2차 세계대전 동안에 바그다드를 점령했던 일이나, 영국이 팔레스타인에서 아랍인들을 지원하지 않았다고 생각된 일 같은 것들이다. 특히 이 시기는 영국이 이라크에 영구적인 군사적 기반을 유지하고자 하는 데 대한 반감이 클 때였다. 이 모든 것은 걷잡을 수 없는 인플레이션과 흉작에 따른 식량 부족 사태로 인해 더욱 악화되었다. 그 결과 한 날카로운 관찰자가 인식했듯이 "이라크의 내부 상황이 위험"에 빠졌다.[26]

따라서 영국은 이라크 총리를 도울 수 있는 조치를 취하고 "그에게 양보를 해서 대중 소요를 막아야" 했다. 여기에는 하바니야 공군기지를 공유하도록 제안하는 일도 들어 있었다. 이라크인들은 이 "최고의 협력 사례"를 환영할 것이라고 런던의 정책 담당자들은 주장했다. 영국이 "다른 어떤 나라에도 할 생각이 없는" 이 제안에 이라크는 "서아시아의 다른 나라들보다 우월"[27]함을 느끼면서 매우 기뻐할 터였다.

다른 나라의 경우에도 마찬가지지만, 이 모든 것을 더욱 악화시킨 것은 이라크가 자기네 땅에서 퍼내는 석유로 얻은 것이 별로 없었다는 점이다. 1950년에 이라크인의 90퍼센트가량이 여전히 문맹이었다. 게다가 영국은 이 나라에 막강한 영향력을 행사하고 있었다. 예컨대 철로망을 건설하고 연장하는 자금을 빌릴 때 영국은 담보로 이라크 은행의 준비금을 요구했다. 이로 인해 빚을 갚지 못할 경우 유전이 넘어갈 가능성이 높아졌다. 19세기 수에즈 운하에 일어났던 일과 매우 흡사한 것이었다. 너무도 중요한 운하 통제권과 그 재정이 영국인의 손으로 넘어간 사례가 있었다.[28]

영국은 자기네가 무조건 지는 상황에 처했음을 알아차렸다. 그들은 모든 정치적 자본을 다 쏟아부었지만 누구로부터도 신뢰를 얻지 못했다. 전쟁 기간 동안에 만들어져 상당한 성과를 거둔 '중동 메뚜기 박멸단Middle East Anti-Locust Unit' 같은 조직들조차도 없어지는 것이 아닌가 하는 의문이 들 정도였다. 해충을 처리하고 식량 공급을 지켜내서

도움을 주었던 기술 전문가들도 해고되고 있었다.[29] 서아시아 국가들은 힘을 과시하며 서방에 등을 돌리고 있었다.

영국은 지고 소련이 부상하다

그러는 사이에 소련 역시 되살아나고 있었다. 독일을 물리친 이후 소련에서는 새로운 이야기가 생겨났다. 스탈린이 히틀러의 동맹자로서 전쟁 발발에서 했던 역할은 완전히 묻혀버리고, 승리한 이야기와 운명이 이루어졌다는 이야기가 그것을 대신했다.[30] 1917년의 혁명은 마르크스와 그 사도들이 예측했던 세계의 변화를 가져오는 데 실패했다. 그러나 30년 뒤 공산주의가 전 세계를 휩쓸고 아시아를 지배하는 시기가 온 듯했다. 7세기에 이슬람 세력이 그랬듯이 말이다. 그것은 이미 중국 전역으로 확산되기 시작했다. 평등과 정의와 무엇보다도 토지개혁의 약속이 공산당에 대한 지지를 이끌어냈고, 그 공산당이 정부군을 몰아붙여 마침내 본토에서 완전히 몰아냈다.

유럽과 미국에서 좌익 정당이 지지를 받으면서, 비슷한 양상은 다른 지역에서도 눈에 띄기 시작했다. 많은 사람들은 화해를 약속하는 이상에 공감했다. 그것은 히로시마와 나가사키에 떨어진 두 개의 원자폭탄으로 끝난 전쟁의 공포와 뚜렷이 대비되었다. 그렇게 공감한 사람들 가운데는 불과 30여 년 사이에 유럽 국가들 사이에서 벌어진 두 차례의 커다란 전쟁이 전 세계에 처참한 결과를 초래했다는 사실에 환멸을 느낀 사람들이 있었고, 특히 원자폭탄 개발에 참여한 사람들도 포함되어 있었다.

스탈린은 약삭빠르게도 1946년 봄에 전 세계에 널리 보도된 한 연설에서 이 불길에 부채질을 했다. 그는 2차 세계대전이 불가피했다고 단언했다.

“현대의 독점 자본주의의 개념에 내재한 전 세계의 경제적·정치적 요인이 모습을 드러냈기 때문입니다.”[31]

이 연설은 하나의 성명이었다. 자본주의는 세계를 너무 오랫동안 지배해왔고, 20세기에 일어난 전쟁들이 초래한 고통과 대학살과 공포에 책임이 있다는 것이었다. 공산주의는 결함이 있고 위험스러운 것으로 입증된 정치 체제에 대한 논리적인 반작용이었다. 그것은 차이보다는 동질성을 강조하고 위계질서를 평등으로 대체하는 새로운 체제였다. 다시 말해 공산주의는 그저 하나의 매력적인 비전이 아니라 성공할 수 있는 대안이었다.

그보다 약간 앞서 처칠은 소련의 국경 서쪽에 있는 나라들의 장래를 두고 도박을 했다. 그는 얄타에서 전후 세계의 모습을 놓고 협상을 벌인 직후 자기 정부의 한 하급 관리에게 이렇게 말했다.

“가련한 체임벌린은 히틀러를 믿을 수 있다고 생각했지. 틀렸어. 하지만 나는 스탈린에 대한 내 생각이 틀렸다고 보지 않네.”[32]

체임벌린은 정말로 틀렸다. 그러나 처칠 역시 틀렸다. 그가 곧 깨닫게 되듯이. 그는 1946년 3월 5일 미국 미주리 주 풀턴에서 이렇게 말했다.

“소련이 (……) 가까운 장래에 무슨 일을 벌일지는 아무도 모릅니다.”

그러나 그 철학이 광범위하고 열렬한 전파를 강조하고 있다는 사실은 그것이 서방에 위협이 됨을 의미한다고 그는 말했다.

“발트해의 슈체친에서 아드리아해의 트리에스테까지 철의 장막이 유럽 대륙에 드리워져 있습니다.”[33]

세계의 중심의 운명은 불안정한 상태에 있었다. 이란이 지렛목이었다. 미국 전략가들은 소련이 이란을 완전히 지배하고 싶어한다고 확신했다. 석유 때문이었다. 또한 해군기지와 국제 항공로 망의 한가운데에 있다는 위치 때문이기도 했다. 이란 정부는 북부 지방의 석유 채굴권을 미국에 주었는데, 이는 오로지 소련이 협정에 격렬하게 반대한 끝에 군대를 이란으로 파병할 경우 미국이 군사적 지원을 제공하겠다고 미국 대사가 약속했기 때문이었다.[34]

1946년 여름, 이란 전역에서 파업이 확산되면서 긴장이 높아졌다. 소문과 반대 소문이 테헤란 거리에 넘쳐나면서 이 나라의 미래가 위험에 빠져 있는 듯했다. 영국은 자기네 자산을 확실하게 장악하기를 강력히 원했지만, 그들이 중요한 상황에서 영향력을 행사하기 위해 행동할 가능성이 거의 없음은 너무도 분명했다.

정보 보고서들은 임박한 소련의 이란·이라크에 대한 군사행동에 관해 암울한 그림을 그리고 있었다. 공격할 경우 "강력한 소련 기병과 기동부대"가 집중 타격할 것으로 예상되는 곳 등 상세한 침공 계획에 관해 보고했다. 보고서는 소련군 참모본부가 모술 점령에 대해 낙관적인 결론에 이르렀으며, 샤가 타도되면 "민중적 이란 정부"를 세울 준비가 되어 있다고 전했다. 그런 다음에는 이전 정권에 대한 보복 조치가 취해질 것으로 영국은 전망했다. 그 주요 인사들은 "반역자이며 부역자"로 낙인이 찍힐 터였다. 소련 공수부대가 공격을 이끌기 위해 테헤란 부근에 낙하할 준비를 갖추었고, 그 공격은 신속하게 끝나야 했다.[35]

진짜 위기감이 워싱턴에 감돌았다. 미국은 1942년 12월 이래 이란을 세심하게 주시하고 있었다. 이때 2만 명의 미군 병사들이 이란의 수송 체계를 개선하기 위해 처음 페르시아만의 호람샤르에 도착해 있었다. 수송을 감독하기 위해 다름 아닌 테헤란에 대규모 미군 주둔지가 건설되었다. 그곳은 페르시아만 지역의 미국 주둔군 사령부가 되었다.[36] 영국과 소련의 일차적인 관심은 이란이었고, 그 결과 전쟁 활동을 저해하고 동시에 이란의 상황도 악화시키고 있었다. 이란은 위태롭게 이리저리 휘둘리고 있다고 패트릭 헐리 Patrick Hurley 장군은 루스벨트 대통령에게 보고했다.[37]

전쟁 기간 동안 보급선을 지원하고 감시하기 위해 이란에 배치된 미군들은 처음에 문화적 충격을 겪었다. 클래런스 리들리 Clarence Ridley 소장에 따르면, 이란군은 훈련을 제대로 받지 못했고 자원이 부족했으며 기본적으로 쓸모가 없었다. 이란이 적대적인 이웃들 틈바구니에서 버텨내려면 새로운 세대의 장교들을 훈련시키고 좋은 장비를 갖추기 위해 많은 투자를 할 필요가 있었다. 이것은 현대화 프로그램으로 이란에서 이름을 떨치기 위해 몸부림치던 새로운 샤 모하마드 레자에게 반가운 소식이었다. 그의 미국인 재정 고문 아서 밀스포 Arthur Millspaugh가 그에게 단도직입적으로 말했듯이, 문제는 서방의 예에 따라 군대를 만드는 것이 불가능하다는 점이었다. 자금이 군사비 지출로 돌려지면 어떻게 될까? 밀스포는 이렇게 말했다.

"예컨대 농업이나 교육, 공중보건 같은 데에는 쓸 돈이 별로 없을 겁니다."[38]

이란은 준비가 부족한 데다 조직이 엉성하고 약해서, 스탈린의 태도와 행동이 미국에게 심각한 우려의 대상이 되고 있는 시기에 소련을 물리칠 가능성이 별로 없어 보였다. 스탈린의 연설을 들은 일부 사람들은 그것이 "3차 세계대전 선언"[39]이나 다름없다고 결론지었다.

스탈린의 숙청을 직접 목격했던 모스크바 주재 미국 대사관의 조지 케넌George Kennan 대리대사도 1946년 초에 이미 비슷한 결론을 내면서 큰 세계 전쟁이 일어날 것이라고 경고했다. 그는 이렇게 썼다.

"세계 문제에 관한 크렘린의 신경질적인 견해의 밑바탕에는 소련인들의 전통적이고 본능적인 불안감이 도사리고 있습니다."

소련은 미국과 경쟁하는 데 "열정적으로 헌신하는 정치 세력"이라고 그는 결론지었다. 그 목표는 "우리(미국) 사회 내부의 화합을 방해하고, 우리의 전통적인 생활방식을 파괴하며, 우리 나라의 국제적인 권위를 무너뜨리는"[40] 것이었다.

석유 채굴권에 관한 재협상

이란은 그 정치적·전략적 중요성으로 인해 이제 미국의 대외정책의 중심이 되었다. 이란을 강한 나라로 만들기 위한 체계적인 노력이 기울여졌다. 1949년 '미국의 소리(VOA)' 라디오 방송이 현지 주민들을 대상으로 페르시아어로 방송되었다. 첫 프로그램에는 트루먼 대통령이 출연했다. 그는 이란과 미국 사이의 "역사적인 유대와 우의"를 강조하며 억압에서 해방된 "번영하고 (……) 평화로운 세계"를 만들 수 있도록 돕겠다고 약속했다.[41]

이듬해 한반도에서 전쟁이 터질 무렵에는 더욱 직접적인 지원이 제공되었다. 국무부 보고서에도 나오듯이 내리막길의 경제가 "아직 파멸적인 상황에 이르지는 않았지만", 지금 강력한 지원을 제공하지 않으면 "이 나라가 완전히 붕괴하여 즉각 또는 장기적으로 소련 진영에 흡수"[42]될 위험이 있었다. 트루먼의 의견도 같았다. 그는 이렇게 말했다.

"우리가 그저 구경만 한다면 저들(소련)이 이란으로 이동해서 서아시아 전체를 먹어버릴 거야."[43]

이란인들을 대상으로 한 라디오 방송들은 갈수록 날카로워졌다. "자유 국가들은 단결해야 한다", "미국의 안보는 다른 나라들의 안보와 밀접한 관련이 있다", "자유 세계의 힘"이 계속해서 커지고 있다는 이야기가 나왔다. 이와 함께 소련이 세계 평화를 위협한다는 보도들이 나왔다. "공산당 지도자들의 목표는 인간의 자유를 총체적으로 억압하는 것"이라거나, 심지어 "소련 교사들은 소를 실어 나르기에 부적합하다는 판정을 받은 망가진 화차에 살며" 난방과 기본적인 위생 시설, 그리고 식수도 없는 환경에서 살고 있다고까지 주장했다.[44]

이란에 금융 지원이 투입되기 시작했다. 1950년 1180만 달러에서 1953년 5250만 달러로 3년 사이에 다섯 배 가까이 늘었다. 그 목표는 이란의 경제 발전을 촉진하고 정치를 안정시키며 개혁의 바탕을 마련하는 것이었다. 그러나 이란의 자위自衛를 위해 군사적·기술적 지원을 제공하기 위한 것이기도 했다. 이것은 서아시아 지역에서 미국의 종속국을 만들기 위한 첫 단계였다.[45]

그렇게 한 동기는 영국이 과거에 했던 것처럼 정권을 떠받쳐줄 능력이 더 이상 없기 때문이기도 했고, 소련의 팽창에 대응할 필요를 인식했기 때문이기도 했다. 그럼에도 불구하고 이것이 이란에 세심한 관심을 쏟은 이유의 전부는 아니었다. 예컨대 1943년 테헤란에서 연합국 지도자들이 중요한 회담을 하는 동안에 처칠 총리나 루스벨트 대통령 가운데 그 누구도 샤를 만나는 일에는 신경도 쓰지 않았다. 그들 모두 그것이 시간 낭비라고 생각했다.[46]

마찬가지로 미국은 이듬해 사우디아라비아를 그다지 중요하지 않은 나라로 치부해버렸다. 이 나라가 경제 원조를 요청하자 루스벨트 대통령은 "우리에게 좀 멀다"며 일축했다. 루스벨트는 사우디아라비아가 미국보다는 영국에 관심을 갖고 요청해야 할 것이라고 덧붙였다.[47] 전쟁이 끝날 무렵이 되자 상황은 아주 달라졌다. 사우디아라비아만이 "다른 작은 나라들보다 미국의 외교에 중요한 나라"[48]로 생각되었다. 바로 석유 때문이었다.

전쟁 기간 동안에 에버릿 리 디골리어Everette Lee DeGolyer라는 견실한 석유업자가 서아시아를 찾았다. 그는 오클라호마 대학에서 지질학을 공부한 뒤 미국 석유산업에서 돈을 번 사람이었는데, 서아시아 지역의 기존 유전들을 평가하고 이 지역 자원의 장기적인 잠재력과 중요성을 그 자체로, 그리고 멕시코만 및 베네수엘라, 미국과의 관련 아래서 조언하기 위해 온 것이었다. 그의 보고서는 신중한 평가와 경고가 달렸음에도 놀라운 것이었다.

"세계 석유 생산의 무게중심은 멕시코만과 카리브해 지역에서 서아시아, 즉 페르시아만 지역으로 이동하고 있다. 그리고 그런 움직임은 이 지역이 확고하게 중심에 설 때까지 계속될 것이다."[49]

그와 동행했던 사람은 국무부에 보고하면서 더 단도직입적으로 말했다.

"이 지역의 석유는 역사를 통틀어 가장 큰 단일 노획물입니다."[50]

이 보고는 영국인들의 주목을 끌었다. 그들은 미국이 이 지역 전체에 걸쳐 더 많은 관심을 기울일 것이라는 전망에 세심하게 대응했다. 한 지도급 기업인은 처칠에게, 미국이 서아시아에서 물러나 영국이 구축한 강력한 입지를 건드리지 말도록 요구해야 한다고 말했다.

"석유는 우리에게 남아 있는 단 하나의 큰 자산입니다. 우리는 우리의 마지막 재산을 미국과 나누는 것을 거부해야 합니다."[51]

워싱턴 주재 영국 대사 에드워드 우드Edward Wood는 미국 국무부 관리들이 자신을 피하려 하자 화가 나서 이를 강력하게 주장했다. 영국 정책 담당자들은 또한 진행되는 사태에 대해 우려를 품고 있었다.

"미국은 서아시아에 있는 우리 재산을 빼앗아가려고 마음먹고 있습니다."[52]

처칠 총리가 직접 나섰다. 그는 루스벨트 대통령에게 전보를 쳐서 협상이 진행되는 과정에 대해 이렇게 말했다.

"나는 약간의 우려를 품은 채 이를 지켜봤습니다. (……) 대통령께서는 내가 우리 두 나라 사이에서 공정하고 정당한 결론에 이르기만을 바라고 있다고 믿으셔도 좋습니다."[53]

이는 영국과 미국 사이에서 지구촌의 이 중요한 부분을 어떻게 나눌 것이냐를 놓고 합의가 이루어지고 있다는 말이었다. 우드 대사와 루스벨트 대통령이 만나 문제를 해결했다.

"이란의 석유는 [영국 몫이고], (……) 이라크와 쿠웨이트에서는 우리 양국이 모두 몫을 가지며, (……) 바레인과 사우디아라비아는 미국의 몫입니다."[54]

이는 에스파냐와 포르투갈이 15세기 말과 16세기 초에 도달했던 합의나 2차 세계대전 직후 연합국 지도자들 사이에서 진행된 논의와 흡사했다. 세계를 깔끔하게 둘로 나눈 것 말이다.

미국과 영국은 아주 다른 방식으로 이 분배 협상에 나섰다. 미국이 보기에 핵심 문제는 석유 가격이 1945년에서 1948년 사이에 두 배로 상승한 점이었다. 미국에서만 자동차 수가 50퍼센트 이상 증가했고, 자동차 회사의 매출이 일곱 배 늘었다.[55] 이에 따라 미국은 처음에는 달관했다 싶을 정도로 합리적 추론에 따라 상황에 접근하는 방식을 택했다. 천연자원의 축복을 받아 사방에서 구애를 받게 된 나라들이 자국의 입지를 최대한 강화하려는 것은 불가피한 일이었다. 따라서 석유 채굴권에 대한 조건을 재협상하는 것은 합리적인 일이었다. 그것도 품위 있게 하는 것이 억지로 떠밀려 하는 것보다 나았다.

국유화한다는 소문과 위협은 이미 있었다. 그것은 새로운 세계 질서를 반영한 것이었다. 우선 석유가 많이 나는 나라들과의 새로운 거래는 갈수록 많은 것을 주어야 하고 경쟁이 심해졌다. 진 폴 게티Jean Paul Getty와 맺은 사우디아라비아와 쿠웨이트 사이의 중립 구역에 대한 채굴권 같은 것들이다. 이 계약은 서아시아의 다른 지역에 비해 거의 두 배에 가까운 배럴당 특허권료를 지불했고, 그 이전 단계의 협정에 묶여 있던 나라들에게 경쟁심과 적대감을 불러일으켰다. 이는 자원 이용을 허가해주는 방식에 대한 반대의 진원지가 되고 국유화 요구를 촉발했을 뿐만 아니라, 그들을 공산주의의 선전과 소련의 접근에 취약하게 만들었다.

미국이 협상 태도를 누그러뜨리고 여러 가지 거래를 재협상하자 수입에 많은 변화가 일어났다. 예컨대 1949년에 미국 재무부는 서방 석유회사 컨소시엄인 아람코Aramco에서 4300만 달러의 세금을 거두었고, 사우디아라비아는 3900만 달러의 수입을 올렸다. 2년 뒤 기업들이 비용을 벌충할 수 있도록 세액 공제 제도가 바뀌자 이 기업은 미국에 600만 달러를 내고 사우디아라비아에는 1억 1000만 달러를 지불했다.[56] 그러자 도미노 현상이 일어나, 사우디아라비아의 다른 채굴권과 쿠웨이트, 이라크 등에서도 현지 통치자들과 정부들에 유리하게 조건이 재조정되었다.

일부 역사가들은 돈의 흐름을 변화시킨 이 순간을 영국이 인도 및 파키스탄에 권력을 넘겨준 것만큼이나 중대한 일이었다고 말한다.[57] 사실 그 충격은 아메리카 대륙 '발견' 및 그 이후 세계 재화의 재분배와 가장 유사하다. 채굴권을 소유한 서방 기업들(그 대부분은 유럽과 미국에 집중적으로 분포하고 있었다)은 깔때기를 통해 돈을 서아시아로 집중시키고 있었고, 그럼으로써 세계의 무게중심을 이동시키기 시작했다. 이 지역을 이리저리 가로지르며 동방과 서방을 연결하고 있던 송유관이라는 거미줄은 이 지역의 역사에서 새로운 시대를 드러내주었다. 이번에는 지구촌을 가로지른 것이 향신료나 비단, 노예나 은이 아니라 바로 석유였다.

영국의 진퇴양난

그러나 미국만큼 징표를 분명하게 읽어내지 못한 영국은 다른 생각을 가지고 있었다. 이란에서는 앵글로-이란 석유회사가 비난의 화살받이였다. 그 이유를 알기란 어렵지 않았다. 영국 국고에 들어가는 돈과 이란에 지불되는 특허권료의 액수 차이가 엄청났던 것이다.[58] 이 지역의 다른 나라들도 '검은 금'과 교환되는 수입이 적다며 불평할 수는 있었지만, 이란에서는 불공정의 정도가 너무 심했다. 1950년에 아바단은 정유공장 집결지였고 당시 세계 최대 규모를 자랑했지만, 이 도시의 전기 사용량은 런던의 한 거리의 사용량 정도였다. 2만 5000명에 이르는 학령기 아동의 10분의 1만이 학교에 다닐 수 있었다. 그 정도로 학교가 부족했다.[59]

영국은 다른 곳에서와 마찬가지로 진퇴양난에 빠져 있었다. 탈출구가 전혀 없었다. 날카롭고 발이 넓은 미국 국무부 장관 딘 애치슨이 말했듯이, 석유 채굴권의 조건을 재협상하는 것은 거의 불가능했다. 앵글로-이란 석유회사는 영국 정부가 다수 지분을 소유하고 있었고, 이 때문에 영국 및 그 대외정책과 직접적인 연관을 갖는 것으로 인식되었다. 충분히 근거 있는 이야기였다. 동인도회사의 경우와 마찬가지로 기업의 이익과 영국 정부의 이익 사이의 구분이 명확하지 않았다. 그리고 동인도회사의 경우와 마찬가지로 앵글로-이란 석유회사는 너무 힘이 세서 사실상 "나라 안의 나라"였고, 그 힘은 "결국 영국의 힘"[60]이었다. 앵글로-이란 석유회사가 굴복하여 이란에 더 나은 조건을 허용한다면 "영국의 힘과 파운드화에 대한 마지막 신용을 파괴"하게 될 것이라고 애치슨은 결론지었다. 그는 몇 달 안에 영국의 외국 자산은 전혀 남지 않게 될 것이라고 예측했다.[61]

애치슨이 알아차렸듯이 영국은 이 회사의 수입에 지나치게 의존하는 바람에 위험에 빠졌다. 그는 전문에서 이렇게 썼다.

"영국은 파산 직전입니다. (……) 중요한 해외 사업과 국제수지의 무역외수지[가 없다면] 영국은 살아남을 수 없습니다."

영국이 외교와 연계된 사업이라는 온갖 속임수를 쓰고 소련 침공이 임박했다고 끊임없이 강조하는 과장된 보고서를 내놓는 이유가 바로 이것이었다. 애치슨은 전혀 그렇게 보지 않았다. 영국의 목표는 그들이 주장한 바와는 달랐다.

"영국 정책의 가장 중요한 목적은 이란이 공산주의자들에게로 가는 것을 막는 게 아닙니다. 가장 중요한 목적은 영국이 자국의 지불능력을 지켜주는 마지막 보루라고 생각하는 것을 보호하는 데 있습니다."[62]

그때 사태가 고약해졌다. 1950년 이라크에 새로운 조건이 제시되었지만, 동시에 이란에는 그러지 않은 것이 눈에 띄었다. 이라크 석유에 앵글로-이란 석유회사가 지분을 가지고 있어 상처에 소금을 문지른 격이 되었고, 이란에서 격한 반응을 촉발했다. 민족주의 성향의 정치가들이 들고일어나서 앵글로-이란 석유회사의 실질적인 독점은 부당하다고 주장하며, 자신들의 비판에 신경을 건드리려는 목적을 지닌 논평을 양념으로 쳤다. 한 국회의원은 이란의 부패는 모두 앵글로-이란 석유회사의 직접적인 결과라고 말했다.[63] 가만히 있으면 머지않아 "여자들의 머리에서 차도르를 벗겨내는" 사태가 발생할 것이라고 한 선동가는 주장했다.[64] 또 다른 사람은 앵글로-이란 석유회사가 민족과 나라를 등쳐먹게 놔두느니 차라리 이란의 석유산업을 몽땅 원자폭탄으로 날려버리는 것이 낫겠다고 말했다.[65] 모사데그는 조금 덜 직설적으로 이야기했다. 그는 자신이 총리가 된다면 "영국과 협상할 생각이 전혀 없다"고 말한 것으로 전해졌다. 그는 이어, 그 대신 "유정을 흙으로 메워버리겠다"고 했다.[66]

영국을 혐오하는 표현들이 한 세대 동안 들끓고 있는 중이었다. 이제 그것은 대다수의 의식 속에 파고들었다. 영국은 이란이 겪는 모든 문제들의 기획자였고, 그들을 믿을 수 없었다. 영국인들은 오직 자기네 이익만을 추구했고, 가장 추악한 제국주의자였다. 이란의 정체성과 반서방 정서가 결합하여 뿌리를 내렸다. 그것은 심대하고도 장기적인 영향을 미치게 된다.

모사데그는 전력을 다해 기회를 붙잡았다. 더 이상은 안 된다고 그는 선언했다. 이란 국가의 번영을 확보하고 "세계 평화를 보장"할 시간이 되었다. 수익금은 앵글로-이란 석유회사와든 다른 누구와든 나누지 말고 "이란의 석유산업은 나라의 모든 지역에서 예외 없이 국유화되었음을 선언해야 한다"[67]라는 급진적인 제안이 1950년 말에 나왔다. 대중영합적 성직자로 국외로 추방되었다가 얼마 전에 돌아온 아야톨라(이슬람교 시아파의 고위 성직자 칭호 — 옮긴이) 아볼-가셈 카사니 Abol-Ghasem Kashani는 이미 서방에 널리 알려지고 서방을 강력하게 비판하던 사람이었는데, 이런 행동 요구에 전폭적인 지지를 보내고 지지자들에게 변화를 이루기 위해 그들이 할 수 있는 모든 방법을 동원하라고 촉구했다. 며칠 뒤 하지 알리 라즈마라 총리가 암살되었다. 또 얼마 후에는 교육문화부 장관 아흐마드 장게네가 암살되었다. 이란은 무정부 상태로 뛰어들고 있었다.

영국의 우려는 현실이 되었다. 1951년 봄 모사데그가 총리로 선출된 것이다. 그는 곧바로 앵글로-이란 석유회사를 국유화하는 법안을 통과시켰다. 즉시 발효였다. 이는 재앙이었다. 런던의 언론들이나 영국 내각도 이를 알아차렸다. 이매뉴얼 신웰 Emanuel Shinwell 국방부 장관은 "우리를 괴롭혀서는 안 된다는 것을 끊임없이 보여주어야 한다"라고 단언했다. 그는 이어 이렇게 말했다.

"이란이 빠져나가도록 내버려둔다면 (……) 다음 차례는 수에즈 운하를 국유화하려는 시도가 나올 수 있습니다."[68]

아바단의 정유공장을 보호하기 위해 필요할 경우 공수부대를 낙하시킨다는 계획이 수립되었다. 이는 퇴각하고 있던 대제국의 마지막 발악이었다. 그들은 과거의 영광을 놓치지 않으려고 필사적으로 몸부림치고 있었다.

모사데그는 압박을 더했다. 1951년 9월 앵글로-이란 석유회사의 영국인 직원들에게 일주일의 말미를 주고 짐을 싸서 이란을 떠나라고 했다. 여기에 아야톨라 카사니는 "영국 정부를 증오하는" 국민의 날을 선언했다. 영국은 이란에서 옳지 않은 모든 것의 대명사가 되었다. 그것이 넓은 스펙트럼의 정치적 신념을 가진 사람들을 통합시켰다. 모사데그는 한 미국 고위 사절에게 영국에 대해 이렇게 말했다.

"당신은 그들이 얼마나 교활한지 알지 못합니다. 당신은 그들이 얼마나 악독한지 알지 못합니다. 당신은 그들이 만지는 것마다 얼마나 더럽히는지 알지 못합니다."[69]

이런 발언으로 그는 자기 나라에서 폭발적인 인기를 얻었다. 또한 이로써 외국에서도 유명해졌다. 1952년에 그는《타임》의 '올해의 인물'로 표지에 실렸다.[70]

상황을 억지로 돌리기 위한 영국의 막무가내식 시도는 도움이 되지 않았다. 앵글로-이란 석유회사는 물론 거기서 나오는 수입마저 잃게 되자 영국 정부는 비상 체제에 돌입하여 모든 이란 석유에 대해 금수禁輸 조치를 취했다. 모사데그를 곤경에 빠뜨려 굴복시키려는 목적이었다. 이란의 돈줄을 죄면 곧 원하던 효과를 가져올 것이라고 앵글로-이란 석유회사 회장 윌리엄 프레이저William Fraser는 말했다.

"그들(이란)에게 돈이 필요하면 기어서 우리에게 올 거요."

주류 언론에 실린 이런 언급들은 여론이라는 법정에서 영국의 주장에 힘을 실어주기 어려웠다.[71]

그러기는커녕 오히려 이란의 결의를 굳게 만들었을 뿐이다. 1952년 말에 영국은 더 이상 제재를 이용하는 전술이 성과를 거두리라고 확신할 수 없었다. 이에 따라 얼마 전에 만들어진 미국 중앙정보국(CIA)에 이란의 "모사데그 총리를 제거하는 합동 정치행위"에 관한 계획의 지원을 요청하는 방안이 채택되었다. 다시 말해 쿠데타를 일으킨다는 것이었다. 이런 일은 이후에도 계속 반복되지만, 지구촌의 이 지역에서의 정권 교체는 문제에 대한 해답이 될 듯했다.

모사데그 제거 계획

미국 관리들은 영국의 제안에 호의적인 반응을 보였다. 서아시아에서 활동하고 있던 현장 요원들은 미국 쪽에 충분히 기울지 않거나 소련에 열심히 추파를 던지는 것으로 보이는 현지 지배자들에 대해 창조적인 해법을 모색하도록 재량권을 부여받고 있었다. 미국 동부 해안의 특권층 가문 출신의 젊은 충성파 요원들은 이미 1949년 시리아에서 권력자를 몰아낸 반란에 관여한 바 있었고, 3년 뒤에 부패하고 믿을 수 없는 이집트 왕 파루크 1세도 비공식적으로 'FF 계획'(FF는 '뚱보새끼 Fat Fucker'의 약어다)으로 알려진 작전을 통해 제거한 바 있었다.[72]

마일스 코플런드 2세와 시어도어 루스벨트 대통령의 두 손자 아치볼드 2세 및 커밋 2세 같은 사람들의 열성은 자기네가 세상을 바꾼다고 생각했던 100년 전 중앙아시아의 영국 요원들이나 비밀을 소련에 흘리는 것 역시 긍정적인 효과가 있다고 생각했던 최근의 미국 요원들을 연상시켰다. 예컨대 이 미국 젊은이들은 시리아 정부가 무너진 뒤 여행을 떠나 "십자군 성채들과 인적이 드문 곳"을 들렀고, 도중에 알레포의 건축물과 분위기에 감탄했다.[73] 결정은 성급하게 내려졌다. 코플런드는 심각한 박식가 아치볼드 루스벨트에게 물었다.

"내가 거짓 보고서 만드는 것과 당신이 요원들을 시켜 만드는 것에 무슨 차이가 있지? 내 건 적어도 말은 되는데 말이야."[74]

현장에 있는 이 사람들이 거칠고 성급하게 일처리를 한다는 것은 미국에서도 알고 있었다. 한 고위 정보 요원은 "그런 무책임한 자의성은 앞으로 용납될 수 없다"[75]라고 말하며 그들을 질책했다. 그럼에도 불구하고 이란 문제가 생기자 그들의 생각이 절실하게 필요해졌다.

사태는 1952년 말 워싱턴의 한 정례 회의 이후 달라지기 시작했다. 영국 관리들이 국유화의 경제적 충격에 관해 불안감을 표명하자 미국인들은 이란이 앞으로 어떤 길을 걸을지에 대해 생각이 미쳤다. 테헤란의 CIA 지부는 모사데그에 대해 우려하면서 미국은 이란에서 "후계 정부 쪽을 선택"해야 한다고 워싱턴에 독자적으로 조언했다. 기획자들은 샤를 음모에 끌어들여 통합과 평정을 이루게 하고 모사데그 총리 제거가 "합법적 또는 준합법적인 것처럼 보이도록" 해야 한다고 재빨리 결론지었다.[76]

샤를 설득하는 것은 말은 쉬워도 실제로 하기는 어려웠다. 겁이 많고 과시적인 그는 암호명 '아약스Ajax 작전'으로 불린 이 계획을 처음 듣고 까무러쳤다. 이 계획을 기획한 한 미국인에 따르면, 샤는 특히 영국이 개입되어 있는 것을 우려했다. 그는 샤가 "영국이라는 '숨은 손'에 대한 병적인 공포심"을 갖고 있었고, 이 작전이 함정이 아닐까 두려워했다고 썼다. 샤를 끌어들이기 위해서는 회유와 협박이 필요했고, 신호까지 필요했다. 이 작전이 최고위 수준에서 승인되었음을 확신시키기 위해 런던에서 송출되는 BBC 방송에 핵심 단어들이 들어가도록 한 것이다. 아이젠하워 대통령이 라디오 연설에서 분명하게 미국이 이란을 지원하겠다고 한 것도 그를 설득하는 데 도움이 되었다. 또 그가 지원해주지 않으면 이란은 공산화될 것이라는 말도 그에게 직접 했다. 커밋 루스벨트가 말했듯이 '제2의 한국'이 된다는 것이었다.[77]

모사데그 제거의 서곡으로 "여론이 (……) 병적인 흥분에 빠지도록" 더욱 부추기기 위해 워싱턴에서 온 자금으로 핵심 인물들에게 접근해서 그들이 총리에게 등을 돌리게 했다. 커밋 루스벨트는 국회의 주요 인사들에게 접근했는데, 십중팔구 뇌물을 주었을 것이다(그는 그 목적이 모사데그에 대한 지지를 철회하도록 '설득'하는 것이었다고 완곡하게 썼다).[78]

돈은 다른 곳에도 마구 뿌려졌다. 한 목격자에 따르면, 테헤란에 미국 통화가 너무 많이 쏟아져 들어와 리얄화에 대한 달러의 가치가 1953년 여름 동안에 거의 40퍼센트 가까이 떨어졌다. 이 돈 가운데 일부는 현지 CIA의 두 핵심 요원이 조직하여 수도 거리를 행진한 군중들에게 지급하는 데 쓰였다. 다른 유명한 사람들도 돈을 받았다. 누구보다도 아야톨라 카사니 같은 이슬람 율법학자들이 있었다. 그들의 관심은 음모가들의 목표와 상충하지 않는 것으로 판단되었다.[79] 무슬림 학자들은 공산주의의 지침과 반종교성이 이슬람의 가르침과 상반된다고 결론지었다. 이 점에서 CIA로서는 이란이 공산화될 위험성을 강력하게 경고한 성직자들과 타협할 수 있는 공통분모를 발견한 것이었다.[80]

영국과 미국의 기획자들이 1953년 6월 베이루트에서 모여 계획을 마련했다. 그 계획은 처칠 영국 총리가 7월 초에 직접 승인했고, 며칠 뒤에 아이젠하워 미국 대통령이 승인했다. 그런 뒤에 정보 요원들은 자기네가 "좀 말이 많고 때로 비합리적인 이란인들"이라고 불렀던 사람들에게 정권 교체는 서방이 원한 것이며 불상사 없이 매끄럽게 이루어져야 한다는 이야기를 전할 최선의 방법을 찾아 생각들을 다듬었다.[81]

그런데 일이 꼬이고 말았다. 비밀이 드러나고 타이밍이 맞지 않아 상황은 미궁 속으로 빠져들었다. 겁이 난 샤는 양말을 찾아 신을 사이도 없이 도망쳤다. 그는 로마로 가던 중 바그다드에 기착했는데, 거기서 이라크 주재 미국 대사 버튼 Y. 베리Burton Yost Berry를 만났고 대사는 기회를 잡아 한 가지 제안을 했다.

"나는 그에게 이란에서의 그의 위신을 생각해서 어떤 외국인도 최근의 사태에 개입했음을 시사해서는 안 된다고 당부했습니다."

이는 샤의 위신과는 전혀 관계가 없었다. 모든 것은 선택의 여지를 남겨놓는 것이나, 특히 미국의 깨끗한 이미지를 유지하는 것과 관련이 있었다. "사흘 동안 잠을 못 자 지치고 사태 변화에 당황한" 샤는 정상적인 생각을 할 수 없었다. 그럼에도 불구하고 "그는 동의했다"고, 안도한 대사는 워싱턴에 보고했다.[82]

샤가 이탈리아로 도피하자 이란의 라디오 방송들은 악랄한 보도들을 쏟아냈고, 신문들은 그를 매춘부, 약탈자, 도둑이라고 맹비난했다.[83] 이 트라우마는 그의 젊은 왕비 소라야를 비껴가지 않았다(많은 사람들은 왕비가 결혼 당시, 알려진 열여덟 살보다 더 어렸다고 수군댔다). 소라야는 빨강과 흰색의 물방울무늬 옷을 입고 로마의 베네토 거리를 거닐고, 테헤란의 험악한 정치 상황을 이야기하며, 음울하게 새로운 삶을 위해 작은 땅 한 뙈기를 (아마도 미국에) 구입할 생각을 하고 있는 남편의 이야기를 듣던 일을 회상했다.[84]

샤가 달아난 뒤 한 편의 소극笑劇 같은 일이 벌어졌다. 모사데그가 직접 왕위에 오르려 한다는 소문이 거리에 무성했고, 상황이 반전되었다. 그리고 며칠 후 샤는 고국으로 돌아가고 있었다. 그는 잠시 바그다드에 머물렀고, 공군 총사령관 제복으로 갈아 입었다. 화려하고 명예로운 귀국이었다. 그는 공포에 질려 달아났던 겁쟁이가 아니라 상황을 통제하기 위해 돌아온 영웅으로 행세했다. 모사데그는 체포되어 재판을 받고 독방 감금이 선고되었다. 그 뒤 오랜 가택연금을 당했고, 그러다가 1967년에 죽었다.[85]

점점 커지는 반서방주의

모사데그는 서아시아에서 서방의 영향을 그저 약화시키는 정도가 아니라 완전히 제거한다는 비전을 제시했다가 값비싼 대가를 치렀다. 앵글로-이란 석유회사에 대한 그의 의심이 서방 전체를 부정적이고 해로운 존재로 보는 관점으로 이어졌다. 이것이 그를 이란 상류층의 말썽꾸러기로 만들었다. 급기야 영국과 미국의 정책 담당자들은 그를 무대에서 아예 제거하는 계획을 세웠다. 그의 거센 항변은 동방과 서방을 연결하는 네트워크를 서방이 쥐고 있는 일에 대해 많은 사람들이 소리 높여 비판하기 시작한 시기에 나왔다. 이집트에서는 반감이 커져 영국에 반대하는 폭동이 일어났고, 수에즈에 주둔한 영국군의 철수를 요구하는 소리가 터져나왔다. 카이로를 방문했던 한 미국 국무부 관리가 합동참모본부에 제출한 보고서는 이 상황을 명쾌하게 보여준다. 그는 이렇게 썼다.

"영국은 혐오의 대상입니다. 그들에 대한 증오는 광범위하고 극심합니다. 이 나라에 사는 모든 사람이 그런 감정을 느끼고 있습니다."

따라서 시급하게 해결책을 마련할 필요가 있었다.[86]

시대는 변하고 있었다. 그리고 이런 의미에서 모사데그는 새로운 시대의 비전을 누구보다도 명확하게 제시한 사람이었고, 그 새로운 시대는 서방 세력이 아시아의 중심부에서 물러나는 시대였다. 그가 쫓겨난 정황에 대해서는 정보기관들이 수십 년 동안 숨겨왔지만(그들은 자료의 기밀 해제가 미칠 "악영향"을 우려했다), 모사데그 제거가 서방 강국들이 자기네 목적을 위해 조직한 일이라는 데 대해 의심하는 사람은 거의 없다.[87]

그러므로 모사데그는 이 지역에서 수많은 계승자들을 낳은 정신적 아버지였다. 아야톨라 루홀라흐 호메이니, 사담 후세인, 오사마 빈 라덴, 탈레반 등 다양한 부류의 방법과 목표와 야망은 서로 달랐지만, 이들 모두는 서방이 진실하지 않고 해로우며, 현지 주민들을 해방시키는 것은 외부의 영향으로부터 자유로워지는 것을 의미한다는 핵심 원리를 통해 하나가 되고 있다. 이를 이루고자 하는 시도에는 여러 가지가 있었다. 그러나 모사데그의 사례에서 알 수 있듯이, 서방에 문제를 제기한 사람들은 필연적인 귀결에 직면하는 대가를 치러야 했다.

그러므로 이 쿠데타는 심리적으로 중요한 순간이었다. 샤는 온갖 잘못된 결론을 끌어내면서 이란 국민이 자신을 숭앙한다고 굳게 믿었다. 그러나 실제로는 샤에 대해 기껏해야 애증이 교차하는 정도였다. 기병대 장교 출신인 그의 아버지가 왕위에 오른 지 겨우 30년이었다. 그가 로마로 도망쳤던 일은 걱정스러울 정도로 강단이 부족함을 보여주었다. 자신이 이 나라의 현대화를 추진할 적임자라는 그의 확신은 당시의 정치적인 풍향을 읽어내고 서방의 (무엇보다도 미국의) 간섭으로부터 독립적으로 행동할 수 있느냐에 달려 있었다. 이는 시선을 두리번거리고 인생의 자잘한 일들을 좋아해서 경쟁자들에게 공격의 빌미를 주며 올바른 판단을 할 시간이 별로 없는 과시적인 사람에게 요구하기에는 너무 과한 것이었다.

하지만 무엇보다도 CIA가 지원한 1953년의 쿠데타는 서아시아에서 미국의 역할이라는 측면에서 하나의 분수령이 되었다. 여기에 이란을 구할 "두 번째 기회"가 있다고 미국의 신임 국무부 장관 존 포스터 덜레스는 생각했다. 이란이 서방의 궤도에서 이탈하지 않도록 보장할 기회였다.[88] 테헤란 주재 미국 대사 로이 W. 헨더슨Loy Wesley Henderson은 샤에게, "현재의 상황에서 민주적이고 자주적인 이란이 가능하지 않을 것"으로 보이기 때문에 선택지는 두 가지라고 말했다. 자유롭고 "비민주적이며 자주적인 이란"이냐, "영구적으로 (……) 비민주적이고 자주적인 철의 장막 뒤의 이란"[89]이냐였다. 이것은 이란이 자유와 민주주의를 위해 공산주의와 투쟁하는 것을 서방이 지지한다는 공개적인 메시지와는 정반대였다.

미국이 공백을 메운 것이 바로 이곳이었다. 미국이 수백 년 동안 실크로드들이 이리저리 통하고 있던 지역과 진지하게 접촉하게 된 것이 바로 이곳이었다. 그리고 그곳을 장악하려 했다. 그러나 앞에는 위험이 놓여 있었다. 한편으로 민주주의를 내세우면서 다른 한편으로 제재를 가하거나 심지어 정권 교체를 기획하면 불편한 친구 사이가 되기 십상이었다. 양다리를 걸치면 위험해질 수 있었다. 특히 시간이 지나면 불가피하게 신뢰가 깨지기 때문이다. 영국이라는 별이 점점 희미해져가고 있었다. 미국이 1953년에 일어난 일에서 어떤 교훈을 얻느냐에 많은 것이 달려 있었다.

미국의 실크로드

서아시아에서의 미국의 이익

미국은 서아시아에서 앞장서면서 새로운 세계에 발을 들여놓았다. 한편으로 국익을 추구하고 다른 한편으로 고약한 정권과 통치자들을 지지하는 것 사이에 분명히 긴장 상태가 존재하는 곳이었다. 모사데그가 실각당한 뒤 몇 주 지나지 않아 미국 국무부는 자국 석유회사들을 모아 앵글로-이란 석유회사의 유정과 기반시설들을 인수하도록 했다. 그러나 적극적으로 나서는 곳은 별로 없었고, 샤가 돌아온 뒤에 생길 것으로 보이는 불확실성을 피하고자 했다. 사태를 진정시키기 위한 방편으로 샤가 전 총리 모사데그의 처형을 고려하고 있다는 사실은 희망적인 징조로 보기 어려웠다.

다른 곳에서 석유 생산이 늘고 있다거나 엄청난 부의 기반이 될 것이 유망한 새로운 기회가 생겼다거나(이것은 정말로 녹스 다시의 경우보다 훨씬 큰 것으로 드러났다) 하는 일도 도움이 되지 않았다. 모사데그가 실각하기 몇 주 전에 진 폴 게티가 장악하고 있는 회사가 사우디아라비아와 쿠웨이트 사이의 중립 구역에서 대형 유전을 발견했다. "어마어마한 것과 역사에 남을 것 사이의 어떤 것"으로 표현될 정도였다. 이와 대조적으로, 찜찜한 테헤란의 정치에 휘말리는 것은 기업으로서는 당연히 내키지 않는 일이었다.

반면에 미국 정부로서는 그곳이 단순히 우선과제가 아니라 필수였다. 이란은 1950년대 초의 위기 동안에 석유 수출이 거의 중단되었다. 곧 석유 생산이 재개되지 않으면 이 나라 경제는 무너지고, 그러면 반체제 파당이 나라를 소련에 넘겨줄 길을 열어놓을 가능성이 높았다. 석유 공급이 고갈되고 유가가 오르는 것 역시 전후 재건에 나선 유럽에 달갑지 않은 일이었다. 이에 따라 국무부는 주요 미국 생산자들이 컨소시엄을 구성하여 앵글로-이란 석유회사의 사업을 인수하도록 고무하는 활동을 펼치기 시작했다. 그들은 아무런 조치가 취해지지 않으면 석유회사들이 쿠웨이트, 이라크, 사우디아라비아에서 획득한 채굴권이 위험에 빠질 것임을 음험하게 시사했다.

미국 정부는 이제 미국 회사들이 협력하도록 회유하면서 무대감독 노릇을 하게 되었다. 한 석유회사의 고위 경영진은 "엄격하게 상업적인 관점에서 볼 때 우리 회사는" 이란 석유산업에 뛰어드는 데 "전혀 흥미가 없다"라고 말했다.

"그러나 우리는 커다란 국가 안보상의 이익이 관련되어 있음을 잘 알고 있습니다. 따라서 우리는 [이를 돕기 위해] 모든 책임 있는 노력을 할 용의가 있습니다."

또 다른 석유업자는 정부가 "정말로 주먹을 들고 달려들지 않는다면" 절대로 이란 사업에 얽혀들지 않을 것이라고 말했다.[1]

앵글로-이란 석유회사를 인수하고 이란의 안정을 유지하려는 노력은 이를 법무부가 비난하고 나서면서 복잡해졌다. 이 회사들에게 미국 외교정책의 도구 노릇을 하도록 요구한 것이 독점금지법 위반이라는 주장이었다. 민주주의를 설파하는 메시지가 그때그때 달랐던 것과 마찬가지로, 미국의 법이 지켜지고 있다는 이야기도 그랬다. 그래서 국가안전위원회(NSC)의 요청에 따라 법무부 장관은 이렇게 공식적으로 보증했다.

"서아시아에서 사업을 하고 있는 서방 석유회사들에 미국의 독점금지법을 적용하는 것은 국가 안보상의 이익에 부차적인 것으로 간주될 것이다."

이에 따라 석유회사들은 1954년 봄, 공식적인 기소 면제 보증을 받았다. 이란을 장악하는 것이 너무도 중요했기 때문에 미국 정부는 자기네 법전을 한구석에 처박을 태세가 되어 있었다.[2]

미국 석유회사들의 참여를 독려하고 이란을 지원하는 것은 이란이 소련의 손아귀에 들어가는 것을 막는 더 큰 계획의 일부였다. 사회개발 프로젝트(특히 농촌 지역의)를 위해 총체적인 노력이 기울여졌다. 인구의 4분의 3가량을 차지하는 농민은 땅이 없고 수입도 아주 적었다. 그들은 지주들이 농업개혁에 반대하는, 그러나 대안은 별로 없는 세계에 갇혀 있었다. 소농들에게 적용되는 통상적인 대출 이자는 30퍼센트에서 75퍼센트 범위였다. 계층 이동이 거의 불가능한 수준이었다.[3]

이런 문제들 일부에 대처하기 위해 상당한 자금이 투자되었다. 소농을 위한 소액대출 제도가 미국 최대의 자선기관인 포드재단에 의해 만들어졌다. 협동조합 창설을 지원하여, 수확한 면화를 지역 시장에서 비효율적으로 거래하던 관행에서 유럽의 중개업자들에게 상당히 나은 가격으로 팔 수 있게 되었다. 농촌 개발 구상을 제대로 수립하라는 압박이 샤와 그 휘하 장관들에게 쏟아졌다. 그러나 효과는 제한적이었고, 농촌의 문맹과 불평등에 대처하지 못하면 장기적인 악영향이 있을 것이라고 고위 정치인들을 설득하려 애쓰던 사람들은 절망에 빠졌다.[4]

미국 정부의 직접 지원 역시 급격하게 증가했다. 모사데그를 제거하기 전의 연평균 2700만 달러 규모에서 거의 다섯 배로 늘었다.[5] 미국은 또한 테헤란 북서쪽 60여 킬로미터에 있는 카라지 강의 거대한 댐 공사를 위해 유·무상 차관을 제공했다. 이 댐은 수도 테헤란의 전기와 용수 공급을 대폭 개선하기 위한 것이었다. 또한 이란의 현대화와 발전의 상징이라는 의미도 있었다.[6]

이런 노력들은 이 지역의 다른 부분들을 강화하려는 체계적인 접근의 일환이었다. 석유 자원 때문에 이란이 서방에 특히 중요한 곳이 되었지만, 그 이웃 나라들 역시 중요성이 높아지고 있었다. 냉전이 시작되는 시기에 소련의 남쪽 변경에 있다는 위치 때문이었다.

그 결과 지중해와 히말라야 산맥 사이에 미국으로부터 경제적·정치적·군사적 지원을 받는 친서방 정권이 들어선 나라들이 띠를 이루었다. 소박한 덜레스 국무부 장관이 '북단Northern Tier'이라 명명한 이 지역의 나라들은 세 가지 목표에 이바지했다. 첫째로는 소련의 이익 확대를 막는 방파제 구실을 했고, 둘째는 자원이 풍부한 페르시아만 지역을 보호하고 석유를 서방으로 수송하여 유럽의 재건을 촉진하고 동시에 지역 안정에 중요한 수입을 제공했으며, 셋째로 소련 진영과의 긴장이 공개적인 충돌로 이어질 경우를 대비한 정보 수집처와 군사기지를 제공했다.

예컨대 1949년 합동참모본부에 제출하기 위해 작성된 남아시아에 관한 보고서에는 이렇게 적혀 있다.

"파키스탄의 카라치, 라호르 지역은 (……) 소련 중앙부에 대한 항공 작전 기지, 그리고 서아시아 석유 산지를 보호하거나 탈환하는 일에 나설 부대들의 집결지가 될 것입니다."

또한 이곳이 소련을 상대로 수행하는 비밀 작전의 출발점이 될 수 있다는 점도 지적되었다.[7] 따라서 파키스탄과 '북단' 지역의 다른 나라들을 지원할 필요가 있었다. 그러지 않을 경우 이 지역 전체가 서방에 대해 중립 노선을 취할 가능성이 있고, "최악의 경우 (……) 소련의 위성국으로 떨어질 수"[8] 있었다.

이런 불안감이 2차 세계대전 이후 10년 동안 아시아에 대한 미국과 서방의 정책을 규정했다. 1955년 서쪽의 터키에서 이라크와 이란을 거쳐 동쪽의 파키스탄에 이르는 지역의 나라들이 단일 협정으로 결합했다. 서로 간에, 그리고 영국과 맺었던 복잡한 동맹관계를 대체한 것이다. 이로써 이 나라들은 곧 바그다드 조약으로 불리는 조약의 서명자가 되었다. 조약에 명시된 목표는 "중동의 평화와 안전을 유지"하는 것이고 그 조약 아래서 상호 보장이 교환되었지만, 실제로는 서방이 전략적·경제적으로 중요한 지역에 영향을 미칠 수 있도록 설계된 것이었다.[9]

나세르의 서방 대응 전략

현지 정권들이 호의적으로 행동하도록 보장하기 위해 꼼꼼한 고려가 이루어졌음에도 불구하고 미국이 몇 가지 실수를 저지르는 바람에 소련에게 기회를 주고 말았다. 예컨대 1954년 말 아프가니스탄 지도부는 미국에 조심스럽게 접근해서 원조와 무기를 요청했지만 국무부는 이를 묵살했다. 그들은 모하마드 다우드 칸Mohammad Daoud Khan 총리의 동생인 나임 칸Naim Khan에게, 아프가니스탄은 무기를 요청하는 대신에 파키스탄과의 국경 분쟁을 해결하는 일 같은 본국과 가까운 문제에 집중해야 한다는 설교만 늘어놓았다. 이런 어설픈 대응은 한 대사관 무관이 최근 "전략적 중요성"이 높다고 묘사한 파키스탄 정권에 대한 지지를 드러내기 위한 것이었지만, 곧바로 역풍을 불러왔다.[10]

이 소식이 카불에 도착하기도 전에 소련이 나서서 군사 장비와 개발 자금을 제공할 용의가 있다고 말했다. 이 제안은 금세 받아들여졌다. 최초 공여된 1억 달러에 이어 더 많은 돈이 제공되어 교량을 건설하고 통신을 현대화했으며 도로망을 확충했다. 칸다하르와 헤라트를 잇는 고속도로도 건설되었다. 북부 지방을 소련의 중앙아시아와 연결하는 도로에 건설한 2.6킬로미터 길이의 살랑 터널 역시 소련의 돈과 기술로 이루어진 것이었다. 소련과 아프가니스탄의 우의의 상징인 이 길은 소련의 아프가니스탄 침공 이후인 1980년대에 중요한 보급로가 되었다. 얄궂게도 이 길은 21세기 초에 이 나라에 들어오는 미국과 연합국 호송대에게 중요한 보급로로 이용되었다. 서방에 맞서 아프가니스탄을 강화하기 위해 만든 고속도로가 도리어 서방이 아프가니스탄에 개입하는 일에 핵심적인 역할을 한 것이다.[11]

이렇게 허를 찔린 것은 정신이 번쩍 들게 하는 경험이었다. 특히 같은 일이 몇 달 뒤에 반복되었으니 말이다. 그리고 이번에는 더 극적인 결과를 가져왔다. 1955년 말 3년 전 CIA의 지원하에 파루크 국왕을 쫓아낸 쿠데타에서 중요한 역할을 했던 이집트의 혁명가 가말 압델 나세르가 역시 소련에 무기를 요청하며 접근했다. 깜짝 놀란 미국은 영국 및 세계은행과 함께 아스완에 거대한 댐을 건설하는 프로젝트에 돈을 대주겠다고 제안했다. 이란 카라지 댐의 판박이 프로젝트였다. 영국과 미국의 고위급들은 나세르를 달랠 다른 방법들을 논의한 뒤, 무기 원조를 약속하고 이스라엘에 이집트와의 조약에 동의하도록 압박을 가하기로 했다. 갈수록 험악해지는 두 나라 사이의 관계를 개선해보자는 희망에서였다.[12]

나세르는 바그다드 조약에 대해 짜증을 내왔다. 그는 이것이 아랍 통일의 장애물이며 아시아의 중심부에 대한 영향력을 유지하려는 서방의 도구라고 보았다. 돈과 지원을 약속받았다면 그는 아마도 누그러졌을 것이다. 적어도 단기적으로는 말이다. 그러나 실제로는 자금 지원 약속이 철회되었다. 댐을 건설하면 이집트의 면화 생산이 증가하여 가격이 떨어지고 그것이 미국 농민들에게 악영향을 미칠 것이라고 미국 의회 의원들이 우려했기 때문이다.[13] 이 이기주의는 치명적인 것으로 드러났다. 그것은 마지막 일격이었다.

나세르는 영국 총리 앤서니 이든이 "아랍의 나폴레옹이 되기로" 단단히 결심한 인물이라고 묘사한 바 있는데, 정치적 벼랑 끝 전술의 달인이었던 그는 이제 상황을 한 단계 더 끌어올렸다.[14] 그는 1956년 봄 "수에즈 운하가 서아시아 석유 복합체의 필수적인 부분"이며 영국의 이익에 중요하다고 했던 셀윈 로이드Selwyn Lloyd 영국 외무부 장관의 오만한 논평을 물고 늘어졌다. 그는 이것이 사실이라면 이집트는 운하의 수익을 분배받아야 한다고 반박했다. 마치 석유 생산국이 석유 수익을 나누어 받는 것처럼 말이다.[15] 그는 무슨 수를 쓰더라도 서방의 운하 운영권을 빼앗을 수 없음을 잘 알고 있었으나, 운하를 국유화하면 영향력을 얻게 되고 장기적으로 이집트에 이득이 될 것이라고 생각했다.

미국의 정책 담당자들이 운하 폐쇄가 유가에 미칠 영향을 따져 보고 있을 때, 영국의 주요 인사들은 절망의 안개에 싸여 털썩 주저앉았다. 좋은 집안 출신이고 매우 존경받았던 재무부 장관 해럴드 맥밀런 Harold Macmillan은 이렇게 썼다.

"진실은 우리가 무서운 딜레마에 빠져 있다는 것이다. 우리가 이집트에 대해 강력한 조치를 취해 수에즈 운하가 폐쇄되고 레반트로 가는 송유관이 끊기며 페르시아만 지역이 반기를 들어 석유 생산이 중단된다면, 영국과 서유럽은 '끝장'이다."[16]

반대로 아무런 조치도 취하지 않는다면 나세르는 힘들이지 않고 승리를 거두고 다른 곳에서도 파멸적인 결과를 가져올 것이다. 서아시아의 모든 나라들이 그의 뒤를 따라 자기네 석유산업을 국유화할 것이다.

나세르는 모사데그가 멈췄던 곳에서 시작하고 있었다. 서방의 외교관과 정치가, 정보 요원들은 서방의 이익과 반대되는 정책을 펴는 지도자 문제에 대한 해법과 비슷한 것을 적용하는 일에 대해 생각하기 시작했다. 얼마 지나지 않아 영국은 "정권을 무너뜨리는 수단과 방법"[17]을 찾고 있었다. "우리는 나세르를 제거할 수도 있다"라고 런던의 한 고위 외교관은 말했다. 이든 총리는 단순히 그가 물러나는 데 만족하지 않았다. 그는 나세르가 죽기를 원했다.[18] 여러 차례의 왕복 외교가 성과를 거두지 못하자 영국과 프랑스는 지속적인 무력 시위를 해서 서아시아의 여러 지도자들에게 경고할 필요가 있다는 결론을 내렸다. 서방의 목표에 맞서려는 사람에게는 누구를 막론하고 직접적인 행동을 취한다는 것이었다.

수에즈 운하 사태

1956년 10월 말 이집트에 대한 무력 공격이 시작되었다. 영국과 프랑스는 운하 지대를 확보하기 위해 이동했고, 동맹자인 이스라엘군은 수에즈 운하 확보를 돕고 나세르를 압박하기 위해 시나이 반도 깊숙이로 공격해 들어갔다. 이 공격은 곧 참담한 실패로 끝났다. 이집트는 운항로 및 그 부근에 있던 배와 바지선과 보수선들을 침몰시키고 이스마일리아 북쪽 엘페르단에 있는 개폐식 철도교를 물속에 가라앉게 한 뒤 수에즈 운하를 폐쇄했다. 49개로 추산된 장애물의 효과는 운하 폐쇄 이상이었다. 그것은 당시의 한 보도에 나온 대로 "정상적인 상품 운송의 심각한 혼란"을 초래했다. 서유럽으로 가는 석유 수송이 급격하게 감소했다.

CIA는 더 많은 영향이 있을 것이라고 결론지었다. "세계 시장에서 여러 기본 상품"의 가격이 오를 것이고, 경제가 수에즈 운하를 통해 들어오는 화물에 의존하는 "자유 세계의 나라들에서 상당한 정도의 실업"이 발생할 것이라고 했다. 그 충격은 소련에도 미칠 것으로 예상되었다. 동아시아와 교역하는 소련 배들은 수에즈 운하의 폐쇄로 인해 흑해에 있는 고국 항구에 도달하려면 아프리카를 돌아 1만 킬로미터가 넘는 우회로를 이용해야 했다. 소련이 필수 화물을 아시아 횡단 철도 노선으로 바꾸어 운송하자 미국은 이를 예의주시했고, 이 노선의 중요성이 금세 부각되었다.[19]

아이젠하워 미국 행정부는 이집트를 둘러싸고 긴장이 높아지고 있음을 잘 알고 있었지만, 침공 계획에 대한 상의도 없는 상태에서 갑자기 군사행동의 발발에 맞닥뜨리게 되었다. 아이젠하워 대통령은 화가 나서 이든 영국 총리에게 가시 돋친 비난을 퍼부었다. 소련 탱크들이 부다페스트 거리로 들어가서 헝가리의 대중 봉기를 진압한 일과 거의 동시에 운하 지대에서 무력을 사용한 일은 자칭 '자유 세계'의 수호자로서는 홍보 참사였다.

결국 수에즈 운하 사태는 다른 문제를 일으켰다. 그것은 미국이 20세기에 자신에게 의발을 물려준 서방 강국들과 서아시아의 석유 대국들 사이에서 선택을 해야 할 시간임을 의미했다. 미국은 후자를 택했다.

아이젠하워 대통령은 "아랍인들이 우리 모두에게 화가 나지 않게 하는 것"이 중요하다고 생각했다. 그들이 화가 나면 서아시아로부터의 석유 공급이 전면 중단될 터였다. 운하 폐쇄에 따른 것이기도 하고, 생산 중단이나 금수 조치에 따른 것이기도 할 것이다. 이 지역의 나라들은 이집트가 너무 노골적으로 괴롭힘을 당하면 동정할 수밖에 없었다. 한 영국 고위 외교관이 이미 인정했듯이, 공급 감축은 그 자체로 엄청난 충격을 줄 수밖에 없었다.

"만약 우리(영국)가 한두 해 동안 서아시아에서 석유를 공급받지 못한다면 금 준비금이 사라질 것입니다. 금 준비금이 사라지면 파운드화권(圈)이 해체될 것입니다. 만약 파운드화권이 해체되고 우리에게 준비금이 전혀 없으면 (……) 우리 국방을 위한 최소한의 필수품조차도 살 수 있을지 의문입니다. 그리고 국방을 위한 물자를 공급할 수 없는 나라는 끝난 것입니다."[20]

이것은 파멸이 포함된, 거의 최악의 상황을 이야기한 것이었다. 그런 일이 생기더라도, 아이젠하워가 사적으로 인정했듯이 미국이 "서유럽의 연료 및 재정적인 곤경에 무관심"하기는 어려웠다. 그가 상호방위 동맹인 북대서양조약기구(NATO)의 초대 사무총장 헤이스팅스 이스메이 Hastings Ismay에게 썼듯이, 그럼에도 불구하고 "아랍 세계를 적대시"하지 않는 것이 중요했다.[21]

실제로 이것은 프랑스와 영국을 궁지로 몬다는 이야기였다. 미국에서 서유럽으로 석유를 수송한다는 계획이 워싱턴에서 만들어지기는 했지만, 이 계획은 의도적으로 실행에 옮겨지지 않았다. 이집트 사태를 매듭짓기 위해서였다. 영국 경제의 신용도가 곤두박질치고 파운드화 가치가 폭락하자 영국은 국제통화기금(IMF)에 돈을 빌려달라고 손을 벌리지 않을 수 없었다. 겨우 40년 만에 영국은 세계의 지배자에서 모자를 내밀어 도움을 구걸하는 신세로 떨어졌다. 더욱 고약한 것은 IMF가 영국의 호소를 일언지하에 거절한 것이었다.

서유럽의 가장 귀한 보석 가운데 하나를 지키기 위해 이집트에 보낸 군대가 이제 그 임무를 완수하지 못한 채 철수한 것은 분명히 굴욕이었다. 세계 언론의 주시 속에 군대를 본국으로 불러들인 것은 세상이 얼마나 변했는지를 보여주는 징표였다. 인도는 버려졌다. 이란의 유전은 영국의 손아귀에서 빠져나갔다. 이제 수에즈 운하 역시 마찬가지였다. 1957년 초 이든 총리의 사퇴는 그저 한 제국의 죽음이라는 마지막 장의 새로운 단락으로 넘어가는 역할을 했을 뿐이었다.[22]

반면에 미국은 아시아의 등뼈에 해당하는 나라들과 관련하여 초강대국으로서 새로 발견한 책임을 인식하고 있었다. 미국은 조심스레 줄타기를 해야 했다. 수에즈 사태 이후의 후유증은 그것을 분명하게 보여주었다. 영국의 위신과 영향력은 엄청나게 추락하여, 1956년 말 아이젠하워 대통령이 말했듯이 소련에 대한 방파제 구실을 하는 그 남쪽 인접국들이 "공산주의자들의 서아시아 침투와 성공을 통해 완전히 붕괴"할 것으로 보였다.[23]

게다가 중단된 군사행동으로 인한 낭패는 서아시아 전역에서 전반적으로 반서방 정서를 일깨웠고, 민족주의적 선동가들은 나세르가 침착함을 유지하며 유럽의 군사적 압력을 극복하는 데 성공한 것을 보고 용기를 얻었다. 이 지역에서 이집트의 지도자 나세르의 위상이 급속하게 올라가면서 아랍 민족주의 사상이 떠오르기 시작했다. 또한 모든 아랍인들이 통일하여 하나의 정치체로 모이면 서방과 소련 진영 사이에서 균형을 맞출 수 있는 단일한 목소리를 내게 될 것이라는 생각이 확산되었다.

날카로운 관찰자들은 나세르가 벼랑 끝 전술의 명품 시범을 보이기 전에도 꼭 그와 같은 우발적 사태를 예측한 바 있다. 다른 어느 미국인보다 이 지역에 대해 잘 알고 있던 테헤란 주재 미국 대사 로이 헨더슨은 민족주의적인 목소리가 점점 커지고 강력해질 것이라고 결론지었다. 그는 1953년에 이렇게 썼다.

"미래의 어느 시기에 (……) 서아시아 국가들이 (……) 하나로 합쳐 통일된 정책을 결정하는 것은 거의 불가피해 보입니다."[24]

나세르는 이 운동이 기다리고 있던 간판이었다.

미국도 소련도 아닌 제3의 길

이것은 미국의 중대한 태도 변화를 이끌어냈고, 그런 변화는 '아이젠하워 원칙'에서 분명하게 명시되었다. 소련이 서아시아를 호시탐탐 노리고 있음을 잘 알고 있던 아이젠하워는 의회에서, 서아시아에 "존재하는 공백"을 "소련이 채우기 전에 미국이 채우는" 것이 중요하다고 말했다. 그는 이어, 이것이 단지 미국의 이익을 위해서뿐만 아니라 "세계 평화에도" 긴요하다고 말했다.[25] 그는 이에 따라 이 지역에 경제적·군사적 원조를 제공할 자금으로 상당한 예산을 승인해줄 것과 무력 공격으로 위협받는 모든 나라를 지켜줄 수 있는 권한을 달라고 요청했다. 소련보다 선수를 치는 것은 핵심 목표 중 하나였으므로 그것은 또한 나세르의 비전에 대한 대안의 성격을 지녔다. 미국으로부터 상당한 자금을 받는 혜택을 누리는 것은 여러 나라에게 매력적이었다.[26]

이러한 전환 시도는 모두에게 확신을 주지는 못했다. 이스라엘은 아랍인들과 관계를 개선하려는 미국의 시도를 탐탁지 않게 여겼고, 미국의 인지도와 역할이 늘어나면 그들 역시 이득을 볼 것이라는 언질을 거들떠보려고도 하지 않았다.[27] 이런 의혹은 이스라엘을 둘러싸고 소용돌이치는 분노, 특히 망쳐진 수에즈 개입 이후 사우디아라비아와 이라크의 분노를 감안하면 이해할 만한 것이었다. 물론 이스라엘군이 영국 및 프랑스군을 따라 참전한 일 역시 부정적인 영향을 미쳤다. 더욱 중요한 것은 이스라엘이 빠르게 이 지역의 문제에 대한 서방 개입의 상징이 되고 있다는 점이었다. 그리고 그 최대의 수혜자였다. 그 결과 미국의 이스라엘 지지는 아랍에 대한 원조와 양립할 수 없다는 목소리들이 점점 거세게 터져나왔다.

이스라엘은 이제 아랍 민족주의자들을 결집하는 초점이 되었다. 십자군이 수백 년 전 성지 예루살렘에서 발견했듯이, 이방인들로 이루어졌다고 하는 나라가 존재한다는 사실 자체가 서로 다른 아랍인들의 이해관계를 한구석에 밀쳐놓아야 할 이유가 되었다. 십자군이 역시 발견했듯이, 이스라엘은 많은 적들을 하나로 뭉치게 하는 모호하고 탐탁지 않은 표적 역할을 떠맡았다.

반이스라엘적 표현은 시리아의 정치인들이 나세르가 제시한 통일된 아랍 세계의 비전에 가담하면서 더욱 강력한 모습을 띠었다.

1958년 초 시리아는 이집트와 공식 통합하여 새 나라 아랍연합공화국(UAR)이 되었다. 앞으로 있을 통합의 서곡이었다.

미국은 사태 전개를 걱정스레 바라보았다. 헨더슨 대사는 한 목소리의 등장이 곤경을, 아니 그의 표현대로 "파멸적인 영향"을 초래할 것이라고 경고했다. 미국은 그 영향을 가늠하느라 노심초사했고, 국무부는 부산스럽게 논의를 했지만 대부분 매우 비관적이었다. 근동-남아시아-아프리카국에서 작성한 보고서는 나세르의 급진적 민족주의가 이 지역을 집어삼킬 기세라고 걱정스럽게 전망하고, 나세르가 수에즈에서 성공을 거두고 시리아와 통합하여 진전을 이루면서 서아시아 곳곳의 미국 '자산'이 감소하거나 사라졌다고 썼다.[28] 나세르의 전진은 불가피하게 공산주의 확산의 토대가 될 것이라고, 국무부 장관이자 앨런 덜레스 CIA 국장의 형인 존 포스터 덜레스는 결론지었다. 지금은 단호한 조치를 취하고 "우리가 지켜야 하는 진지 주위에 모래 주머니"를 쌓아야 할 때였다.[29]

동쪽으로 아시아 지역을 휩쓸게 되는 연쇄 반응의 시작임이 분명해 보이는 사건으로 인해 분위기는 더욱 악화되었다. 첫 번째는 이라크였다. 이집트와 시리아의 통합은 바그다드의 교양 있는 지도층 사이에서 많은 토론을 촉발했다. 이들에게 범汎아랍주의는 소련과 미국의 구애 사이에서 제3의 길로 갈수록 매력이 있는 것으로 보였다.

그러나 사태는 1958년 여름 바그다드에서 험악하게 변했다. 나세르를 지지하는 공감이 위험스럽게 확산되고 서방에 반대하는 정서가 커지며 여기에 이스라엘에 대한 공격적인 표현들이 어우러져 촉발된 것이다. 7월 14일, 압둘 카림 카심Abdul Karim Qasim이 이끄는 한 무리의 이라크군 고위 장교들이 쿠데타를 일으켰다. 카심은 몇 년 전 영국에

서 함께 군사학교를 다닌 동료들로부터 '뱀 조련사'로 불리던 인물이었다.[30]

아침식사 시간에 왕궁으로 돌진한 음모자들은 궁전 뜰에서 국왕 파이살 2세를 비롯한 왕실의 주요 인사들을 체포해 처형했다. 성난 군중은 사려 깊고 진지한 인물인 압둘 일라흐(파이살 국왕의 당숙으로 어린 파이살 즉위 초에 섭정을 맡았었다—옮긴이)를 "개처럼 (……) 거리로" 끌고 나가 시체를 훼손한 뒤 불태웠다. 이튿날 서아시아의 변화를 직접 목격했던 원로 정치인 누리 앗사이드 총리가 여자 옷을 입고 도망치다가 추적당해 총살되었다. 사람들은 그의 시체를 훼손한 뒤 신나게 끌고 다니며 바그다드 시내를 활보했다.[31]

이 사건들은 거의 확실하게 소련의 이익이 확대되리라는 신호로 보였다. 러시아 최고 지도자 니키타 흐루쇼프는 1961년 정상회담에서 존 F. 케네디 미국 대통령에게, 이란은 썩은 과일이 떨어지듯 곧 소련의 손안에 들어올 것이라고 말했다. 이런 전망은 이란 비밀경찰 수장이 샤를 축출할 음모를 꾸미고 있다는 내막까지 아는 상황에서 나온 것인 듯했다. KGB로 더 잘 알려진 국가보안위원회가 한 차례 암살을 시도했다가 실패한 뒤 관심은 이란 전역에 착륙장과 군수품 창고를 마련하는 일로 옮겨갔다. 아마도 대중 봉기를 조장하고 군주제를 타도하려는 노력을 강화한다는 결정을 예견한 조치였을 것이다.[32]

미국의 사담 후세인 키우기

이라크의 상황도 나을 것이 없었다. 미국의 한 고위 정책 담당자는 이 나라가 "거의 틀림없이 공산당이 접수하는 상태로 떨어질 것"[33]이라고 썼다. 그 결과 가운데 하나는 서방이 나세르와의 관계를 재정립한 것이었다. 나세르는 "두 악 중에서 작은 악"으로 간주되었다. 미국은 이 변덕스러운 이집트 지도자와 화해하려고 애썼다. 그는 커지고 있는 "공산주의의 서아시아 침투"[34]로 인해 아랍 민족주의가 위태로워질 수 있음을 인식하고 있었다. 미국과 이집트의 공통의 이익은 이라크 새 지도부의 결정으로 두드러졌다. 이라크는 독자적인 진로를 설정하고 범아랍주의나 나세르와 거리를 두기로 했다. 이것은 곧바로 소련이라는 망령에 대한 우려를 더욱 키웠다.[35]

이라크와 거래하는 계획이 세워졌고, "공산당의 이라크 접수"를 막으려는 "공개 또는 비밀 수단"을 검토하기 위한 위원회가 미국에서 만들어졌다. 이라크 군주를 폐위시킨 민족주의자 카심 총리를 제거하려는 1959년 말의 쿠데타 시도에 CIA가 얼마나 개입했는지는 원자료가 부족해 알기 어렵다. 이 쿠데타에 관여하여 혼란 속에서 정강이에 찰과상을 입었던 한 사람은 나중에 이때의 일을 가지고 자신이 불굴의 의지와 용기를 가진 신화적인 인물처럼 보이게 했다. 그의 이름은 사담 후세인이다.[36]

이 경우에 음모자들이 미국의 지원을 받았는지는 확실하지 않지만, 기록을 보면 미국 정보기관은 이 실패한 쿠데타 기도를 미리 알고 있었다.[37] 핵심 인물들을 권력의 자리에서 제거하려는 정교한 계획(한 이라크군 대령에게 화학무기의 일종인 무능화작용제가 묻은 문자 도안의 손수건을 보낸 일 같은 것들이다)이 만들어졌다는 사실은 또한 이라크가 소련의 위성국으로 딸려 들어가지 않도록 하기 위해 적극적인 조치들이 취해졌음을 보여준다.[38] 카심이 1963년에 마침내 권좌에서 축출되었을 때 미국의 관측통이 그다지 놀라지 않은 것도 결코 우연이 아닐 것이다. 그들은 나중에 이 일을 "CIA 요원들이 아주 자세히 예측"[39]하고 있었다고 말했다.

이라크의 상황에 이렇게 깊숙이 개입한 것은 주로 소련의 남하를 막으려는 의도였다. 실크로드에 펼쳐진 이 지역 나라들과 관계를 구축하는 것은 부분적으로 정치적 위신의 문제였다. 이 지역에서 미국은 대조적인 세계관을 제시하는 경쟁자에게 밀리는 인상을 줄 수는 없었다. 그러나 이렇게 지속적으로 깊은 관심을 가졌던 데는 다른 이유들도 있었다.

냉전시대의 큰 악과 작은 악

1955년 소련은 지금의 카자흐스탄 투레탐에 대규모 장거리 미사일 시험장을 설치하기로 결정했다. 이 스텝 지대는 발사체가 날아가는 동안 아무런 장애물 없이 추적할 수 있는 일련의 유도 안테나를 세우는 데 완벽한 환경이었고, 또한 도심지에서 멀리 떨어져 있어 안전을 위협하지 않았다. 그 결과 만들어진 것이 나중에 바이코누르 우주기지로 불리게 되는 곳인데, 이곳이 탄도 미사일을 개발하고 실험하는 주요 장소가 되었다.[40] 이 기지가 만들어지기 전에도 소련은 1000킬로미터 이상 날아가고 핵탄두를 탑재할 수 있는 R-5를 발사한 바 있었다. 1957년에 사정거리가 8000킬로미터인 그 후계자 R-7(나토 암호명 SS-6 '새프우드Sapwood'로 더 잘 알려져 있다)이 생산되어 소련이 서방에 가하는 위협의 수준을 한껏 끌어올렸다.[41]

이듬해 세계 최초의 인공위성 스푸트니크 1호가 발사되자, 투폴레프 사의 Tu-95(나토 암호명 '곰') 및 먀시셰프 사의 3M(나토 암호명 '들소') 장거리 전략 폭격기 비행단의 도입과 맞물려 미국 군사 전략가들의 관심을 더욱 집중시켰다. 미국으로서는 소련의 미사일 실험을 감시하고 그들의 발사 능력 개발과 미사일 공격에 대해 주시하는 일이 필수적이었다.[42] 냉전 하면 초강대국들 사이의 대결 주무대로 베를린 장벽과 동유럽을 떠올리기 쉽다. 그러나 냉전이라는 진짜 체스 게임은 소련의 아랫배에 해당하는 땅에서 벌어지고 있었다.

미국은 소련 남부 변경 지대에 있는 나라들의 전략적 가치를 오래전부터 인식하고 있었다. 파키스탄의 공군기지와 정보 수집소, 그리고 통신망은 미국 방어 전략의 중요한 부분이었다. 소련의 미사일 능력이 대륙을 넘나들 수준이 될 무렵에 파키스탄 북쪽의 페샤와르 비행장은 중요한 정보 수집 기능을 수행하고 있었다. 그곳은 바이코누르와 첼랴빈스크의 플루토늄 처리 공장 등 다른 주요 군사시설들에 대한 정찰 임무를 수행하는 U-2 정찰기 작전의 출발점 구실을 했다. 1960년 불행으로 끝난 임무를 수행하던 도중 스베르들롭스크(현재의 예카테린부르크) 부근의 소련 영공에서 격추된 게리 파워스가 처음 출발했던 곳도 페샤와르였다. 이 사건은 냉전시대의 가장 주목을 끄는 사건 가운데 하나였다.[43]

그렇다면 자유 세계와 민주주의적 생활방식을 수호하고자 하는 미국의 정치적·군사적 목표가 아주 다른 결과를 낳았다는 것은 상당한 아이러니다. 이 지역에서 미국의 입지는 비민주적인 본능을 지니고 있고 권좌를 유지하기 위해 고약한 방법을 동원하는 독재자들을 기반으로 삼고 있었다.

파키스탄의 모하마드 아유브 칸Mohammad Ayub Khan 장군이 1958년에 쿠데타를 일으킨 뒤 미국은 기꺼이 그와 거래했다. 그는 미국의 지원을 얻기 위해 영악스럽게도 "공산주의에서 벗어나는 혁명"임을 내세웠다. 그는 "파키스탄의 도덕을 파괴하는 자들에게만 가혹"[44]하게 할 것이라고 변명하여, 서방 후원자들의 비난을 사지 않은 채 계엄령을 선포할 수 있었다. "정상적인 헌정 질서"를 회복하겠다는 입발림이 있었지만, 군사 독재가 곧 끝날 것이라는 환상을 품은 사람은 별로 없었다. 특히 국민이 스스로 지도자를 선택할 수 있을 만큼 교육 수준을 높이려면 "수십 년"이 걸릴 것이라고 그가 말한 뒤에는 말이다.[45] 미국은 이 수상쩍은 동맹자에게 다량의 무기를 제공할 수 있어 희희낙락했다. 사이드와인더 미사일, 제트 전투기, B-57 전술 폭격기 등은 아이젠하워 대통령의 재가를 얻어 그들에게 판 무기의 일부일 뿐이었다.[46]

무기 판매는 파키스탄 군대의 지위와 힘을 더욱 증강시키는 결과를 가져왔다. 이 나라는 국가 예산의 65퍼센트 이상을 군사비로 지출했다. 이는 지구촌의 이 지역에서 친구들을 권력의 자리에 앉히려면 치를 필요가 있는 대가인 듯했다. 사회 개혁의 기반을 만드는 일은 독재자와 그를 둘러싼 권력층에 의존하여 얻을 수 있는 즉각적인 결과에 비해 위험하고 시간이 많이 걸리는 일이었다. 그러나 그 결과로 민주주의는 억압되고, 시간이 지나면서 곪아터질 수밖에 없는 뿌리 깊은 문제들을 양산했다.

미국은 아프가니스탄의 지배자들에게도 열심히 구애를 했다. 예컨대 다우드 칸 총리는 1950년대 말에 미국으로부터 2주일간의 방문 초청을 받았다. 깊은 인상을 심어주고 싶은 욕구가 컸던 나머지 그가 도착할 때 리처드 닉슨 부통령과 덜레스 국무부 장관이 함께 활주로까지 나가 영접했다. 아이젠하워 대통령도 다우드 칸 총리를 다정하게 환영하고, 공산주의가 아시아 무슬림 국가들에게 가하는 위협에 대해 열심히 경고했다. 미국은 이미 아프가니스탄에서 여러 가지 야심찬 개발 계획을 시작하고 있었다. 헬만드 강 유역의 대규모 관개시설 계획과 획기적인 교육 시스템 개선 노력 같은 것들이었다. 미국은 이제 상당한 규모에 이르는 소련의 투자와 융자, 그리고 이미 가동에 들어간 기반시설 공사 등을 상쇄하기 위해 더 많은 약속을 했다.[47]

산유국들의 결집

물론 문제는 오래지 않아 이들 나라 지도자들이 두 초강대국의 싸움을 붙일 수 있음을, 그리고 그 결과로 양쪽 모두로부터 더 많은 이득을 뽑아낼 수 있음을 알게 되었다는 점이다. 실제로 1950년대 말에 아이젠하워 대통령이 카불을 방문했을 때 그들은 미국의 원조 규모가 최소한 소련의 원조 수준은 되어야 할 것이라고 요구했다.[48] 거부했다면 무슨 일이 있었겠지만, 그렇게 묵인이 되었다.

한편 미국의 전략가들은 1950년대 말 이란에서 분명히 동요로 보이는 것이 나타나자 크게 우려하기 시작했다. 레자 샤는 소련이 자금을 댄 라디오 선전활동으로 타격을 입은 뒤 소련과 관계를 개선할 의향이 있음을 표명했다. 소련은 이 이란 군주에게 끊임없이 서방의 꼭두각시라는 이미지를 씌우면서, 노동자들에게 들고일어나서 포악한 정권을 뒤엎으라고 촉구해왔다.[49] 샤는 스스로 이란과 소련의 관계가 "완전히 적대적"이라고 말한 바 있는데, 이제 이런 적대적 관계를 버리고 대화와 협력을 위한 유화적인 채널을 여는 문제를 고려해야 하는 상황이 된 것이다.[50]

그러자 워싱턴에서 비상벨이 울렸다. 전략가들은 이란이 소련의 남부 변경에서 매우 중요하다는 생각을 굽히지 않았다. 한 보고서에도 나와 있듯이, 1960년대 초까지는 이런 생각이었다.

"이란은 소련과 페르시아만 사이의 전략적 위치에 있고 석유가 많이 매장되어 있어 미국에 결정적으로 중요합니다. 따라서 이란과의 친선과 그 나라의 독립 및 영토 보전은 유지되어야 합니다."[51]

상당한 노력과 자원이 이란의 경제와 군대를 지원하고 샤의 국가 통제력을 강화하는 데 들어갔다.

샤의 기분을 맞추어주는 것이 매우 중요했기 때문에 그가 다른 생각을 가진 사람들을 탄압해도, 그리고 대규모 부패를 저지르고 그 때문에 나라 경제가 어려워져도 미국은 모른 체했다. 이란이 종교적 소수자들을 박해해도 미국은 아무런 말도 행동도 하지 못했다. 1950년대에 표적이 되어서 잔인한 처우를 받았던 바하이 교도들이 대표적인 사례였다.[52]

한편으로 이란의 석유에서 나오는 수입은 가파르게 증가했지만, 그것은 거의 아무런 결과물을 내지 못했다. 그 수입은 1954년에서 1960년 사이에 일곱 배 이상으로 늘었다. 샤의 친척들과 이란에서 비공식적으로 '천千 가문'이라 부르는 집단이 수입輸入을 완전히 틀어쥐고 이를 통해 자기네끼리 돈을 벌었다. 미국이 제공하는 저리 융자는 가난한 사람들의 희생 속에 소수의 배만 불려주는 역할을 했다. 서민들은 치솟는 물가로 하루하루를 버티기가 어려웠다. 특히 1959~1960년의 흉작 이후에 더욱 심각했다.[53]

농업경제를 자극하기 위해 설계된 미국의 몇몇 프로젝트들이 엄청난 실패로 끝난 것도 문제였다. 전통적인 씨앗을 현대적인 품종으로 대체하려던 시도는 대참사였다. 새 품종은 토양에 맞지 않았고, 병충해에 약한 것으로 드러났다. 이란과 미국의 양쪽 양계업자를 돕기 위해 미국산 병아리를 도입하는 계획도 참담한 결과를 초래했다. 적절한 사료도 구할 수 없고 예방접종도 없었으니 실패할 게 뻔했다. 당황스럽게도 이란의 지하수면에 대한 이해가 없었기에 우물이 지하수를 말리도록 방치하고 나라 전역의 많은 경작지들을 파괴했다.[54]

실패로 끝난 이런 계획들은 서방, 특히 미국과의 긴밀한 협력이 혜택을 가져왔다는 긍정적인 사례가 되기 어려웠다. 이들은 또한 비판자에게 풍성한 논거를 제공했다. 이런 일에 가장 능숙했던 사람이 시아파 학자이며 아야톨라인 호메이니였다. 그는 임금이 낮은 수준에 머물고 경제가 발전하지 못하며 사회 정의가 없는 현실에 갈수록 불만이 커지는 대중의 정서를 파악했다. 호메이니는 1960년대 초, 특히 열변을 토한 한 연설에서 이렇게 단언했다.

"샤 폐하, 한마디 조언을 올리겠습니다. 가련하신 분이여, 지금은 폐하께서 생각하고 반성하고 숙고하실 때가 아닙니까? 이 모든 것이 폐하를 어느 곳으로 이끌어가고 있는지를요. (……) 샤 폐하, 제가 당신은 이슬람교를 믿지 않는다고 말해야겠습니까? 그리고 폐하를 이란에서 쫓아내야 하겠습니까?"[55]

이 연설로 그는 체포되었고, 이에 항의하여 테헤란 중심가에서 폭동이 일어났다. 군중은 이렇게 외쳤다.

"호메이니 아니면 죽음을!"

CIA 정보 보고서에도 나와 있듯이, 공무원들조차도 정권 반대 시위에 참여했다.[56]

샤는 이런 경고에 귀를 기울이기보다는 비판자들을 더욱 적대시하는 것으로 대응했다. 그는 성스러운 도시 콤을 방문한 자리에서 참으로 요령부득인 말을 했다. 이란의 성직자들은 "수백 년 동안 마음의 분발이 없는 무식하고 메마른 사람들"이라고 비난했다.[57] 양보를 하거나 진정성 있는 개혁에 나서는 대신, 모든 힘을 통제를 강화하는 데 집중했다. 호메이니는 강제추방되었고, 10여 년 동안 이웃 나라 이라크의 나자프에서 살았다. 그곳에서 그는 샤와 이란 정권을 열정적으로 규탄했고, 사람들은 이를 환영했을 뿐만 아니라 적극적으로 지지했다.[58]

이란의 비밀경찰 조직인 국가보안정보국(SAVAK)을 만드는 데도 상당한 자원이 소비되었다. 이 조직은 금세 무시무시한 평판을 얻었다. 샤와 정권을 비판하는 사람들은 재판 없는 투옥과 고문, 그리고 처형되었다. 몇몇 드문 경우에, 호메이니처럼 대중의 관심을 많이 받아 눈에 띄는 운 좋은 반대자들은 가택 연금이 되거나 추방되어 현장에서 제거되었다.[59] 소련이 그런 술책을 썼을 때 미국은 소리 높여 비판했었다. 민주주의에 위배되고 전체주의의 도구라고 맹비난했었다. 그러나 이란의 경우에는 소리 없이 넘어갔다.

샤의 지지를 유지하고 그의 지위를 굳히기 위해 미국에서 이란으로 돈이 계속 흘러들어갔다. 페르시아만과 카스피해를 연결하는 2400킬로미터의 고속도로가 건설되고, 반다르아바스에 대규모 심해 항구를 건설하는 일을 지원했으며, 전력망을 확충하고 개선할 수 있도록 했고, 심지어 국영 항공사 설립 같은 과시성 사업을 추진할 돈도 대주었다.

이 과정을 통해 대부분의 서방 정책 담당자들은 현장의 실정을 무시하고 자기네가 보고 싶어하는 것만 보는 쪽을 택했다. 미국의 많은 관측통에게 이란은 완전한 승리로 보였다. "서아시아에 있는 미국의 견실한 친구들 가운데 하나"인 이란의 경제는 "급속히 발전"하고 있다는 보고서가, 1968년 린든 B. 존슨 대통령에게 전달되었다. 이란의 국민총생산(GNP)이 급속도로 증가해 최근의 "주목할 만한 성공담"이 되고 있다는 것이다. 4년 뒤에도 같은 결론이 나왔다. 더 단호한 어조였다. 2차 세계대전이 끝난 뒤 미국은 이란에서 도박을 하고 이 나라를 미국이 원하는 모양으로 만들어야 했다고, 테헤란의 미국 대사관은 적었다.

"그 도박은 멋지게 성공했다. 아마도 비슷한 미국의 투자 덕을 본 다른 어느 발전도상국보다 더 나았을 것이다."

이란은 "아시아에서 일본 다음으로 번영하는 나라", 그리고 유럽의 여러 나라들과 어깨를 나란히 하는 나라가 되는 길을 착착 밟아가고 있다고 이 보고서는 확신에 차서 예측했다.[60]

회의적인 사람은 분명히 소수였다. 윌리엄 포크William Polk는 그중 한 사람이었다. 그는 케네디 행정부에 초빙되어 외교 문제에 관해 조언했다. 그는 샤가 정치 과정을 개혁하지 않으면 폭력 사태나 심지어 혁명이 일어날 것이라고 경고했다. 폭동이 일어나면 치안부대가 시위대에 발포하기를 거부하는 것은 시간문제일 뿐이었다. 샤에 대한 반대는 이제 "강력한 이란의 이슬람 조직"[61] 아래에서 통합되어가고 있었다.

포크의 예측은 정확하게 들어맞았다. 그러나 당시에는 공산주의에 맞서 동맹자를 계속 지원하는 것이 그를 압박하여 권력 장악을 느슨하게 만드는 것보다 중요해 보였다. 그리고 샤는 점점 더 거창한 계획들을 만들어내 사태를 더욱 악화시켰다. 군대에 막대한 금액이 투자되었다. 이란의 군사비 지출은 1963년의 2억 9300만 달러에서 15년도 안 되는 사이에 73억 달러로 늘었다. 그 결과로 이란의 공군과 육군은 세계 최대 규모에 이르렀다.[62]

이란이 이런 이례적인 군사력 강화의 비용을 댈 수 있었던 것은 부분적으로 미국의 군사 원조와 저리 융자 덕분이었다(이란이 무기의 대부분을 미국 방위산업체에서 구매했기 때문에 미국은 이득을 보았다). 그러나 이란은 또한 석유 수입의 증가로 이득을 얻었다. 그리고 카르텔로 행동하는 세계 주요 석유 생산자들이 만들어놓은 메커니즘을 통해서도 이득을 얻었고, 그렇게 함으로써 수익을 극대화했다.

1960년의 석유수출국기구(OPEC) 창설은 공개 시장의 석유 공급에서 방출량에 대한 협력을 위해 구상된 것이었다. 그 목표는 이라크, 이란, 사우디아라비아, 쿠웨이트, 베네수엘라 등 회원국들이 자기네 이익을 결합시켜 공급량을 조절하고 이에 따라 가격을 조절함으로써 수입을 늘리자는 것이었다.[63] 이는 서방 기업들로부터 권한을 빼앗아오고 한편으로 서방 정부들로부터 정치적·재정적 지원을 계속 얻어내고자 하는 자원 부국들로서는 당연한 수순이었다.

OPEC은 사실상 서방의 영향력을 줄이려는 시도였다. 자국의 제조업체들에게 값싼 연료를 풍부하게 공급한다는 서방의 관심은 석유와 가스 매장량이 풍부한 산유국들의 이해와 판이했다. 산유국들은 가능한 한 많은 수입을 올리고 싶어 안달했다. 따라서 그렇게 보이지는 않겠지만, OPEC은 모사데그와 대중주의적 선동가 나세르, 강경파 카심과 점점 더 반서방적이 되어가는 이란의 인물들(호메이니가 대표적이다) 같은 반항적인 지도자들로 이루어진 어울리지 않는 출연진들의 정신적인 후배였다. 이들은 자국을 압도적인 외부의 개입으로부터 떼어내기 위한 총체적인 노력을 통해 서로 연결되어 있었다. OPEC은 정치적 운동이 아니었다. 그러나 다양한 나라를 한데 묶어 한목소리로 주장하고 행동할 수 있게 된 것은 정치적인 힘을 유럽과 미국의 손에서 떼어내 현지 정부들로 옮기는 과정에서 중요한 진전이었다.

이란, 이라크, 쿠웨이트, 사우디아라비아에 석유가 매우 많고 전 세계적으로 석유 수요가 증가하고 있다는 사실은 20세기 중반에 힘의 균형이 근본적으로 재조정됨을 의미했다. 그것이 어느 정도의 크기로 이루어질 것인지는 1967년에 분명해지기 시작했다. 나세르가 공격을 위한 준비로 군대를 국경에 집결시키자 이스라엘은 기습적으로 공격했다. 사우디아라비아, 이라크, 쿠웨이트는 석유 생산이 시작된 북아프리카의 두 나라 알제리와 리비아의 지원 아래 영국과 미국에 대한 석유 수출을 중단했다. 두 나라가 이스라엘과 가깝다는 이유에서였다. 정유공장이 문을 닫고 송유관이 폐쇄되자 악몽의 시나리오가 곧 현실화할 듯했다. 석유가 부족해지고 가격이 크게 올라 세계 경제가 위협받을 것으로 전망되었다.

그러나 실제로 그 충격은 최소에 그쳤다. 나세르가 계획했던 공격은 시작도 하기 전에 실패했고, 그가 전쟁에서 완패함에 따라 더욱 위축되었기 때문이다. 그러나 무엇보다도 패배가 매우 빨랐고 또한 극적이었다는 사실이 중요했다. 이 '6일 전쟁'은 거의 시작되자마자 끝났으며, 나세르와 아랍 민족주의의 꿈은 현실성 검증을 받았다. 서방의 기술적·정치적 지원을 등에 업은 이스라엘군은 가공할 상대라는 것이 드러났다. 서방이나 서아시아에 있는 그 꼭두각시라는 나라는 모두 아직은 결정적인 타격을 입힐 수 있는 상태가 아니었다.[64]

유럽의 강대국들은 200년 동안 이 지역에 대한 통제권과 지중해 지역에서 인도 및 중국까지 연결되는 시장의 통제권을 놓고 서로 발버둥치며 싸워왔다. 20세기에는 서유럽의 입지가 움츠러들고 바통이 미국으로 넘어갔다. 어떤 면에서는 세계의 중심부에 대한 통제권을 유지할 책임을 떠맡은 것이 영국, 프랑스, 에스파냐 사이의 경쟁으로부터 만들어진 나라라는 것은 너무도 당연했다. 그것은 어려운 도전이 될 터였다. 특히 또 하나의 '큰 게임'이 시작되려 하고 있었기 때문이다.

초강대국 대결의 길

강대국 사이에서의 전략

1967년의 전쟁은 경고 사격이었고, 위력 시범의 한 사례였다. 그것은 앞으로 다가올 일들에 대한 징조였다. 서방이 세계의 중심부에서 권력과 영향력을 유지하는 일은 점점 더 어려워지고 있었다. 영국에게는 그것이 불가능해졌다. 1968년, 해럴드 윌슨 총리는 영국이 수에즈 운하 동쪽의 모든 방위 책무를 포기할 것이라고 발표했다. 페르시아만 지역을 포함해서다.[1] 서아시아에서 영향력을 유지할 책임은 이제 미국으로 넘어갔다. 미국은 그 자체가 위대한 유럽 제국 시대의 흔적이자 계승자였다.

사방에서 오는 극심한 압력의 배경이 복잡하다는 것은 이것이 이루기 어렵다는 얘기였다. 예컨대 1961년 이라크에서는 30년 전 이라크 석유회사를 형성한 서방 석유 생산자 컨소시엄에 주어졌던 채굴권의 일부인 넓은 지역이 국유화되었다. 그곳들이 개발되지 않고 있다는 것이 이유였다. 이라크의 태도는 카심 총리가 쫓겨나고 이어 "온 세계가 볼 수 있도록" 텔레비전 카메라 앞에서 처형된 뒤 더욱 뻣뻣해졌다. 새로 들어선 강경파 정권은 자기네가 "아랍 민족을 서방 제국주의의 지배와 석유 독점기업들의 착취로부터 해방시키는 더 광범위한 싸움"을 이끌고 있다고 선언하고, 키르쿠크-바니야스 송유관의 통과세를 기습적으로 인상했다.[2]

소련은 환호하며 이를 지켜보았다. 모스크바에서는 서아시아에서 일어나고 있는 변화와 반서방 정서의 고조를 면밀하게 관찰했다. CIA의 한 보고서는 이렇게 썼다.

"[1967년 아랍-이스라엘 전쟁 이후 소련은] 한결같은 과정을 밟으며 (……) 기회가 닿는 대로 소련이 전통적으로 관심을 가지고 있는 지역에 대한 정치적·군사적 영향력을 확장하고자 했다."[3]

소련은 이제 열심히 기회를 활용할 것을 모색하며 지중해 지역에서 힌두쿠시 산맥까지, 카스피해에서 페르시아만까지 뻗치는 독자적인 관계망 구축에 나섰다.

이것은 부분적으로 두 초강대국 사이의 정치적 벼랑 끝 전술의 결과였다. 작은 성공은 뻥튀기되어 커다란 승리로 홍보되었다. 이는 이라크 루마일라 유전에 대한 소련의 재정적·기술적 지원 같은 사례에서 분명히 드러났다. 《이즈베스티야》 신문은 이를 열광적으로 보도하고 이것이 "아랍과 사회주의 국가들" 사이의 긍정적인 협력에서 새로운 표준이 되었다고 떠들썩하게 찬양했으며, 소련이 "아랍인들을 위해 국가의 석유산업"을 개발하는 데 얼마나 열심인지를 대서특필했다. 반면에 서방의 "아랍 석유를 통제하려는 계획은 허물어지고 있다"[4]고 이 신문은 덧붙였다.

1960년대는 초강대국들의 시야가 현저하게 확대된 시기였다. 그리고 그것은 아시아의 중심부에 한정되지 않았다. 1960년대 초에 소련은 쿠바 혁명 정부를 지원하여 이 섬에 핵탄두를 배치한다는 계획까지 세웠는데, 이로 인해 거의 전쟁이 일어날 뻔했다. 소련 배들은 바다에서 팽팽한 대치 끝에 결국 미국 해군 군함들이 쳐놓은 방어선을 돌파하지 않고 철수했다.

2차 세계대전이 끝난 뒤 동아시아의 한반도에서 불붙었던 대결이 이번에는 베트남에서 다시 터져 캄보디아와 라오스에까지 불똥이 튀었다. 미국은 그곳에서 추악하고 값비싼 전쟁에 휘말렸는데, 많은 미국인들은 그것을 자유 세계 군대와 전체주의적인 공산주의 군대 사이의 싸움으로 생각했다. 그러나 상당한 수의 지상군이 총력을 다해 전쟁을 수행하는 것은 다른 생각을 가진 사람들을 설득할 수 없었고, 베트남 전쟁에 대한 환멸이 확산되면서 그것이 결집의 계기가 되어 대안문화 운동이 탄생했다.

동남아시아의 상황이 악화되면서 소련은 미국에 대한 환상이 점점 깨지는 것을 이용하기 위해 여러 가지 활동을 펼쳤다. 그런 움직임이 너무 거셌기 때문에 호메이니는 1964년에 이렇게 단언했다.

"미국 대통령은 자신이 이란 사람들의 눈에 인류 가운데 가장 역겨운 부류로 보인다는 사실을 알아야 합니다."[5]

이런 각성은 반체제 인사나 성직자, 대중영합적인 선동가들에게만 국한되지 않았다. 이웃 이라크의 압둘라흐만 아리프 대통령은 미국과 영국 석유업자들을 자연스럽게 '흡혈귀'라고 불렀으며, 바그다드의 주요 신문들은 서방을 제국주의자나 시온주의자, 심지어 제국주의적 시온주의자로 묘사하기 시작했다.[6]

이런 표현들이 매우 적대적이고 이에 동조할 사람들이 아주 많았지만, 서방에 대한 태도가 모두 부정적인 것은 아니었다. 그러나 실제로 문제는 미국이 (그리고 보다 적게 영국이) 지중해 동쪽에 늘어선 나라들의 문제에 간섭하는 것으로 인식되고 또한 부패한 지배층의 주머니를 채워주려 하는 것으로 매도당한다는 사실이 아니었다. 그보다 이런 표현은 새로운 현실에 따른 과제를 감추고 있었다. 수백 년 동안 주변부가 되었던 지역이 다시 떠오르고 있었다. 그 땅속에 천연자원이 있고, 돈을 주고 이를 사려는 고객도 충분해 수요가 늘고 있기 때문이었다. 이것이 야망에 불을 붙였고, 특히 그런 수요는 외부의 이해관계와 영향에 제한받지 않았다. 그렇다면 이제 초강국들이 또 하나의 '큰 게임'의 일부로서 자리를 차지하려고 서로 밀치락달치락하며 상대의 약점을 이용하려고 하는 곳에 새로운 전쟁터가 생겨났다는 것은 아이러니였다.

이라크, 시리아, 아프가니스탄은 소련제 무기를 구입할 저리 융자를 얻고 자기네의 더 큰 전략적 야망에 유용하게 쓰일 시설들을 세우기 위해 소련에서 자문관과 기술자들을 보내주어 기쁘기 그지없었다. 이 가운데는 페르시아만의 심해 항구 움카스르와 여섯 곳의 이라크군 비행장도 포함되어 있었는데, 미국 정보기관은 금세 그것이 "소련 해군의 인도양 진출을 지원하는 데"[7] 쓰일 수 있음을 간파했다.

이것은 소련이 독자적인 연줄과 동맹자를 만들어 미국과 맞서기 위한 시도의 일부였다. 그렇다면 당연히 소련의 정책은 미국이 2차 세계대전 이후 추구해온 정책과 동일했다. 미국은 이를 통해 한편으로 페르시아만과 인도양에서의 안전을 감시하고 다른 한편으로 소련의 활동을 추적하거나 전진 공격 기지를 세울 여러 장소를 확보했다. 이 일은 이제 소련이 그대로 답습했다. 소련 군함들은 1960년대 말에 인도양에 배치되어 수단, 예멘, 소말리아에서 새로 정권을 잡은 혁명 정부들을 지원했다. 소련이 여러 해 동안 세심하게 관계를 구축해 온 세력들이었다. 이를 통해 소련은 아덴, 모가디슈, 바르바라 등에 부러워할 만한 발판을 확보했다.[8] 따라서 소련은 수에즈 운하 접근을 옥죌 수 있게 되었다. 미국 정책 입안자들이 오랫동안 두려워하던 일이었다.[9]

CIA는 소련이 동아프리카와 페르시아만 지역을 포함한 인도양 지역 곳곳에서 어업과 농업, 기타 산업을 조직적으로 지원하는 것을 조심스레 지켜보았다. 여기에는 어민을 교육하고 항구 시설을 개발하며 어선을 상당히 좋은 가격으로 팔거나 빌려주는 일이 포함되어 있었다. 이런 우호적인 제스처는 이라크, 모리셔스, 소말리아와 아덴, 사나에서 자유롭게 항구를 드나들 수 있도록 허용됨으로써 보상을 받았다.[10]

소련은 또한 이라크 및 인도와 관계를 구축하기 위해 상당한 공을 들였다. 소련은 1960년대에 외국에서 인도로 들어온 군수품 조달의 4분의 3 이상에 해당하는 무기를 인도에 공급했다. 그 물량은 이후 10년 동안에도 꾸준히 증가했다.[11] 판매된 무기 가운데는 K-13 아톨 미사일과 P-15 스틱스 미사일, 미그-27과 미그-29 전투기, 최첨단 구축함 등 소련의 가장 정밀한 무기들이 포함되어 있었다. 인도는 또한 군용 항공기를 생산할 수 있는 면허를 얻었다. 중국에도 주지 않은 것이었다.[12]

양다리를 걸치는 것이 이 지역 사람들에게 자연스러운 일이 되었고, 그것은 여전히 이득이 되는 것으로 드러났다. 아프가니스탄에서는 두 초강대국으로부터 지원을 받으려는 관행을 가리키는 말이 생겼다.

'불편不偏'이라는 뜻의 '비타라피bi-tarafi'가 외교정책의 원칙이 되어서, 소련이 주는 것과 미국이 주는 것이 비슷해지도록 균형을 추구했다.

한 기민한 관찰자가 1973년에 출간한 명저에서 밝혔듯이, 소련과 미국은 각기 아프가니스탄의 군 장교들을 공식 교육 프로그램에 초청하여 미래의 지도자들과 연줄을 만들고 관계를 발전시키고자 했다. 양쪽 프로그램에 참여한 장교들은 고국에 돌아온 뒤 서로 정보를 교환했다. 재능이 인정된 장교들에게서 특히 두드러진 생각은 이런 것이었다.

"미국도 소련도 그들이 선전하는 낙원은 아닌 것으로 드러났다."

이에 따라 해외 연수를 다녀온 사람들 대다수의 반응은 새로운 개종자를 만들기 위해 전도하기보다는 아프가니스탄이 자주국으로 남아야 한다는 확신을 가지고 고국으로 돌아왔다는 것이었다.[13]

이란에서도 비슷한 충동이 작동되고 있었다. 그곳에서 샤는 자신이 나라를 구할 구세주라고 떠들어댔다. 그는 한 인터뷰에서 이렇게 말했다.

"나의 비전은 나라를 구한 기적이었습니다. 나의 통치가 나라를 구했고, 그것은 하느님이 내 편에 계셨기 때문입니다."

왜 테헤란 거리에서 아무도 감히 그의 이름을 입에 올리지 못하는지 물었을 때, 그는 이것이 그의 권좌를 지켜주는 경찰국가의 무시무시한 조직 때문이라는 생각은 하지 못하는 듯했다. 그들이 샤에 대해 말하지 못하는 이유에 대해 그는 이렇게 말했다.

"지나친 존경심 때문이겠죠. 제가 생각하기에는요."[14]

이것은 자기기만의 한 사례였지만, 공산주의자들에 대한 가식적인 태도 역시 마찬가지였다. 샤는 이 인터뷰에서 도전적으로 말했다.

"공산주의는 불법입니다. 그렇기 때문에 공산주의자는 정치범이 아니라 일반 범죄자입니다. (……) 우리는 그들을 제거해야 합니다."

그러나 그는 곧이어 자랑스럽게 이런 말을 했다.

"우리는 소련과 좋은 외교관계, 교역관계를 맺고 있습니다."[15]

이는 아시아의 등뼈 지역이 냉전시대에 추구했던 미묘한 균형이 어떤 것이었는지를 잘 말해준다. 샤는 북쪽의 강력한 이웃을 적대시하다가는 심각한 후과가 따른다는 것을 경험을 통해 알고 있었다. 따라서 미국과 서방으로부터 지원을 받되 동시에 소련과 원만한 관계를 유지하는 것이 그의 이익에 부합하는 것이었다. 이에 따라 그는 소련으로부터 로켓 추진형 유탄 발사기와 대공포 및 중포를 구매하고 이스파한의 대규모 강철 제품 공장 확장에 도움을 줄 소련 기술자 파견 등의 협상을 진행하게 되었을 때 매우 기뻐했다.

이것은 충분히 이해할 수 있는 현실정치의 면모였지만, 동시에 이 지역의 나라들이 처한 어려운 위치를 보여주었다. 초강대국 중 어느 한쪽과 협정을 맺으면 곧바로 다른 쪽의 반응이 나올 수밖에 없었다. 무언가 거리를 두려는 시도를 하면 처참한 결과를 맞을 수 있고 반대파 인사들에게 쉽게 기회를 줄 수 있었다.

1968년 이라크에서는 또 한 번 쿠데타가 일어나 소련에게 이 나라와 유대를 강화할 기회를 제공해주었다. 그 유대를 발전시키기 위해 소련은 이전 10년 동안 많은 공을 들여왔었다. 그것이 이제 열매를 맺어 1972년 15년간의 우호·협력 조약이 체결되었다. 영국은 그것이 공식적인 "소련과의 동맹"[16]이나 다름없다고 보았다.

소련의 촉수가 더욱 멀리 뻗어가고 있다는 미국의 불안은 아시아의 다른 곳에서 일어난 일들에 의해 더욱 커졌다. 1971년 소련은 인도와 25년간의 평화·우호·협력 협정을 맺고 경제적·기술적·군사적 지원을 제공하기로 합의했다. 아프가니스탄에서는 상황이 좋지 않아 보였다. 다우드 칸이 1973년 좌파 지지자 세력과 함께 쿠데타를 일으켜 권좌에 올랐다. 유명한 이슬람 지도자들이 새 정권에 쫓기거나 피해서 국외로 달아났다. 그들은 파키스탄에서 자유로이 살 곳을 찾았다. 특히 퀘타 인근의 이른바 부족민 지역이었다. 그곳에서 그들은 줄피카르 알리 부토 정권의 적극적인 지원을 받았다. 부토는 그들이 아프가니스탄의 새 정권을 흔드는 데 유용한 도구가 될 수 있다고 보았고, 또한 국내에서는 자신의 종교적 자격을 빛나게 할 수 있는 손쉬운 방법이기도 했다.

욤키푸르 전쟁의 충격파

격변이 일어나고 있고 새로운 세계 질서가 태동하고 있다는 느낌은 지중해와 히말라야 산맥 사이의 지역 사람들이 자기네 미래를 스스로 결정하려 애쓰면서 감지할 수 있었다. 정말로 이라크가 독립한 순간은 석유산업을 국유화했을 때, 즉 1972년 스스로의 운명을 책임지게 되었을 때라고 사담 후세인은 나중에 말하곤 했다. 서방 사람들이 현지 주민들 위에 군림하던 시대는 지나갔다. 그는 이렇게 선언했다.

"외국의 지배와 외세에 의한 착취[의 시대]는 이제 끝났다."[17]

이런 움직임들은 외부 세력의 횡포에서 벗어나 중대한 장기적 결과를 가져올 연쇄 반응을 촉발시킬 터였고, 석유는 그 배후에 있는 연료였다. 일련의 새로운 변화를 이끈 기폭제는 야심찬 한 젊은 리비아의 장교가 이끈 쿠데타였다. 영국에서 그의 교육을 담당했던 영국군 교관은 그가 "쾌활하고 근면하고 성실"했다고 묘사했다.[18] 무암마르 알카다피는 분명히 지략이 뛰어났다. 정권을 잡은 직후인 1970년 초 그는 리비아산 석유 수익금의 대폭적인 인상을 요구했다. 당시 유럽에 공급되는 전체 석유의 30퍼센트가 리비아산이었다. 그는 동포들에게 이렇게 주장했다.

"형제들이여, 리비아 인민들이 엄청나게 많은 석유를 가지고 있는데도 이 혁명이 그들을 가난하게 내버려둘 수는 없습니다. (……) 인민들은 오두막이나 천막에 살고 있는데 외국인들은 저택에 살고 있습니다."

카다피는 이어, 다른 나라들은 달에 사람을 보내고 있는데 리비아인들은 너무도 착취당해 전기와 물도 없는 지경이라고 말했다.[19]

석유회사들은 석유에 대해 공정한 값을 지불하라는 새 정권의 주장에 대해 분노에 찬 비명을 질렀다. 그러나 곧 그의 주장을 수용했다. 석유가 국유화되는 것은 결코 선택지가 될 수 없지만 결국 그렇게 될 것임이 분명해졌기 때문이다. 리비아 지도자 카다피가 재협상을 강제할 수 있었다는 사실을 다른 사람들은 놓치지 않았다. 몇 주 안에 OPEC은 서방 석유회사들에게 더 많은 돈을 내라고 압박했다. 생산을 줄이겠다고 위협하여 협정을 강제한 것이다. 로열더치셸 경영진의 말을 빌리자면 이때가 '산사태'가 시작된 순간이었다.[20]

그 결과는 엄청났다. 석유 가격은 3년 사이에 네 배로 인상되었고, 유럽과 미국의 경제에 막대한 부담을 안겼다. 그곳은 수요와 소비 수준이 계속해서 급증하고 있었다. 그러는 사이에 석유 생산국들에는 전례 없이 많은 돈이 들어와 흘러넘쳤다. 아시아 중심부와 페르시아만 지역의 나라들은 녹스 다시 채굴권으로 석유를 발견한 직후부터 꾸준히 수익이 증가했다. 그 후 수십 년 동안에 걸쳐 협정들이 점점 더 나은 조건으로 서서히, 그러나 확실하게 재협상이 이루어졌기 때문이다. 그러나 1970년대에 일어난 것은 엄청난 규모의 변화였다. 1972~1973년에 이란의 석유 수입은 여덟 배로 뛰어올랐다. 10년 사이에 정부 수입은 30배가 되었다.[21] 이웃인 이라크 역시 마찬가지로 엄청난 증가세를 보였다. 1972년에서 1980년 사이에 5억 7500만 달러에서 260억 달러로 50배 가까이 뛰었다.[22]

이것은 "서방 선진국들이 에너지원으로 석유에 얼마나 의존했는지"를 너무도 잘 설명해준다고, 미국의 한 고위 관리는 1973년 국무부에 보낸 보고서에 썼다.[23] 그러나 힘이 (그리고 돈이) 아시아의 등뼈에 걸터앉은 나라들로 옮겨가는 것은 필연이었다. 그리고 야망이 커져감에 따라 이슬람 세계의 힘이 강화되는 것 역시 필연이었다.

그것이 가장 극적으로 표현된 것은 서아시아 전체에 대한 외부 영향의 상징을 몰아내려는 새로운 노력이었다. 바로 이스라엘을 말이다. 1973년 10월, 시리아와 이집트군은 바드르 작전을 개시했다. 선지자 무함마드 시대에 성도 메카를 점령하는 길을 열어준 전투의 이름을 딴 것이다.[24] 이 공격에 이스라엘 방어군뿐만 아니라 초강대국들도 깜짝 놀랐다. 공격이 개시되기 몇 시간 전에 한 CIA 보고서는 확신에 차서 이렇게 말했다.

"우리는 양국 군대가 이스라엘에 대해 군사작전을 감행할 가능성이 낮다고 봅니다."

이집트와 시리아군이 국경 부근으로 집결하고 있음을 알면서도 내린 결론이었다. 그들이 집결하고 있는 것은 훈련의 일환이거나 "이스라엘의 공격 움직임에 대한 공포"[25] 때문이라고 보고서는 결론지었다. 일부에서는 KGB가 이 계획에 대해 더 많은 정보를 가지고 있었던 듯하다고 주장하지만, 1년 전 이집트에서 소련 요원들이 모두 쫓겨난 사실은 현지인들의 복수심이 얼마나 강했었는지를 보여준다. 냉전의 패권을 위한 더 큰 싸움에 참여하는 것에 비해서 말이다.[26] 실제로 소련은 서아시아에서 긴장 완화를 위해 노력하고 이 지역에서의 '군비 축소'를 추구하는 데 적극적이었다.[27]

충돌의 충격은 지구촌을 흔들었다. 미국에서는 군사 경보 수준이 데프콘 3으로 격상되었다. 곧 핵무기가 발사될 위험이 있을 때 취해지는 조치다. 이는 1962년 쿠바 미사일 위기 이후 가장 높은 단계였다. 소련에서는 상황을 억제하는 데 초점이 맞춰졌다. 막후에서 안와르 사다트 이집트 대통령에게 휴전을 받아들이도록 압력을 가하는 한편, 정치적 생존의 달인인 외무부 장관 안드레이 그로미코가 닉슨 미국 대통령과 그가 새로 임명한 국무부 장관 헨리 키신저를 직접 압박했다. 함께 행동에 나서 전쟁 확대로 이어질 수 있는 "진짜 큰불"을 막자고 했다.[28]

욤키푸르 Yom Kippur 전쟁(유대교의 속죄일인 욤키푸르 날에 공격이 시작된 4차 아랍-이스라엘 전쟁을 이렇게 부른다)의 진짜 중요성은 미국과 소련이 함께 움직였던 시도에 있는 것도 아니고, 역사상 가장 큰 축에 속하는 군사적 역전(이스라엘은 몇 시간 안에 소멸할 듯한 상황에서 침략군을 물리치고 다마스쿠스와 카이로로 진격했다)을 보여준 그 극적인 결과에 있는 것도 아니다. 사실 놀라웠던 것은 아랍어권이 한데 뭉쳐 행동했다는 것이다. 이름만 그렇지 않았을 뿐이지 사실상 칼리프 왕국이었다. 우두머리는 메카의 주인인 사우디아라비아였다. 그들은 석유를 무기로 쓰겠다고 공개적으로 이야기했을 뿐만 아니라 실제로 그렇게 했다. 생산이 감축되었고, 이것이 정치적 불확실성을 키워 석유 가격을 끌어올렸다. 배럴당 가격이 순식간에 세 배로 뛰어올랐다.

미국에서 주유소에 선 줄이 모퉁이를 돌아가게 되자 키신저 국무부 장관은 이런 "정치적 공갈"이 선진국의 안정을 위협하고 있다고 불평했다. 그 충격이 너무 커서 서아시아산 석유에 대한 의존을 줄이거나 아예 없애는 새로운 전략을 개발하자는 이야기가 나올 정도였다. 1973년 11월 7일, 닉슨 미국 대통령은 시청자가 많은 시간대에 전국 텔레비전 연설을 하면서 이 불편한 사실에 대처하기 위한 몇 가지 조치를 발표했다.

"최근 우리 에너지 수요가 공급량을 초과하기 시작했습니다."

이에 따라 발전소들은 석유를 사용하지 않고 "우리에게 가장 풍부한 연료"인 석탄으로 전환할 것이라고 대통령은 엄숙하게 말했다. 항공기 연료 제한이 즉각 발효되고, 연방정부 소유의 모든 차량은 "비상시를 제외하고" 시속 80킬로미터 이상으로 주행하는 것이 금지되었다. 닉슨은 이어 이렇게 말했다.

"겨울을 보낼 석유를 충분히 확보하려면 (……) 우리 모두가 더 낮은 온도에서 생활하고 일해야 합니다. 우리는 모든 사람에게 실내 온도를 3~4도 낮추도록 요구해서 낮 동안의 전국 평균 온도를 20도로 유지해야 합니다."

그런 말이 위안이 되었을지 모르지만, 대통령은 이 온도에서 생활하면 "정말로 더 건강할 것이라고 (……) 주치의가 내게 말했다"고 덧붙였다.[29]

그는 이어 이렇게 말했다.

"그런데 어떤 분들은 우리가 시계를 옛날로 되돌리고 있는 것이 아닌지 의문을 품으실지 모르겠습니다. 가스 배급, 석유 부족, 제한 속도 인하. 이 모든 것들은 저 옛날 글렌 밀러(미국의 재즈 음악가 — 옮긴이)나 40년대 전쟁 시대의 생활방식처럼 들립니다. 네, 사실 우리가 지금 마주친 문제도 부분적으로 전쟁 때문에 생긴 것입니다. 서아시아에서 발생한 전쟁 말입니다."

추가로 필요한 것은 "국가적 목표"라고 닉슨은 말했다. 미국이 "다른 어떤 해외의 에너지 공급자에게 의존하지 않고 스스로 에너지 수요를" 충족하기 위한 야심찬 계획이었다. '자립 계획'이라는 이름이 붙은 이 제안은 "아폴로 정신"(우주 프로그램)과, 서방에 핵무기와 세계를 파괴할 능력을 안겨준 맨해튼 프로젝트에서 영감을 받은 것이었다. 미국은 초강대국이었다. 그러나 미국은 또한 자국의 약점을 너무나도 잘 알고 있었다. 대안을 찾아 서아시아산 석유에 대한 의존을 (그리고 그 중요성을) 줄여야 할 때였다.[30]

이러한 방향 전환은 예상치 못한 부수 효과들을 낳았다. 고속도로의 속도 제한을 전체적으로 시속 90킬로미터로 줄인 것은 석유 소비를 줄이기 위한 조치였는데, 그 결과 하루 석유 소비량이 15만 배럴 이상 감소했을 뿐만 아니라 교통사고 건수도 크게 줄었다. 전미 고속도로 교통안전국 통계에 따르면 1973년 12월에 사망자 수가 15퍼센트 이상 감소한 것으로 나타났다. 속도 제한을 낮춘 직접적인 결과였다.[31] 유타, 일리노이, 켄터키, 캘리포니아 등에서 실시된 연구들은 속도 제한을 낮춘 것이 인명을 구하는 데 긍정적인 효과가 있음을 분명하게 보여주었다.[32]

에너지 사용을 줄이는 일이 중요해지자 미국 건축가들은 재생 가능한 에너지원에 중점을 둔 건축물을 설계했다.[33] 이 시기는 또한 전기 동력 자동차 개발에서도 분수령이 되었다. 수용성 전해질 배터리,

고체 소자 배터리, 용융염溶融鹽 배터리 등 여러 가지 경쟁하는 시스템들의 안정성과 효율성에 대한 광범위한 연구가 장려되었다. 이런 것들이 수십 년 뒤 하이브리드 자동차가 탄생할 기반을 만들었다.[34]

에너지는 사람들의 이목을 끄는 정치 이슈가 되었다. 제임스 카터 조지아 주지사(곧 대통령 후보가 된다)는 소리 높여 "포괄적인 장기 국가 에너지 정책"을 세울 것을 촉구했다.[35] 의회는 태양광 발전에 많은 투자를 하기로 합의했고, 원자력 산업에 대해 호의적인 태도들이 확산되었다. 원자력은 기술적으로 믿을 수 있는, 에너지 문제에 대한 확실한 해법으로 간주되었다.[36]

유가 상승으로 인해 이전에는 상업적으로 의미가 없거나 높은 개발 비용 때문에 석유 생산을 하지 않았던 곳들에서도 이제 석유 탐사를 할 이유가 생겼다. 북해와 멕시코만 같은 곳들이다. 해상 구조물을 설치하면서 심해 작업장에서의 굴착 기술이 빠르게 발전했고, 기반 시설과 송유관, 장비와 인력에 대한 투자가 이어졌다.

그러나 이 가운데 어느 것도 즉각적인 효과를 가져올 해법은 아니었다. 모두가 연구와 투자가 필요했고, 무엇보다도 시간이 필요했다. 닉슨 대통령이 1973년 6월 메모에서 지시한 대로 연방정부 건물의 냉난방 온도를 규제하고 "공무원 복장 기준을 적절히 완화"하고 차량 합승을 늘리는 것도 다 좋지만, 그런 조치들이 문제를 해결할 수 있을 것 같지는 않았다.[37]

그러는 사이에 서아시아의 석유 생산국들은 이 기회를 잘 이용했다. 공급이 불확실해지자 시장은 겁에 질렸고, OPEC의 무슬림 국가들이 석유를 사우디아라비아 국왕이 말한 대로 "전쟁 무기"로 사용하면서 유가는 거의 통제를 벗어나 치솟았다. 1973년 하반기 6개월 동안

에 석유의 공시 가격은 배럴당 2.9달러에서 11.65달러로 상승했다.[38]

심지어 욤키푸르 전쟁이 3주 동안의 치열한 전투를 벌이고 끝난 뒤에도 사태는 결코 정상 상태로 되돌아오지 않았다. 실제로는 서방으로부터의 자본 재분배가 오히려 가속화되었다. 석유 생산국들의 합산 수익은 1972년 230억 달러에서 불과 5년 뒤에는 1400억 달러로 늘었다.[39]

도시들은 번창했고, 돈이 투입되어 도로와 학교, 병원이 건설되면서 변모했다. 바그다드에는 새 공항과 기념비적 건축물, 심지어 현대 건축의 대가로 알려진 르 코르뷔지에가 설계한 경기장까지 만들어졌다. 그 변화가 너무도 컸기 때문에 일본의 한 건축 잡지는 이라크 수도 바그다드의 변모를 오스만 남작이 지휘한 19세기 말 파리의 변모에 견주었다.[40] 이는 당연히 집권자들에게 귀중한 정치적 자산이 되어주었다. 페르시아만 일대의 정권들은 막 얻은 풍요를 개인적인 권력과 연결시키는 거창한 이야기들을 쏟아낼 수 있었다.

따라서 세계의 중심부로 흘러들어오는 현금의 흐름이 급류로 바뀌면서 그 지배 계급이 점점 더 선동가적인 생각을 품게 된 것은 결코 우연이 아니었다. 그들은 자기네 권한으로 쓸 수 있는 돈이 엄청났기 때문에, 비록 전통적인 독재 방식으로 사람들에게 일상적으로 먹을 것과 오락거리를 제공할 수는 있었지만 다른 사람에게 권력을 나누어준다면 잃을 것이 정말로 너무 많았다. 다원적 민주주의의 발전은 너무 더뎠고, 그 대신 작은 개인 집단이 통제권을 강화했다. 이 집단이 아라비아 반도와 이란의 경우처럼 통치자 및 통치 가문과 혈연적으로 연결되었든, 이라크나 시리아처럼 같은 정치적 주장을 지지하든 말이다. 선진국들이 적극적으로 장벽을 무너뜨려 신분 이동을 촉진하고 자유민주주의의 장점을 크게 찬양하던 시대에 왕조 지배가 표준이 된 것이다.

석유가 풍부한 나라들(대부분이 페르시아만 부근에 있었다)로 돈이 재분배되면서 그 대가로 선진 세계는 만성적인 경기 침체를 겪어야 했다. 선진국들은 OPEC 회원국들의 금고가 날로 불어나는 동안 불황과 침체의 무게에 짓눌려 있었다. 서아시아 국가들은 돈이 넘쳐났다. 영국의 전성기인 18세기에 벼락부자들이 돈을 물 쓰듯 하던 것과 마찬가지였다. 1970년대는 풍요의 10년이었다. 이란 항공은 콩코드 비행기를 주문했고, 스테레오와 텔레비전 같은 사치품의 수입이 늘었다. 텔레비전 시청자가 늘면서 텔레비전 수입이 1970년 200만 대 남짓에서 불과 4년 뒤에 1500만 대로 늘었다.[41] 사치스러운 소비는 끝이 없었다.

중세 초 유럽이 동방에서 오는 좋은 직물과 향신료, 그리고 사치품에 목말랐을 때 그랬던 것과 마찬가지로, 문제는 그 귀중한 필수품들의 대금을 지불할 다른 방법이 있느냐 하는 점이었다. 1000년 전에는 노예들이 무슬림 국가들로 실려 와서 다른 곳으로 향하는 물건을 구매할 대금으로 쓰였다. 이번에도 역시 '검은 금'을 살 수 있도록 해주는 어두운 부분이 있었다. 바로 무기 판매와 핵 기술 판매였다.

은밀한 무기 거래

각국 정부들은 국영 기업을 통해 무기를 팔기 위해 적극적인 로비를 펼쳤다. 아니면 많은 인력을 고용하고 있어 세금을 많이 내는 기업들을 지원했다. 1970년대 중반에 서아시아는 전체적으로 세계 무기 수입의 50퍼센트 이상을 차지했다. 이란만 하더라도 1978년까지 6년 동안에 방위비 지출이 거의 열 배로 증가했다. 미국 기업들은 같은 기간에 거의 200억 달러어치의 주문을 받았다. 이 기간 동안의 전체 군사비

지출은 540억 달러를 넘는 것으로 추산되었다. GNP의 16퍼센트 가까이까지 증가한 것이다.[42]

샤는 무기를 사는 일이라면 여러 말이 필요 없었다. 그는 비행기와 미사일과 대포에 집착한 사람이었다. 한번은 그가 이란 주재 영국 대사 피터 램스보섬 Peter Ramsbotham에게 이렇게 물었다.

"치프턴 탱크 사슬바퀴의 마력이 얼마나 되오?"

그 외교관은 질문에 답변하느라 진땀을 뺐다.[43] 모두가 한몫을 잡기 위해 혈안이 되었다. 소련에서부터 프랑스까지, 동독에서부터 영국까지. 무진장해 보이는 자원 덕분에 문제는 어느 지대공 미사일 시스템을 살 것이냐, 어느 대對전차 설비를 팔 것이냐, 어느 전투기를 구매할 것이냐에 집중되었다. 그리고 국외자들로서는 성공적으로 헤쳐나가기 어려운 듯한 이 세계에서 거래를 성사시키기 위해 어떤 중개업자를 믿을 것이냐였다.

이라크에서는 군사 장비를 위한 지출이 국가 예산의 40퍼센트에 육박했다. 1975년부터 1980년까지 여섯 배 이상 증가한 것이다. 곧 이란과 이라크 사이의 군비 경쟁으로 발전하는 상황이나, 계속 증가하는 자원을 무기에 쏟아붓는 것이 군부의 위상을 위험할 정도로 끌어올리는 것은 아닌지 등에 우려를 품은 사람은 별로 없었다. 반대로 수요가 (그리고 지불할 능력이) 있는 한 서아시아와 특히 페르시아만 지역의 나라들이 다량의 무기를 사서 비축하는 일을 막을 장애물은 없었다. 이란이 치프턴 탱크를, 이스라엘이 미라주 제트기를, 시리아가 미그-21과 미그-23 전투기를, 이라크가 소련제 T-72 탱크를, 사우디아라비아가 미제 F-5 제트기를 더 많이 주문할수록 영국과 프랑스, 소련, 미국의 경제에는 더 좋았다.[44]

같은 접근이 원자력 발전 문제를 놓고도 이루어졌다. 21세기 초에 이란이 어떤 형태로든 핵 역량을 발전시킨다는 생각은 국제적인 비난과 불신의 대상이 되었다. 원자력 발전 문제는 대량살상 무기의 확산과 연결될 수밖에 없었다. 이라크의 핵 잠재력은(그리고 국제원자력기구 조사관들이 이라크에 있다고 생각되거나 보고되거나 알려진 시설과 실험실과 원심분리기를 조사할 수 없다는 사실은) 사담 후세인을 실각시킨 2003년 침공을 정당화하는 명분이 되었다.

핵 역량을 발전시키려는 이란의 결의와 방사성 물질을 처리할 수 있는 능력에 대한 비슷한 의문은 비슷한 충동을 유발했다. 2013년 겨울 존 케리 미국 국무부 장관은 "신화와 정치로 현실을 흐릿하게 만들어서는 안 된다"라고 말했다.

"[오바마] 대통령은 이란의 무기 문제에 대해 무력을 쓸 의사가 있고 그럴 준비가 되어 있다고 공언해왔습니다. 그리고 대통령은 그것이 필요해질 경우 그 목표를 이루는 데 필요한 병력과 무기를 배치했습니다."[45]

핵 에너지 개발을 원한다는 생각 자체는 지역과 세계의 안보를 위협하는 것으로 생각되어왔다. 2005년에 리처드 체니 미국 부통령은 이렇게 말했다.

"그들(이란)은 이미 엄청나게 많은 석유와 가스를 가지고 있습니다. 그들이 에너지를 만들기 위해 핵이 필요하다고 생각하는 사람은 아무도 없을 겁니다."

헨리 키신저도 이에 동의했다.

"이란 같은 주요 석유 생산국이 핵 에너지를 만들겠다고 하는 것은 자원 낭비입니다."[46]

수십 년 전 두 사람은 사태를 아주 다르게 보았다. 전후 시기의 역대 미국 행정부들이 그래왔듯이 말이다. 사실 핵 원료를 확보한 것은 미국의 적극적인 권고에 의한 것이었다. 그런 정책을 추진한 프로그램의 이름과 목표는 지금 보면 거의 코미디다. 바로 '평화를 위한 원자력'이다. 아이젠하워 행정부에서 구상한 이 프로그램은 미국이 "국제 원자력 풀"에 참여하기 위해 설계되었고, 결국 우방국 정부들은 4만 킬로그램의 우라늄-235를 비군사적 연구를 위해 이용할 수 있게 되었다.[47]

30년 동안 핵 기술과 부품과 원료를 공유하는 것은 미국 외교정책의 기본 원칙이었다. 소련 진영에 맞서 협력과 지지를 해주는 데 대한 직접적인 장려책이었다. 소련이 아시아와 페르시아만 지역에서 무시할 수 없는 존재가 되자 미국은 샤에 대한 지원을 늘릴 필요성을 느꼈다. 그는 이 지역에서 믿을 만한 유일한 지도자로 생각되었다. 물론 그렇게 생각하지 않는 사람들도 있었지만 말이다. 사우디아라비아의 석유광물부 장관 아메드 자키 야마니는 리야드 주재 미국 대사 제임스 E. 애킨스에게, 샤가 "과대망상증 환자에다 매우 변덕스럽다"고 경고했다. 만약 미국이 이를 이해하지 못한다면 미국의 "관찰력에 뭔가 문제가 있음에 틀림없다"[48]라고 그는 덧붙였다.

이 이란 지배자에게 "그가 원하는 모든 것"을 주는 데 대해 경고하는 일부 회의론자들이 있었지만, 다른 사람들은 이 지역에서 소련의 세력이 확장되는 것을 막으려면 샤에 대한 지원을 강화할 수밖에 없다는 데 동의했다. 대표적인 사람이 키신저였다. 따라서 1970년대 중반에 샤가 워싱턴을 방문했을 때 키신저가 제럴드 포드 대통령을 위해 준비한 메모는 미국이 샤에 대해 가시적인 지원을 하는 것이 중요하다는 사실에 관심을 갖도록 했다. 또한 그를 "비상한 능력과 지성을 지닌 사람"으로 묘사했는데, 이러한 찬사는 만성화된 이란의 부패와 비효율성이 심각한 수준인데도 얼버무리고 넘어간 것이었다.[49]

이웃 이라크를 혼란에 빠뜨리려는 이란의 계획을 지원하기 위해 너무 열심히 움직이는 바람에 미국은 쿠르드족이 문제를 일으키도록 하는 데 일조하고 말았다. 이는 비극적인 결말을 맞았다. 반란이 대실패로 끝난 뒤 이라크 북부에서 소수민족인 쿠르드족을 상대로 잔인한 보복이 이루어졌다. 반란을 부추겼던 미국은 이제 물러서서 이란이 이라크와 협상에 나서고 곧 오랫동안 이어져왔던 국경 문제를 타결하는 것을 지켜볼 뿐이었다. 그 과정에서 쿠르드족만 희생되었다.[50] 미국 하원의 오티스 G. 파이크Otis Grey Pike 의원이 이끈 정보 상설 특별위원회인 파이크 위원회는 1970년대 미국의 은밀한 외교를 조사했는데, 그들은 이렇게 결론지었다.

"비밀 공작이라는 맥락에서 보더라도 우리의 활동은 좋게 볼 수 없는 것이었다."[51]

아마도 당연한 일이었겠지만, 키신저는 자신의 첫 자서전에서 이 사건을 다루기에는 지면이 충분하지 않다며 두 번째 권으로 미루었으나 그 약속을 지키지 않았다.[52]

샤는 다른 측면에서 역시 미래를 위한 계획을 세우고 있었다. 그는 1970년대 초의 석유 노다지가 영원히 계속되지는 않을 것이며 석유 매장량은 결국 고갈될 것임을 알아차렸다. 그렇게 되면 자국의 에너지 수요를 맞추는 것조차 불확실하게 된다. 미국이 냉난방 온도를 규제했음에도 불구하고 석유 수요는 계속 증가하여, 돈 많은 이란(그리고 석유가 많은 다른 나라들)은 장기적인 준비를 할 수 있었다.

샤가 특별히 의뢰해 작성된 한 보고서는 원자력이 이란의 필요를 충족시킬 수 있는 "가장 경제적인 동력원"이라고 결론지었다. 석유 가격은 계속 오르기만 할 것이고 원자력 발전소를 건설하고 유지하는 비용은 줄어들 것이라는 두 가지 전제에서 원자력 산업을 개발하는 것은 당연히 취해야 할 조치로 여겨졌다. 특히 이 고급스러운 사업은 이란이 얼마나 현대화되었는지를 보여줄 터였다.[53] 샤는 직접 이 일을 지휘하면서, 자신에게 직접 보고하라고 이란 원자력기구의 아크바르 에테마드 박사에게 지시했다.[54]

첫 번째로 찾아간 곳은 미국이었다. 1974년 미국이 2기의 원자로와 농축 우라늄을 이란에 판매하는 데 동의한다는 협정의 가서명이 이루어졌다. 협정의 범위는 1975년에 더욱 확대되었다. 두 나라는 150억 달러 상당의 교역 협정에 합의했다. 그 가운데는 미국이 이란에 8기의 원자로를 고정 가격 64억 달러에 제공한다는 내용도 포함되었다.[55] 이듬해 포드 미국 대통령은 이란이 원자로 연료에서 플루토늄을 추출할 수 있는 재처리 시설이 포함된 미국산 시스템을 구매하고 운용할 수 있도록 하는 협정을 재가했다. 이란은 이에 따라 '핵연료 순환'의 전 과정을 운용할 수 있게 되었다. 포드 대통령의 비서실장 리처드 체니는 주저 없이 이 판매를 승인했다. 1970년대에 그는 이란의 동기가 무엇인지 "알아내기"가 어렵다는 사실을 알지 못했다.

샤가 미국에서 구입한 것은 야심차고 더 광범위한 계획의 일환이었고, 이제 다른 서방 국가들로부터 기술과 전문지식과 원료를 끌어들일 차례였다. 작업은 1975년 서독의 크라프트베르크 우니온(Kraftwerk Union AG) 사와 계약을 체결한 뒤 페르시아만 연안 부시르 부근에 있는 2기의 가압수형加壓水型 원자로에서 시작되었다. 이 서독 회사는 초기 장전 연료와 10년간 재장전하는 데 필요한 연료를 제공하기로 약속했다.

크라프트베르크와 함께 스위스 브라운보베리 및 프랑스의 프라마톰 등과 8기의 원자로를 더 구입하는 추가 의향서들이 조인되었고, 여기에는 이란에 농축 우라늄을 공급한다는 내용도 들어 있었다. 우라늄을 프랑스에서 재처리하고 농축을 위해 이란으로 다시 들여온 뒤 이를 국내에서 재사용하는 (또는 이란이 선택하는 제3국에 되파는) 내용의 별도 협정에도 합의했다.[56]

이란은 비록 1968년의 핵확산금지조약(NPT) 서명국이긴 했지만, 정보 세계에서는 이란이 은밀하게 핵무기 개발을 추진하고 있다는 이야기가 나돌았다. 샤가 가끔 이란은 "틀림없이, 그리고 사람들이 생각하는 것보다 더 빨리"[57] 핵무기 개발 능력을 가지게 될 것이라고 언명한 것을 생각하면 놀라운 일도 아니었다. 1974년에 CIA가 작성한 핵확산 평가 보고서는 대체로 이란이 개발 초기 단계에 있으며 1980년대 중반에는 샤의 목표가 달성될 것이라고 결론지었다. "만약 그가 살아 있다면"[58] 말이다.

이라크의 핵무기 개발

다른 나라들 역시 비군사 용도의 핵시설에 대한 투자를 모색하는 동시에 핵무기 개발도 추진했다. 1970년대에 이라크는 사담 후세인의 지휘 아래 원자폭탄을 만든다는 구체적인 목표를 가지고 지출을 적극적으로 늘리고 있었다.[59] 1980년대에 이 프로그램의 책임을 맡았던 키디르 함자Khidir Hamza에 따르면, 후세인은 야심이 커서 "한 해에 폭탄 여섯 개를 만든다는 목표"를 세웠다. 이런 규모로 개발한다면 이라크는

20년 안에 중국보다 더 많은 핵무기를 보유하게 될 터였다. 비용은 전혀 아끼지 않았다. 이라크의 과학자와 기술자들은 외국으로 파견되어 훈련을 받았다. 특히 프랑스와 이탈리아로 많이 갔다. 한편 국내에서도 핵무기를 만드는 데 필요한 기술과 기능과 기반시설들을 확보하기 위해 온갖 노력을 기울여 민간 프로그램들을 이용하려 했다.[60]

이라크는 단호하게 접근했다. 이미 소련에서 구입한 2메가와트 실험용 원자로가 1967년에 한계에 다다르자 관심은 가스냉각-흑연감속 원자로와 그 결과로 나오는 플루토늄의 재처리 시설을 얻는 쪽으로 옮겨갔다. 프랑스에 요청했던 것이 거부되자 밀사들은 캐나다로 갔다. 1974년 인도에서 핵무기 실험을 할 수 있도록 했던 것과 비슷한 원자로를 사려는 희망을 품고서였다. 이는 프랑스로 하여금 협상을 재개하도록 만들었고, 그 결과 오시리스급 실험용 원자로 1기와 더 작은 실험용 원자로 1기를 만드는 데 합의했다. 두 원자로 모두 핵무기급 우라늄을 연료로 쓰는 것이었다. 양쪽에서 쓸 필수 추가 재료들은 이탈리아에서 사들였다. 방사능 물질 처리용 차폐실遮蔽室인 핫셀hot cell과 방사능 처리를 한 우라늄에서 플루토늄을 추출할 수 있는 격리된 처리 시설(연 생산 능력 8킬로그램) 같은 것들이다.[61]

여기에 눈에 보이는 것 이상의 무언가가 있고 에너지가 유일한 동기가 아니라는 점에 의문을 가진 사람은 거의 없었다. 특히 이스라엘은 사태 전개를 예의주시했으며, 그 이웃 나라들의 군국화에 관한 상세한 정보를 수집했다. 특히 바그다드 부근 투와이사에 있는 탐무즈 원자로(프랑스 측이 붙인 이름인 오시라크로 더 잘 알려져 있다)에 관심이 집중되었다. 이스라엘은 또한 자기네 핵무기 프로그램에도 막대한 투자를 했다. 미사일 시스템도 마찬가지였는데, 프랑스 디자인을 개조하여 핵탄두를 300킬로미터 밖까지 보낼 수 있었다.[62] 1973년 욤키푸르 전쟁 발발 당시 이스라엘은 열세 개의 핵무기를 보유한 것으로 인식되었다.[63]

서방은 필요한 때는 못 본 척했다. 예컨대 영국은 1970년대 초에 이라크에 대해 이렇게 결론지었다.

"비록 억압적이고 썩 좋아 보이지는 않지만, 현재의 정권은 통치를 잘하고 있는 듯합니다."

그 정권은 안정적이었고, 그렇기 때문에 영국이 거래할 수 있는 상대였다.[64] 마찬가지로 파키스탄도 1970년대에 지하 깊숙한 곳에 시설을 만들어 비밀 실험을 했으며 마침내 제지를 받지 않고 폭발을 성공시킬 수 있었다. 발루치스탄의 라스코 산지에 있는 산에 다섯 개의 수평 갱도가 뚫렸는데, 각기 20킬로톤의 폭발을 견딜 수 있도록 설계되었다.[65] 한 파키스탄 과학자는 탄식하며 이렇게 말했다.

"서방 세계는 (……) 파키스탄처럼 발전이 덜된 나라는 결코 이 기술에 통달할 수 없다고 확신하고 있습니다."

그러면서 동시에 서방 국가들은 "우리에게 모든 것을 판매하기 위해 열렬하고 끈질긴 노력"을 기울이고 있었다.

"그들은 말 그대로 자기네 장비를 사달라고 우리에게 애걸했습니다."[66]

사실 미국, 영국, 프랑스 같은 나라들(국제원자력기구의 사찰과 규정에 속박되기를 거부한 나라들이었다)이 핵확산에 대해 한 엄격한 이야기들이, 비밀리에 실험을 했던 나라들과 불협화음을 냈던 사실을 알기는 어렵지 않다. 그러나 냉철히 생각해보면 진짜 위선은 선진국들이 돈을 벌고 값싼 석유를 얻기 위해 열성적으로 그런 나라들로 달려갔다는 것이다.

핵물질의 확산을 줄이기 위한 미적지근한 시도가 있었다. 1976년에 키신저는 파키스탄에 재처리 계획을 축소해나가고 그 대신 이란에 건설하고 있는 미국 공급 시설의 것을 가져다 쓰라고 제안했다. 이란의 시설은 다름 아닌 체니가 만든 계획의 일부였는데, 이 지역의 에너지 수요를 위한 중추 역할을 하도록 되어 있었다. 파잘 일라히 차우드리 Fazal Ilahi Chaudhry 파키스탄 대통령이 이를 거부하자 미국은 이 나라에 대한 원조 패키지를 삭감하겠다고 위협했다.[67]

키신저마저도 외국 정부들이 원자력의 토대가 되는 기술과 설계를 이용할 수 있도록 하는 일의 타당성을 재검토하기 시작했다. 그는 자신이 그 일을 중개하는 데 핵심적인 역할을 했음에도 불구하고 1976년 국무부 회의에서 이렇게 말했다.

"나는 솔직히 이란과의 거래(원자로 건설)가 좀 피곤해졌습니다. 내가 그것을 보증했습니다만, 어느 곳을 보더라도 이것은 사기입니다. (……) 나라의 이익과 반대되는 일을 할 정도로 광적이고 비현실적인 나라는 우리 나라뿐입니다."[68]

이런 정서는 미국이 제한된 선택지 속에 갇히고 그런 상황에 직면해 있다는 생각에서 나온 것이었다. 이는 1970년대 말 국가안전위원회 위원들이 분명하게 설명한 바 있었다. 그들은 나중에 이렇게 말했다.

"미국은 이란과 긴밀한 관계를 유지하는 것 외에는 다른 가시적인 전략적 대안이 전혀 없습니다."

다른 곳에서 정책의 다리들을 불태워버렸기 때문이다.[69] 서방 언론에서 샤의 정권, 특히 국가보안정보국(SAVAK)의 잔인한 방식에 대한 비판이 커져도 미국 정부는 계속해서 큰 목소리로 변함없는 지지를 보냈다. 카터 대통령은 1977년 마지막 날에 테헤란으로 날아가 연말을 기념하는 만찬의 주빈이 되었다. 그는 이렇게 말했다.

"이란은 국제적으로 소란스러운 이 지역에서 섬처럼 홀로 안정된 곳입니다. 샤의 위대한 지도력 덕분입니다. 이것은 폐하와 폐하의 지도력, 그리고 폐하의 신민들이 당신께 바치는 존중과 존경에 대한 크나큰 선물입니다."[70]

이것은 현실을 부정할 정도로 그렇게 장밋빛 색안경은 아니었다. 먹구름이 몰려들고 있었고, 그것은 누구나 볼 수 있을 만큼 분명했다. 이란에서는 인구 증가와 급격한 도시화, 그리고 억압적인 정권의 흥청망청하는 지출이 독배를 만들어내고 있었다. 고질적인 부패가 발목을 잡았다. 왕실과 정권에 가까운 사람들이 원자로 하나마다 수억 달러의 '수수료'를 챙겼다.[71]

샤의 몰락

1970년대 말이 되자 테헤란의 상황은 고약해졌다. 점점 더 많은 수의 군중이 거리로 쏟아져 나와 사회 정의의 부재에 대해 항의했다. 그리고 세계의 석유 공급이 수요를 넘어서면서 유가가 급락하고 그 여파로 생활비가 치솟는 상황에 대해서도.

날로 늘어나는 반대 세력의 배후에는 호메이니가 있었다. 이때 그는 이라크에서 쫓겨나 파리에 망명하고 있었다. 1975년 이란과 이라크가 협상을 타결할 때 들어간 조항 때문이었다. 1977년에 아마도 국가보안정보국에 의해 맏아들을 잃은 것으로 보이는 호메이니는 정국을 휘어잡았다. 당장 이란의 문제점을 진단하고 이를 치유할 것을 약속하는 비전을 제시했다. 그는 소통의 달인이었다. 30년 전 모사데그가 그랬던 것과 똑같이 대중을 휘어잡을 줄 알았다. 호메이니는 샤가 물러날 때가 왔다고 선언했다. 좌파 혁명가와 이슬람 강경파, 그리고 번쩍거리는 보상을 받는 돈 많은 권력층에서 제외된 거의 모든 사람들에게 먹힐 수 있는 이슈였다. 도덕적인 리더십의 수혜자는 이란의 대중과 이슬람교도가 될 터였다. 샤는 아니었다.

이란이 신정국가神政國家가 될 것이라는 동맹 세력들의 우려에 대해 호메이니는 성직자와 전도자, 그리고 열성 신도들이 직접 나라를 통치하지는 않을 것이라고 약속했다. 그러나 지도는 하겠다고 했다. 그는 미래를 뒷받침할 네 가지 원칙을 제시했다. 이슬람 율법 사용, 부패 척결, 불공정한 법의 개정, 이란의 문제에 대한 외세의 간섭 종식 등이었다.

이는 귀에 쏙 들어오는 선언은 아니었다. 그러나 그것은 다양한 지지층을 설득하는 데 효과가 있었고, 이란뿐만 아니라 전체 이슬람 세계의 문제점과 어려움을 요약해 보여주었다. 다수를 희생시켜 부가 소수의 손에 넘어갔다는 주장은 강력했을 뿐만 아니라 반박의 여지가 없었다. 세계보건기구(WHO) 조사에 따르면 1970년대에 이란 국민의 40퍼센트 이상이 영양 결핍 상태였다. 부자들은 더욱 부자가 되는 가운데 불평등이 만연했고, 가난한 사람들의 상태는 거의 나아지지 않았다.[72]

이란 국민이 들고일어나야 한다고 호메이니는 선언했다. 군인들에게 호소하라고 했다. "그들이 당신들에게 총을 쏘고 당신들을 죽일지라도" 말이다. 우리들 수만 명이 형제로서 죽자고 했다. 그러나 그것은 "피가 칼보다 더 강하다"는 것을 보여줄 것이라고 했다.[73]

상황이 긴박해지자 샤(미국은 그에게 너무 많은 기대를 걸고 있었다)는 테헤란 공항으로 갔다. 거기서 그는 간단한 성명을 발표했다.

"나는 좀 피곤함을 느끼고 있습니다. 쉬어야겠습니다."

그러고는 나라를 떠났다. 그것이 마지막이었다.[74] 그 이후에 일어난 일을 그가 있었더라면 막아냈을지 어떨지는 알 수 없다. 그러나 일부 유럽 지도자들이 이 상황에 어떻게 반응했는지는 분명하다. 카터 미국 대통령이 "내 외교 생애에서 최악의 날 가운데 하나"라고 했던 날, 헬무트 슈미트 서독 총리는 서방 7개국 정상회담에서 서아시아 문제에 관해 논의하던 중에 "인신 공격을 하며" 이렇게 주장했다.

"미국이 서아시아에서 개입을 해서 (……) 전 세계에서 석유 문제를 일으켰소."[75]

미국은 전면 부인 방침을 따랐고, 주술 문자를 너무 늦게 해독했다. 1979년 초 미국은 유럽 주둔 미군 총사령관 로버트 E. 하이서 Robert Ernest Huyser 장군을 테헤란으로 보냈다. 샤에 대한 미국의 지지를 과시하고, 특히 군에 미국이 여전히 정권을 지원하고 있다는 인상을 주기 위해서였다. 하이서는 금세 불길한 조짐을 알아차렸다. 게다가 자신의 목숨이 위험에 빠질 수 있다는 사실도 알았다. 그는 샤의 시대가 끝났고 호메이니를 막을 수는 없음을 깨달았다.[76]

미국의 정책은 너덜너덜해져 있었다. 2차 세계대전 이래 시간과 노력과 자원을 이란에 쏟아부었다. 물론 주변 나라들에도 마찬가지였다. 지도자들을 유혹하고 그들이 마음대로 하게 내버려두었으며, 협력하지 않는 사람은 쫓아내고 다른 사람들로 대체했다. 아시아의 연결점을 통제하기 위해 사용한 방법들은 와장창 무너졌다. 당시 테헤란 주재 영국 대사였던 앤서니 파슨스 Anthony Parsons는 이렇게 말했다.

"우리가 보고 있던 망원경은 멀쩡했지만, 우리는 엉뚱한 목표물에 초점을 맞추고 있었습니다."[77]

더욱 좋지 않았던 것은 반미적인 표현이 이제 이 지역의 거의 모든 나라들을 하나로 만들고 있었다는 점이다. 시리아와 이라크는 소련 쪽을 바라보고 있었다. 인도는 미국보다 소련에 더 가까웠다. 반면에 파키스탄은 적절하다면 미국의 지원을 받을 용의가 있었다. 이란은 퍼즐의 결정적인 조각이었고, 이제 이란 역시 실패할 위기에 처한 것으로 보였다. 1979년 말 호메이니가 한 연설에서 말했듯이 한 시대가 끝나가고 있는 것 같았다. 그는 이렇게 말했다.

"동방의 모든 문제는 서방에서, 그리고 지금은 미국에서 온 외국인들 때문에 생겼습니다. 우리의 모든 문제는 미국에서 왔습니다."[78]

샤의 몰락에 워싱턴은 충격에 빠졌다. 반면 모스크바에서는 희망을 느꼈다. 이란 정권의 붕괴를 전환점으로 기회가 올 듯했다. 서방이 이란뿐만이 아니라 다른 곳에서도 오판한 것은 거의 코미디에 가까웠다. 아프가니스탄도 그런 예인데, 카불 주재 미국 대사관은 1978년 양국 관계가 최상이라고 보고했다.[79] 정말로 낙관적인 미국인들의 눈에 아프가니스탄은 대단한 성공 사례로 보였다. 이란의 경우와 마찬가지였다. 학교 수는 1950년 이후 열 배로 늘어났다. 더 많은 학생들이 의학, 법학, 과학 같은 전문적인 학과들에 진학했다. 초등교육을 마친 여성들의 수가 급증하면서 여성 교육 또한 꽃을 피웠다.

1973년에 집권한 다우드 칸 대통령은 CIA가 심은 사람이었고 그가 추구하는 진보적인 과제들은 미국인들이 주입한 생각이라는 소문이 나돌았다. 이 소문은 사실이 아니었지만, 이 때문에 미국과 소련의 외교관들이 조사에 나설 수밖에 없었다는 사실은 두 초강대국의 경

쟁 압박이 얼마나 극심했는지를 보여준다. 그것은 아시아에서의 '큰 게임'의 최신판이었다.[80]

짧은 혼란의 시기 이후에 사태가 어떻게 정리되었는지가 이제 중요해졌다. 모든 면에서 미국은 심하게 잘못된 것으로 보였다. 샤와 이란 쪽에 건 도박은 잃은 것으로 보였다. 옛 실크로드 곳곳에는 제안을 받아들일 용의가 있는 다른 나라들이 있었다. 이란에서 혁명이 일어나고 이라크는 소련이라는 구애자 쪽으로 기울어가는 듯한 상황에서 미국은 다음 수순에 대해 조심스럽게 생각해야 했다. 그러나 그것은 결국 재앙이었음이 드러났다.

파멸로 가는 길

이란 혁명의 파장

이란에서 일어난 혁명은 이 지역 전체에서 미국이 세운 엉성한 구상을 허물어뜨렸다. 그곳에는 한동안 불안정을 가리키는 징표들이 있었다. 샤 정권의 부패는 경제 침체와 정치적 무기력, 그리고 경찰의 만행과 함께 고약한 조합을 이루었다. 이것이 거침없는 비판자들에게 유리하게 작용했고, 그들의 개혁 약속은 많은 사람들의 호응을 얻을 수밖에 없었다.

이란에서 돌아가는 사태를 걱정하던 사람들은 소련이 이 상황을 이용하기 위해 적극적으로 일을 꾸미고 있다는 징후들이 보이자 더욱더 초조해졌다. 소련의 활동은 KGB가 이란에 심어둔 최고의 첩자 아흐마드 모가레비Ahmad Mogharebi 장군을 잃은 뒤에도 계속 이어졌다. 모가레비는 소련이 '우리의 최정예 요원'으로 생각했고, 이란 지배층의 구석구석에 연줄을 갖고 있었다. 그는 1977년 9월 국가보안정보국에 체포되었는데, 그가 KGB 조정관들과 자주 만나는 것이 의심을 샀기 때문이다.[1] 이 일은 소련에게 활동을 강화하도록 하는 자극제가 되었다.

1978년 초 스위스 통화 시장에서 이례적으로 이란 리얄화가 대량 거래된 것은 이란의 지지자들에게 자금을 보내라는 명령을 받은 소련 요원들의 거래 때문이라는 의혹이 일었다. 좌익 투데당이 배포하는 신문 《나비드Navid》는 눈에 띄게 고급스러워졌는데, 일부 사람들은 이 신문이 소련의 도움을 받아 발행될 뿐만 아니라 테헤란의 소련 대사관에서 인쇄된다고까지 생각했다. 이란의 반체제 인사 등에게 게릴라전과 마르크스주의 이론을 가르치기 위해 이 나라 밖에 세운 새 캠프들은 샤가 실각할 경우 소련이 그 공백을 바로 메울 준비를 하고 있다는 불길한 징후였다.[2] 이는 정치적 격변이 일어날 것으로 보이는 지역에 대한 더욱 폭넓은 개입의 일환이었다. 이에 따라 시리아의 하피즈 알아사드 대통령에게 추가로 지원이 주어졌다. KGB는 그가 "자기중심적인 프티부르주아이자 맹목적인 애국주의자"[3]라고 생각했지만 말이다.

사태 전개를 면밀하게 관찰하고 있던 일부 사람들은 파멸이 임박했다고 확신했다. 1978년 말에 테헤란 주재 미국 대사 윌리엄 설리번William Sullivan은 '기상천외한 것을 생각함'이라는 제목의 전문을 워싱턴에 보내 즉각 비상 계획을 시행해야 한다고 촉구했다. 이는 묵살되었다. 미국이 기회가 닿는 대로 "종교 및 군사 지도자들과의 사이에 모두스 비벤디(잠정 협정)를 구축하자"는 설리번의 권고 역시 마찬가지였다. 그는 미국이 호메이니와 대화 채널을 열어야 한다고 주장했다. 그가 권력을 잡은 뒤가 아니라 그전에 말이다.[4]

그러나 백악관의 목청 큰 사람들은 여전히 미국이 상황을 통제할 수 있다고 생각했다. 그래서 샤에 대한 지지를 유지하고, 1979년 1

월 말 샤푸르 바흐티아르 총리가 표명한, 호메이니는 이란으로 돌아오는 즉시 체포될 것이라는 계획을 믿고 있었다.[5]

이런 생각이 시야가 좁고 무익한 것이었음은 불과 며칠 만에 드러났다. 1979년 2월 1일, 호메이니가 강제추방된 지 14년 만에 테헤란의 공항에 내렸다. 그를 환영하기 위해 구름 같은 군중이 공항으로 몰려들었다. 그는 이들을 이끌고 먼저 테헤란에서 남쪽으로 20킬로미터 떨어진 곳에 있는 베헤슈트이 자흐라 순교자 묘지로 갔다. 그곳에는 25만 명가량의 지지자들이 기다리고 있었다. 그는 도전적으로 외쳤다.

"나는 내 주먹으로 이 정부의 주둥이를 갈겨버릴 것입니다. 이제부터는 바로 내가 정부를 임명할 것입니다."

BBC 방송은 이 연설을 보도하면서, 그가 수도로 돌아갈 때 500만 명이 연도에 늘어서 있었다고 전했다.[6]

호메이니 지지자들이 나라의 통제권을 장악하면서 사태는 빠르게 전개되었다. 2월 11일, 미국 대사관은 설리번이 본국으로 다음과 같은 전문을 보내면서 폐쇄에 들어갔다.

"군 항복. 호메이니 승리. 모든 기밀 문서 파기 중."

사흘 뒤 투사들이 미국 대사관 구내를 습격했을 때에도 민감한 자료들이 계속 파쇄되고 있었다. 다만 대사관 습격은 호메이니의 측근이 중단시켰다.[7] 2월 16일, 설리번 대사는 새로 임명된 메흐디 바자르간 총리를 만나 미국은 이란의 국내 문제에 개입할 의사가 없다고 밝혔다.[8] 그로부터 일주일도 되지 않아서 미국은 새 정부를 공식 승인했다. 이 새 정부는 국민투표를 거쳐 4월 1일 이 나라의 이름이 '이란 이슬람 공화국'임을 선포했다. 그해 연말에 실시된 두 번째 국민투표는 새 헌법을 승인했다. 그 가운데 한 조항은 이렇게 되어 있다.

"이 나라의 모든 민사, 형사, 재정, 경제, 행정, 문화, 군사, 정치 등에 관한 법령은 '이슬람'의 표준에 근거한다."[9]

미국은 수십 년 동안 이란과 샤에게 많은 것을 걸고 도박을 했다. 이제 도박에 실패한 데 대한 비싼 대가를 치러야 했다. 혁명은 전 세계에 충격파를 미쳐 석유 가격이 세 배 가까이 뛰어올랐다. 석유가 부족한 선진국 경제에 미친 영향은 치명적이어서, 인플레이션이 걷잡을 수 없이 치솟을 위기에 처했다. 공황 상태가 초래되면서 위기가 번질 것이라는 두려움이 생겨났다. 6월 말이 되자 미국 전역의 주유소들은 석유가 공급되지 않아 줄줄이 문을 닫고 있었다. 카터 대통령의 지지율이 거의 신기록 수준인 28퍼센트로 떨어졌다. 닉슨이 워터게이트 추문의 구렁텅이에서 헤매고 있던 때와 비슷한 수준이었다.[10] 대통령 재선 캠페인을 슬슬 시작할 시점이어서 이란의 정권 교체가 다가오는 대통령 선거에서 중요한 변수가 될 듯했다.

서방 국가들의 경제 탈선을 위협하는 것은 치솟는 석유 가격만이 아니었다. 대량의 주문 취소와 산업의 즉각적인 국유화 역시 문제였다. 녹스 다시 채굴권을 물려받은 브리티시 석유회사(BP)는 전 세계 생산의 40퍼센트를 담당했던 유전이 한 방에 날아간 뒤(이란 혁명 정권은 브리티시 석유회사의 이란 내 자산을 보상 없이 전량 몰수했다 — 옮긴이) 전면적인 재편(그리고 지분 매각)을 하지 않을 수 없었다. 제철소 건설과 공항 터미널 개선, 항만 개발 계약이 하룻밤 사이에 폐기되었고, 무기 계약이 무효화되었다. 1979년, 호메이니는 미국으로부터의 구매 90억 달러를 취소했다. 제조업자들은 회계에 고통스러운 구멍이 났고, 상당량의 재고는 이란의 샤보다 군비 확충에 덜 열심인 다른 시장에 팔기 위해 몸부림쳐야 했다.[11]

사실 이란의 경제 상태는 과장되어 있어서, 핵 개발 프로그램은 혁명 이전에도 이미 지지부진한 상태였다. 그러다가 혁명 이후 전면 취소되었다. 각기 프랑스, 미국, 서독에 본사를 둔 크뢰소루아르와 웨스팅하우스 전기, 크라프트베르크 우니온 등의 사업비 손실은 3300억 달러 정도였다.[12] 일부는 역경에도 불구하고 감탄스러울 정도로 잘 견뎌냈다. 서아시아 전문가이자 호메이니의 귀국 당시 테헤란 주재 영국 대사였던 외교관 앤서니 파슨스는 이렇게 썼다.

"우리는 샤의 정권에서 우리가 얼마나 잘해왔는지를 결코 잊어서는 안 됩니다. (……) 영국의 무역업과 제조업은 이란에서 막대한 돈을 벌어들였습니다."[13]

그는 굳이 언급하지 않았지만, 호시절이 끝났음은 분명했다. 미래에 나올 게 없음을 한탄하기보다는 과거에 벌어들인 것을 위안 삼는 수밖에 없었다.

그러나 미국에게 판돈은 본국에서의 경제적·정치적 후유증뿐만이 아니었다. 호메이니와 그 동료 성직자들이 소련의 무신론 정치에 거의 관심이 없고 이란의 좌파 그룹에도 별다른 공감을 하지 않는다는 (또는 친연성이 없다는) 것은 약간의 위안이었다.[14] 비록 샤의 몰락이 소련의 입지 강화로 이어지지는 않았지만, 그럼에도 불구하고 미국은 결정적으로 수세에 몰렸다. 이전에 확보했던 여러 발판들이 위태로워지거나 완전히 상실된 것이다.

호메이니는 정권을 잡은 뒤 곧바로 소련의 핵 공격에 대한 조기 경보 체계 구실을 해왔고 중앙아시아의 미사일 발사 실험을 감시하는 정보 수집소 노릇을 해왔던 미국 정보 시설들을 폐쇄했다. 이는 미국으로부터 소련에 대한 정보를 수집할 수 있는 중요한 수단을 빼앗아갔다. 이 시기는 미국과 소련 사이에 전략 탄도 미사일 발사기를 현재의 수준으로 제한하자는 집중적인 논의가 이루어진 이후 그런 정보 수집의 중요성이 더 커지던 때였다. 따라서 확인 과정에서 중요한 역할을 해왔던 기지의 폐쇄는 협상에 수년이 걸린 여러 가지 전략무기 협정을 위태롭게 하고 또한 진행 중인 매우 민감한 논의들을 좌초하게 만드는 것이었다.

소련의 미사일 실험과 개발을 감시하는 능력을 회복하려면 적어도 5년은 걸릴 것이라고, CIA 국장 스탠스필드 터너Stansfield Turner 제독은 1979년 초 상원 정보위원회에서 보고했다.[15] CIA의 소련 담당 국가정보관(나중에 CIA 국장과 국방부 장관이 된다) 로버트 게이츠Robert Gates는 이란 혁명의 결과로 미국의 정보 수집에 '실질적인 구멍'이 생겼다고 말했다. 이에 따라 이 공백을 메울 다른 동맹자를 만들기 위해 '유난히 세심한' 노력이 기울여졌다.

그 가운데 하나가 서부 중국에 대체 시설을 짓는 문제에 관한 중국 지도부와의 논의였다. 이는 1980~1981년 겨울 터너 제독과 게이츠의 베이징 방문으로 이어졌다. 이 방문 사실은 여러 해 뒤에야 드러났고, 그나마 상세한 내용도 거의 알려지지 않았다.[16] 신장성에 있는 치타이奇臺와 쿠얼러庫爾勒에 신호정보(SIGINT) 작전국 사무소가 설립되었고, 중국 인민해방군 총참모부 기술국이 운영하는 새로운 시설이 들어서 미군 고문 및 기술자들과 긴밀하게 연계되어 일했다.[17] 미국과 중국의 군 및 정보기관 사이의 긴밀한 협력은 이란의 샤의 몰락이 가져온 부산물이었다.

한편으로 이란 혁명이 소련에 정치적 도움을 주지는 못했겠지만 군사적으로는 틀림없이 도움을 주었다. 테헤란의 미국 대사관이 중요한 문서들을 파쇄하는 노력을 하기는 했지만, 이 나라를 변모시킨 변화의 파도가 너무도 빠르고 강력해 상당히 파괴적인 손실을 입혔다. 샤는 F-14 톰캣 전투기와 최첨단 AIM-54 피닉스 공대공空對空 미사일, MIM-23 호크 지대공 미사일, 그리고 여러 가지 첨단기술 대전차 무기들을 구매했었다. 소련은 귀중한 근접 촬영 사진들과 어떤 경우에는 이 군사 장비들에 대한 취급 설명서까지 입수했다. 그것은 그저 난처한 손실 정도가 아니었다. 그것은 잠재적으로 미국은 물론 그 동맹국들의 국가 안전에 심각한 영향을 미칠 수 있었다.[18]

다시 아프가니스탄이 중요해지다

익숙한 세계가 급속히 붕괴하고 있다는 생각이 워싱턴을 휩쓸었다. 사태가 갑자기 매우 다르게 보인 것은 이란뿐만이 아니었기 때문이다. 미국은 아프가니스탄의 상황도 예의주시하고 있었다. 호메이니의 혁명 이후 아프가니스탄의 전략적 중요성이 더욱 커졌기 때문이다. 예컨대 1979년 봄, 한 CIA 팀은 이 나라가 이란에서 잃어버린 정보 수집소의 대체 장소가 될 수 있는지를 평가하는 조사를 실시했다.[19] 문제는 아프가니스탄의 상황이 빠르게 변하고 있고 갈수록 이란에서 일어난 일들과 닮아 보인다는 점이었다.

혼란은 체스를 좋아하는 국왕 모하마드 자히르 샤가 1973년 사촌 다우드 칸에 의해 폐위되면서 시작되었다. 다우드 칸은 그를 대신해 스스로 대통령이 되었다. 그로부터 5년 뒤 다우드 칸도 쫓겨났다. 그의 몰락은 그리 놀라운 일은 아니었다. 그의 정권이 갈수록 무자비해졌기 때문이다. 정치범들이 재판도 없이 처형되어 카불 바로 바깥의 악명 높은 풀이차르히 감옥(그곳은 언제나 수용자들로 넘쳐났다) 뜰에 고

꾸라졌다.[20]

다우드 칸을 대신해 들어선 강경파 공산주의자들 역시 똑같이 무자비한 것으로 드러났다. 그리고 이 나라를 현대화시킨다는 야심찬 목표를 제시하면서 가차 없이 전진했다. 그들은 선언했다. 문맹률을 대폭 낮추고, 부족 시스템의 '봉건적' 구조를 타파하며, 민족 차별을 끝내고, 여성의 권리(교육의 평등, 고용 보장, 의료 서비스 혜택 등)를 보장할 때라고.[21]

전반적인 변화를 가져오려는 노력들은 분노에 찬 반작용을 촉발했고, 그것은 특히 무슬림 성직자들 사이에서 강력했다. 21세기 초에도 다시 반복되지만 개혁 시도는 오직 자기네의 이익 보호라는 공통의 주장을 내세우는 전통주의자들과 지주들, 민족 지도자들, 이슬람 율법학자들을 통합하여 그들 자신의 이익을 지키도록 하는 데서만 성공을 거두었을 뿐이다.

반대의 목소리는 금세 커지고 위험해졌다. 첫 번째 대규모 봉기는 1979년 3월 이 나라 서부의 헤라트에서 일어났다. 민족 자주와 전통으로의 복귀, 외부 세력의 배제 등을 주장하던 그곳 사람들은 국경 너머 이란에서 일어난 일에 용기를 얻었다. 폭도들은 아무나 목표로 삼아 달려들었다. 이 도시에 살던 소련 사람들도 마찬가지였는데, 그들은 광포한 군중에게 살해되었다.[22] 소란은 곧 다른 도시들로 확산되었다. 잘랄라바드에서는 아프가니스탄 군인들이 저항자들에 맞서기를 거부하고 그 대신 소련 고문들에게 달려들어 그들을 살해했다.[23]

소련은 이런 사태에 조심스럽게 반응했다. 노련한 정치국은 골치 아프고 호전적인 아프가니스탄 지도부를 지원하기로 결론지었다. 그들 가운데 일부는 소련과 오랫동안 개인적인 인연을 맺고 있었고, 그들을 도와 카불까지 확산되고 있는 소요를 진정시켜야 했다. 누르 무함마드 타라키 Nur Muhammad Taraki 대통령이 이끄는 정권을 지원하기 위해 몇 가지 조치들이 취해졌다. 그는 소련으로부터 높은 평가를 받고 있었고, 일부에서는 '과학적 사회주의 문제'에 대한 그의 글들 때문에 그를 '아프가니스탄의 막심 고리키'라고 치켜세웠다. 정말로 대단한 찬사였다.[24]

곡물과 식료품을 넉넉하게 실어 국경 너머로 보냈고, 미결제 융자에 대한 이자 지불도 연기해주었다. 정부 재정을 늘리도록 도와주기 위해 소련은 또한 아프가니스탄 가스 대금을 지난 10년간 지불했던 가격의 두 배 이상으로 쳐서 지급했다.[25] 소련은 화학무기와 독가스 요청은 거절했지만 군사적 지원은 제공해 대포 140문과 총 4만 8000정, 그리고 1000대에 가까운 유탄 발사기를 보냈다.[26]

미국에서는 이런 사태 전개에 주목했다. 그들은 소련이 "점진적이지만 확실하게" 아프가니스탄에 대한 개입을 늘려가는 것이 어떤 의미인지를 꼼꼼하게 분석했다. 한 고급 보고서는 소련이 타라키에게 직접적인 군사적 지원을 하고 병력을 파견한다면 단지 아프가니스탄뿐만 아니라 이란과 파키스탄, 중국 등 아시아의 등뼈 전역(그리고 그 너머까지도)에 영향을 미칠 것이라고 분석했다.[27]

다음에 무슨 일이 일어날지 모르는 불확실성은 1979년 2월 카불 주재 미국 대사 에이돌프 덥스 Adolph Dubs가 살해당하면서 분명해졌다. 호메이니가 귀국하고 불과 며칠 뒤 덥스 대사의 방탄차가 아프가니스탄 수도 카불 거리에서 백주에 탈취당했다. 경찰 검문소에서였던 듯하다. 그는 카불 호텔(지금의 호화로운 카불 세레나 호텔이다)로 끌려가 몇 시간 동안 인질로 잡혀 있었고, 그 뒤 구출 작전이 진행되던 도중 살해당

했다.[28]

대사 납치의 배후에 누가 있는지, 그리고 그 동기가 무엇인지는 분명하지 않았으나, 그것은 미국이 이 나라에서 벌어지는 일들에 대해 더 직접적으로 관여하도록 자극하기에 충분했다. 아프가니스탄에 대한 원조가 즉각 중단되었고, 새 정부에 반대하는 반공주의자와 그 밖의 사람들에게 지원이 주어졌다.[29] 이를 시작으로 미국은 오랫동안 기꺼이, 그리고 적극적으로 이슬람교도들과의 협력을 추구했다. 좌파가 내세운 과제에 저항하는 과정에서 이슬람교도들의 이해관계는 자연히 미국의 이해관계와 맞아떨어질 수밖에 없었다. 이런 거래가 어떤 대가를 치러야 하는지는 수십 년 뒤에 드러난다.

이 새로운 접근의 배후에는 아프가니스탄이 소련의 손에 넘어갈 것이라는 두려움이 도사리고 있었다. 소련은 1979년 하반기에는 무력 개입을 준비하고 있는 것으로 보였다. 소련의 의도에 대한 의문은 미국에서 정보 보고서의 첫머리에 오르는 안건이 되었고, 최근의 사태 전개를 개괄하는 여러 정책 지침서들의 주제가 되었다.

물론 이것이 진행되는 사태에 대해 무언가 알아냈다는 말은 아니다.[30] NSC에 제출된 '소련은 아프가니스탄에서 무슨 일을 하고 있는가'라는 제목의 보고서는 솔직하다고 비난할 수만은 없는 대답을 제시하고 있다.

"도무지 알 수가 없다."[31]

소련의 생각을 알아내는 것은 어려운 일이었지만, 샤의 몰락으로 인해 미국이 이 지역의 가장 큰 동맹자를 잃었음은 분명했다. 도미노 효과가 상황을 더욱 악화시키기 직전인 듯, 우려스럽게 보였다.

소련의 아프가니스탄 침공

소련은 정확히 같은 문제를 우려하고 있었다. 이란에서 일어난 사건들은 아무런 도움도 되지 않았고, 실제로 소련은 호메이니의 집권이 기회를 열어주는 것이 아니라 오히려 줄여서 소련의 이익에 해로운 일이었다고 평가했다. 이에 따라 소련 군부는 레오니트 브레즈네프 총서기가 말한 "우방 아프가니스탄 정부"를 강화하기 위해 필요할 경우 소련군을 대거 배치하는 비상 계획을 수립했다. 미국은 이란과 아프가니스탄 양국 국경 북쪽으로 부대가 이동하는 것을 추적 관찰하여 한 스페츠나츠(특수부대)가 카불로 파견되었음을 기록했다. 또한 공수부대는 소련의 보급품이 들어오는 주요 관문인 바그람 공군기지를 지키기 위해 배치된 것으로 CIA는 결론지었다.[32]

그러나 이 결정적인 단계에서 아프가니스탄의 미래가 갑자기 요동치기 시작했다. 1979년 9월, 권력 투쟁이 일어나 타라키 대통령이 하피줄라 아민Hafizullah Amin에 의해 제거되었다. 아민은 야심이 큰 만큼 파악하기도 어려운 인물이었다. 그는 소련 공산당 정치국의 공식 기관지《프라브다》에 실린 사설에서 지도자가 될 만한 인물로 언급된 적이 있었다.[33] 그는 이제 소련으로부터 혁명의 적이며, 자신의 목적을 위해 종족 갈등을 조장한 인물이고, "미국 제국주의의 첩자"[34]라고 비난받는 처지가 되었다. 소련은 또한 아민이 CIA에 고용되었다는 소문에도 관심을 가졌다. 이 소문은 아프가니스탄에 있는 그의 적들에 의해서도 적극적으로 유포되었다.[35] 소련 공산당 정치국 회의 기록을 보면 모스크바의 지도부는 아민이 미국 쪽으로 돌아선 데 대해, 그리고 미국이 카불의 우호적인 정권을 적극적으로 지원하고자 하는 데 대해 매우 우려하고 있었음을 보여준다.[36]

소련은 갈수록 상황을 더 우려하게 되었다. 아민이 쿠데타를 시도하기 전에 카불 주재 미국 대리대사 브루스 앰스터츠J. Bruce Amstutz와 자주 만난 것은 미국이 이란에서의 정책이 처참한 실패로 끝난 이후 방향 전환을 모색하고 있음을 시사하는 듯했다. 아민이 정권을 잡은 직후 카불에 나와 있는 소련 대표들과의 교섭에서 갈수록 공격적인 입장을 보이는 한편 미국에 여러 차례 접근하자, 조치를 취해야 한다는 요구가 나왔다.[37]

소련이 지금 단호한 태도로 그 동맹자들을 지원하지 않는다면 당연히 아프가니스탄에서뿐만 아니라 이 지역 전체에서 밀려날 수밖에 없었다. 발렌틴 바렌니코프Valentin Varennikov 장군은 나중에 이렇게 회상했다.

"[고위 장교들은] 미국이 이란에서 밀려나면 파키스탄으로 기지를 옮기고 아프가니스탄을 점령할 것이라고 우려했다."[38]

다른 곳에서의 사태 전개 역시 소련 지도부를 걱정스럽게 만들고 소련이 수세로 몰리고 있다는 인상을 주었다. 정치국은 미국과 중국이 1970년대 말에 관계를 개선한 일을 논의하고 여기서도 소련이 뒤처졌음에 주목했다.[39]

소련 공산당의 한 고위 인사는 1979년 12월 브레즈네프에게, 미국이 중앙아시아에 뻗어 있는 "새로운 확장 오스만제국"을 만들려 애쓰고 있다고 말했다. 이런 불안은 소련 남부 국경 전체에 걸치는 포괄적인 방공防空 시스템이 없다는 사실로 인해 더욱 커졌다. 이는 미국이 소련의 심장에 단검을 겨눌 수 있다는 의미였다.[40] 브레즈네프가 그 직후에 《프라브다》와의 인터뷰에서 말했듯이, 아프가니스탄의 불안정은 "소련 국가의 안전에 매우 중대한 위협"[41]이었다. 무언가를 해야만 한다는 것은 분명했다.

브레즈네프가 고위 인사들과 회의를 하고 이틀 뒤, 초기에 7만 5000~8만 명의 병력을 투입하는 것을 골자로 하는 침공 계획을 세우라는 지시가 떨어졌다. 구식의 완고파인 참모총장 니콜라이 오가르코프Nikolai Ogarkov 장군은 격앙된 반응을 보였다. 공병학교를 다닌 오가르코프는 이런 병력은 교통로를 성공적으로 장악하고 이 나라 전역의 주요 지점을 확보하는 데 턱없이 부족한 규모라고 주장했다.[42] 그의 의견은 소련 군대의 뛰어남을 과시하는 말을 잘하는 처세의 달인 드미트리 우스티노프Dmitri Ustinov 국방부 장관에게 가로막혔다. 우스티노프는 소련 군대의 전투 능력이라면 "당과 인민이 정한 어떤 과업이라도 성취"[43]할 수 있다고 말했다.

그가 실제로 그렇게 믿었는지는 별개의 문제다. 지금 문제가 되고 있는 것은 그와 그가 속한 2차 세계대전 참전 세대(그들은 변화하는 주변 세계에 대한 이해력이 떨어졌다)는 미국이 소련을 대신하려는 계획을 세우고 있음을 확신한다는 것이었다. 우스티노프는 1979년 말에 이런 질문을 한 것으로 알려졌다.

"미국이 우리 코앞에서 이런 모든 준비를 하는데 우리는 왜 쭈그리고 앉아 조심조심하며 아프가니스탄을 잃어야 한단 말이오?"[44]

12월 12일에 열린 정치국 회의에서 우스티노프는 브레즈네프, 안드레이 그로미코, 유리 안드로포프, 콘스탄틴 체르넨코 등 머리 희끗희끗한 노인들과 함께 아프가니스탄에 부대를 전면 투입하는 것을 승인했다.[45] 몇 주 뒤 《프라브다》는 그런 결정을 내리는 것은 쉽지 않았다는 브레즈네프의 말을 인용 보도했다.[46]

이 회의가 있고 2주일 후인 1979년 크리스마스 전날, 소련군은 국경을 넘어 쏟아져 나가기 시작했다. '폭풍 333호 작전'이었다. 우스티노프는 국경을 넘는 부대의 지휘관들에게 이것이 침공은 아니라고 선언했다. 이후 10년 동안 소련 외교관들과 정치가들이 몇 번이고 되풀이하는 방침이었다. 그것은 혼란스러운 "서아시아의 정치적·군사적 상황"을 안정시키기 위한 시도였으며, "우방 아프가니스탄 인민들에게 국제적인 도움을 제공"해달라는 아프가니스탄 정부의 요청에 따른 것이었다는 설명이다.[47]

인질 구출 작전

미국의 입장에서 볼 때 타이밍은 더 이상 나쁠 수가 없었다. 소련은 미국이 아프가니스탄으로 팽창해오는 것을 우려했지만, 미국이 이 지역에서 얼마나 취약한지는 분명하게 드러나고 있었다.

샤는 1979년 초 테헤란을 떠난 뒤 이 나라 저 나라를 떠돌며 정착할 곳을 찾고 있었다. 가을이 되면서 카터 미국 대통령은 행정부 고위 인사들로부터 미국의 신실한 친구였던 죽어가는 사람을 받아들여 치료를 받게 하라는 권고를 받고 있었다. 이 문제가 논의되자 호메이니의 새 외무부 장관 에브라힘 야즈디Ebrahim Yazdi는 미국 대통령의 참모들에게 단도직입적으로 말했다.

"그렇게 하면 당신들은 판도라의 상자를 여는 거요."[48]

백악관 기록들은 미국이 샤의 망명을 허락할 경우 얼마나 위험한지를 카터가 알았음을 보여준다.

"저들(이란인들)이 우리 대사관으로 몰려가서 우리 직원들을 인질로 잡을 경우 당신들은 내게 뭐라고 조언하시겠소?"

대통령이 이렇게 물었지만 참모들은 아무런 대답도 하지 못했다.[49]

샤가 뉴욕 코넬 의료센터에 입원한 지 2주일이 지난 11월 4일, 투쟁적인 이란 학생들이 테헤란의 미국 대사관 경비원들을 제압하고 대사관 구내의 통제권을 장악한 뒤 60명가량의 외무 직원들을 인질로 잡았다. 당초 목표는 샤를 받아들인 미국의 결정에 대해 짧고 강하게 항의하려던 것으로 보였지만, 사태가 급속하게 악화되었다.[50]

11월 5일, 아야톨라 호메이니가 대사관의 상황에 대해 언급했다. 그는 에둘러 말하지 않았다. 아니, 진정하라는 호소조차 없었다. 테헤란의 미국 대사관은 이란 이슬람 공화국을 전복시키기 위해 "비밀스러운 음모를 꾸미는" 온상이라고 단언했다. 그는 이어, 이 음모의 최종 지휘자는 "마귀 두목 미국"이라고 말했다. 그러니 미국은 "반역자"를 넘겨주어 재판을 받게 해야 한다고 미국에 촉구했다.[51]

이 상황을 풀기 위한 미국의 초기 노력들은 서투른 것에서부터 혼란스러운 것에 이르기까지 다양했다. 카터 대통령이 직접 호메이니에게 보내는 항의 서한을 소지한 특사는 아야톨라 알현을 간단하게 거절당해 편지를 전하지도 못했다. 또 한 사절은 팔레스타인해방기구(PLO)와 제한 없는 논의를 하도록 재가받았다는 사실이 알려졌다. 이 조직은 뮌헨 올림픽 참사(1972년 뮌헨 올림픽 기간 중 팔레스타인의 무장단체 '검은 9월단'이 이스라엘 선수 11명을 인질로 잡고 협상을 시도하다 총격전이 벌어져 인질과 범인들이 살해된 사건 — 옮긴이) 같은 테러 공격의 배후에 있었고, 그들의 최대 목표는 이스라엘을 희생시켜 팔레스타인 국가를 건설하는 것이었다. 미국이 팔레스타인해방기구를 이란과 접촉하기 위한 통로로 사용하려 한다는 사실보다 더 당혹스러운 것은 팔레스타인해방기구가 이 위기에서 중재 역할을 하는 것을 이란이 거부했다는 소식이었다.[52]

그러자 카터 대통령은 단호하게 결정적인 조치를 취했다. 인질이 잡혀 있는 상황을 타개할 뿐만 아니라, 샤가 실각했지만 미국은 아시아의 중심부에서 무시할 수 없는 세력이라는 의지를 표명하는 역할도 하는 것이었다. 1979년 11월 12일, 카터는 호메이니 정권에 재정적 압박을 가하기 위한 시도로 이란산 석유에 대한 금수 조치를 발표했다. 그는 수입 금지를 발표하면서 이렇게 선언했다.

"아무도 미국 정부와 미국 국민의 결의를 과소평가해서는 안 될 것입니다."[53]

이틀 뒤 카터 대통령은 한 걸음 더 나아가 120억 달러의 이란 자산을 동결하는 행정명령을 발동했다. 이 단호한 행동은 국내에서 잘 먹혔다. 카터 대통령에 대한 지지도는 갤럽 여론조사가 시작된 이래 가장 큰 폭으로 상승했다.[54]

그러나 이 무력 시위는 별 효과가 없었다. 이란은 석유 금수 조치는 엉뚱한 짓이라고 일축했다. 카터의 발표가 나오고 일주일 뒤 호메이니는 한 연설에서 이렇게 말했다.

"세계는 석유가 필요합니다. 세계는 미국이 필요 없습니다. 다른 나라들은 석유를 가진 우리에게 의지할 것입니다. 당신들에게 의존하는 것이 아니라."[55]

어쨌든 금수 조치는 물류라는 관점에서 보면 강제하기가 쉽지 않았다. 이란 석유가 제3자를 통해 여전히 미국으로 들어올 수 있었기 때문이다. 구매 거부가 공급에 압박을 가해 불가피하게 유가를 더 끌어올릴 위험성도 있었다. 그럴 경우 수입이 늘어 결국 이란 정권에 좋은 일이 될 수 있었다.[56]

자산 몰수는 아랍어권의 많은 사람들을 두렵게 했다. 그들은 미국의 조치로 만들어진 선례에 대해 우려했다. 이런 서먹함은 사우디아라비아 같은 나라들과의 정치적 견해 차이를 더욱 악화시켰다. 사우디아라비아는 서아시아에서의 정책, 특히 이스라엘과 관련된 문제에서 미국과 의견이 맞지 않았다.[57] 금수 조치 몇 주 뒤에 작성된 CIA 보고서는 이렇게 결론지었다.

"현재 우리가 추진하고 있는 경제적 압박은 어떤 긍정적인 효과도 없을 것으로 보입니다. [실제로] 그 영향은 부정적일 수 있습니다."[58]

게다가 많은 서방 국가들은 이란과의 위기 고조에 말려들기를 꺼리고 있었다. 카터는 이렇게 썼다.

"유럽의 가장 가까운 우리 맹방들조차도 미국인 인질들을 위해 스스로 석유 금수 가능성을 검토하거나 자기네의 외교 교섭을 위험에 빠뜨리지는 않을 것임이 곧 분명해졌다."

마음을 모으는 유일한 방법은 "미국이 직접적인 위협을 가하는 추가적인 조치"를 취하는 것이었다.[59] 이에 따라 카터 행정부의 사이러스 밴스Cyrus Vance 국방부 장관은 이란 제재에 동참하지 않으면 미국은 독자적인 조치를 취할 것이라는 전갈을 들고 서유럽 순방에 나섰다.[60] 필요할 경우 페르시아만에서 기뢰를 사용하는 일 같은 것들이었다. 이는 당연히 석유 가격에 충격을 줄 것이고, 따라서 선진국들에도 영향이 미칠 터였다. 미국은 이란을 압박하기 위해 동맹국들을 위협해야 했다.

이렇게 이란 문제를 억지로 해결하기 위해 처절하고 비생산적이고 서투르게 짜낸 조치들에 매달려 있는 긴박한 상황에서 좋지 않은 소식이 들려왔다. 소련 군대가 남쪽으로 진격하여 아프가니스탄으로 들어가고 있다는 것이었다. 미국 정책 담당자들은 완전히 허를 찔렸다.

침공 나흘 전에 카터 대통령과 그 참모들은 이란 앞바다의 섬들을 점령하고 호메이니를 타도하기 위한 비밀 군사작전을 모색하는 방안을 검토하고 있었다. 불길한 상황이 절박한 상황으로 변했다.[61]

이미 인질 문제라는 재앙에 직면하고 있던 미국은 이제 이 지역에서 소련이 크게 팽창하는 문제를 처리하지 않을 수 없었다. 게다가 미국의 생각은 소련의 생각과 똑같았다. 즉 아프가니스탄에 대한 움직임은 한 초강대국이 다른 초강대국을 제물로 삼아 더욱 팽창해나가기 위한 서곡이라는 것이었다. 1980년 초 한 정보 보고서가 주장했듯이, 소련의 다음 목표는 이란인 듯했다. 그곳에서는 선동가들에 의해 혼란이 조성될 수밖에 없었다. 따라서 미국 대통령은 "미군의 이란 투입을 준비하는"[62] 상황을 검토해야 했다.

카터는 1980년 1월 23일 국정 연설에서 표현 수위를 한 단계 높였다. 소련의 아프가니스탄 침공은 "전략적으로 매우 중요한" 지역이 이제 위협받고 있음을 의미한다고 그는 말했다. 소련의 움직임으로 완충 지대가 없어졌으며, 소련은 "세계에 수출할 수 있는 석유의 3분의 2가 매장된" 지역뿐만 아니라 "세계 석유의 대부분이 지나가는" 호르무즈 해협마저도 지척에 두게 되었다는 것이다. 이에 따라 그는 세심하게 선택한 말로 위협을 가했다.

"우리의 입장을 분명하게 밝히겠습니다. 페르시아만 지역을 장악하려는 어떤 외부 세력의 시도도 미국의 필수적인 이익에 대한 공격으로 간주할 것이며, 그런 공격은 어떤 수단에 의해서라도 격퇴될 것입니다. 군대를 포함해서 말입니다."

이것은 서아시아의 석유에 대한, 그리고 처음에 영국이 구축하고 그 뒤 미국이 물려받은 입지에 대한 태도를 완벽하게 압축한 오만한 진술이었다. 현재 상태를 변화시키려는 어떠한 시도도 격렬한 저항에 맞닥뜨릴 터였다. 그것은 이름만 그렇지 않았을 뿐이지 바로 제국주의 정책이었다.[63]

그러나 카터의 과장된 언사는 현장에서 일어나는 일들과는 뚜렷이 대비되었다. 막후에서 이란과 인질 석방에 관한 논의가 계속되고 있었지만, 그것은 점점 더 코미디가 되어갔다. 이란 대표들과의 회담에 나선 미국 대통령의 보좌관들이 어떤 경우에는 가발을 쓰고 가짜 콧수염을 붙이고 안경을 쓴 채 나타났을 뿐만 아니라, 논의가 진행되는 동안 호메이니는 "세계를 집어삼키는 미국"과, "마귀 두목"에게 어떻게 따끔한 맛을 보여주어야 하는지에 관해 계속 연설을 하고 있었다.[64]

마침내 1980년 4월, 카터 대통령은 결단을 내렸다. '독수리 발톱Eagle Claw' 작전을 재가한 것이다. 테헤란에서 인질들을 구출해오는 비밀 작전이었다. 그 결과는 초등학생도 얼굴이 붉어질 정도의 엄청난 실패였다. 원자력 항공모함 USS 니미츠호에서 파견한 여덟 대의 헬리콥터는 이란 중부 타바스 부근의 한 지점에서 지상 팀과 만날 계획이었다. 그곳에서 그들은 델타포스(제1특수부대 D작전파견대)라는 이름의 새 정예부대와 함께 찰스 베크위스Charles Beckwith 대령의 지휘를 받을 예정이었다.

이 작전은 결과적으로 무산되었다. 헬리콥터 한 대는 기상 악화로 되돌아갔다. 다른 한 대는 회전 날개에 난 금이 커져 그대로 버려졌다. 또 한 대는 유압油壓 시스템의 손상이 발견되었다. 베크위스는 이 작전이 불가능하다는 결론을 내리고 대통령의 재가를 얻어 중단시켰다. 헬리콥터들이 니미츠로 돌아올 때 한 대가 C-130 재급유기에 너무 가까이 붙어 비행하다가 폭발이 일어나는 바람에 두 대가 모두 파

괴되었다. 타고 있던 미군 병사 8명도 죽었다.[65]

이는 홍보 참사였다. 호메이니는 당연히 이에 대해 신이 개입해 도와주신 것이라고 말했다.[66] 다른 사람들은 이 실패한 작전의 황당함을 멍하니 바라보았다. 미국이 협상을 통해서든 무력을 동원해서든 인질 석방에 성공하지 못했다는 사실은 세상이 얼마나 변했는지에 관해 많은 것을 이야기해주었다. 구출 작전이 실패로 돌아가기 전에도 일부 대통령 보좌관들은 무기력해 보이지 않기 위해 단호하게 행동해야 한다고 생각했다. 대통령 국가안보 보좌관 즈비그네프 브레진스키는 이렇게 말했다.

"우리는 이집트와 사우디아라비아 등 아라비아 반도의 다른 나라들에게, 미국이 그 힘을 행사할 태세가 되어 있다는 확신을 주기 위해 무슨 일인가를 할 필요가 있습니다."

그리고 그것은 "지금 이 지역에서 군사적인 존재감"을 가시적으로 확립하는 것을 의미했다.[67]

이라크의 이란 공격

그러나 미국은 자국의 이익과 평판을 지키기 위해 이 떠들썩한 사건들에 대한 대응책을 찾으려 애쓰는 데서 혼자가 아니었다. 9월 22일, 이라크가 이란을 기습공격했다. 이란의 비행장들을 폭격하고 세 갈래로 육상 침공을 시작했다. 목표는 후제스탄 주와 아바단 및 호람샤르 시였다.

이란이 보기에 이 공격의 배후에 누가 있는지는 의문의 여지가 없었다. 호메이니는 "미국의 손"이 "사담의 소매에서 나왔다"라고 일갈했다.[68] 아볼하산 바니사드르 Abolhassan Banisadr 대통령은 이 공격이 미국-이라크-이스라엘의 합동 계획의 결과라고 주장했다. 그 목표에 관해서는 이슬람 정부 전복, 샤의 복귀, 이란을 다섯 개 공화국으로 분열시키기 등으로 다르게 설명했다. 어느 쪽이든 미국이 이라크에게 침공의 청사진을 제공했다고 그는 주장했다.[69]

일부 비판자들이 이 공격의 배후에 미국이 있다고 주장하고 다른 많은 사람들이 이를 되뇌었지만, 확실한 증거는 없다. 반대로 2003년에 바그다드 대통령 관저에서 찾아낸 수백만 쪽에 달하는 문서들과 녹음, 기록물 등의 자료들은 사담이 독자적으로 행동했으며, 불안정한 이웃을 치기 위해 적절한 시점을 골랐다는 사실을 분명하게 보여주었다. 그 이웃과는 5년 전 영토 문제 처리에서 손해를 본 뒤 해결해야 할 빚이 있었다.[70] 이 문서들은 이라크의 생각이 기습공격 쪽으로 바뀌면서 공격 이전의 몇 달 동안 이라크 정보기관이 적극적으로 정보 수집에 나섰음을 보여준다.[71]

사담은 또한 불안감이 매우 깊었고, 과대망상의 기미가 농후했다. 그는 "미국과 영국의 출장소"인 이스라엘에, 그리고 이 나라를 물리치지 못하는 아랍의 무력함에 집착했다. 동시에 아랍인들이 이스라엘에 대해 조금이라도 공격적인 행위를 하면 서방이 나서서 이라크에게 보복할 것이라는 불만을 품었다. 그는 이라크가 이스라엘을 공격하면 미국은 "우리에게 원자폭탄을 던질 것"이라고 자기네 고위 관리들에게 경고했다. 서방이 행동에 나설 때 "첫 번째 목표"는 "다마스쿠스나 암만이 아니라 바그다드가 될 것"[72]이라고 말했다. 어쨌든 사담이 생각하기에 그것은 동이 닿는 이야기인 듯했다. 이스라엘을 공격하면 이라크는 파멸을 맞게 된다. 그러니 먼저 이란을 공격해야 했다.

이스라엘과 이란을 결부시키는 것은 이라크가 모든 아랍인들을 지도하는 역할을 떠맡고 있다고 열변을 토하는 사담과 이라크 지도부가 사용했던 과시적인 표현들에서 발견할 수 있다. 1980년의 이란 공격은 1975년 영토 문제 해결 과정에서 "빼앗긴" 땅을 되찾는 본보기로 설명되었다. 이는 다른 사람들을 고무하고, 땅을 빼앗긴 "모든 사람들"에게 들고일어나 당연히 자기 소유의 땅을 요구하도록 자극하기 위한 것이라고 사담은 휘하 고위 관리들에게 단언했다. 무엇보다 팔레스타인을 의식한 메시지였다.[73] 사담은 이란 침공이 다른 곳에서 아랍인들의 주장에 도움을 줄 것이라고 확신했다. 그런 비뚤어진 논리에 휘둘렸으니 이스라엘 총리 메나헴 베긴이 이라크를, "카다피가 예외가 될 수 있지만 모든 아랍 정권들 가운데 가장 무책임"[74]하다고 비난한 것도 그다지 놀랄 일은 아니었다.

사담은 또한 이란에서 일어난 혁명에 마음이 산란해져, 샤가 제거되고 아야톨라 호메이니가 들어선 것은 "완전히 미국의 결정"이라고 투덜거렸다. 사회 불안은 무슬림 성직자들을 이용하여 "페르시아만 지역 사람들을 겁먹게 해서 [미국이] 이 지역에 진출"하고 자기네가 원하는 대로 "이 지역의 상황을 주무르려는" 종합 계획의 시작이라고 그는 단언했다.[75]

이 이라크 지도자는 이런 피해망상을 갖고 있었지만 통찰력을 발휘할 때도 있었다. 예컨대 소련이 아프가니스탄으로 들어가자 사담이 그 중요성을 (그리고 그것이 이라크에 어떤 의미가 있는지를) 즉각 알아차린 경우가 그렇다. 그는 물었다. 소련은 장래에 이라크에 진출하기 위해 같은 일을 할 것인가? 이라크에도 역시 도움을 준다는 명목으로 꼭두각시 정권을 세울 것인가? 그는 소련에 물었다. 이것이 당신들의 또 다른 "장래의 친구들"을 대하는 방식인가?[76]

그의 의구심은 소련이 이란에서 반미 정서를 이용하기 위해 움직이고 호메이니 및 그 측근들에 대한 구애에 나서면서 커져만 갔다.[77] 사담은 이것 역시 해로운 일이 될 가능성이 있고 소련은 이란 편을 들어 이라크를 버릴 것임을 알아차렸다. 그는 1980년 요르단에서 온 외교관들에게 이렇게 말했다.

"소련이 이 지역에 침투해 들어오는 것을 (……) 저지해야 합니다."[78]

갈수록 고립감을 느끼게 된 사담은 1970년대 자신이 권좌에 오를 때 그 뒤에 떡 버티고 서 있던 후원자 소련에게서 등돌릴 준비를 했다. 그는 이런 환멸 때문에 이라크의 공격 개시 전날까지 이 사실을 소련에 알려주지 않았다. 그 결과 소련으로부터 냉랭한 반응이 돌아왔다.[79] 이라크 정보 보고에 따르면, 이 무렵에는 이란이 "숨이 막힐 듯한 경제위기"를 겪고 있었고 "대규모로 [스스로를] 방어"할 형편이 아니어서 놓치기엔 너무 아까운 기회였다.[80]

샤가 몰락하면서 이례적인 사건들이 잇달아 일어났다. 1980년 말에 아시아의 중심부는 전체적으로 유동적인 상태였다. 이란, 이라크, 아프가니스탄의 장래는 불확실했고, 자기네 지도자들의 선택과 외부 세력의 간섭에 달려 있었다. 지역 전체는 고사하고 이들 각 나라에서 사태가 어떻게 전개될지를 추측하는 것은 거의 불가능에 가까웠다.

미국에게는 모든 일에 다 관여하며 그럭저럭 넘어가도록 노력하는 것이 정답이었다. 그러나 그 결과는 처참했다. 반미 정서의 씨앗이 20세기 이전에 뿌려진 것은 사실이었지만, 그것이 처절한 증오로 자라는 것을 결코 막을 수 없었던 것은 아니었다. 그러나 지난 20년 동안에 내렸던 미국의 정책 결정은 지중해와 히말라야 산맥 사이에 놓인 이 지역 전체의 감정을 악화시키는 데 영향을 주었다.

수렁에 빠진 미국

분명히 미국은 1980년대 초에 내놓을 에이스 카드가 없었다. 처음에 이라크의 공격은 미국 정책 담당자들에게 축복처럼 보였다. 그들은 사담 후세인의 침공이 이란과 논의를 열 수 있는 기회라고 보았다. 이 시기 대책 회의에 관계한 한 고위 보좌관은 카터 대통령의 국가안보 보좌관 브레진스키의 생각을 이렇게 전한다.

"브레진스키는 자신이 이라크의 공격을, 이란에 인질 석방을 압박할 수 있는 긍정적인 사태 전개로 본다는 사실을 숨기지 않았다."[81]

호메이니 정권에 대한 압박의 실현성은, 이란이 이라크의 공격에 대응하기 위해서는 그들이 전에 미국으로부터 구매했던 무기들의 예비 부품이 절실하게 필요할 것이라는 사실로 인해 더욱 과장되었다. 미국은 적절한 물자를 제공할 생각이 있음을 이란에 전달했다. 수억 달러 상당이었다. 물론 인질을 석방한다는 조건이 붙었다. 이란은 이런 식의 접근을 싹 무시했다. 미국 대통령이 직접 재가한 것인데도 말이다.[82]

이번에도 이란은 한 발 앞서 갔다. 그 대리인들은 수완이 있는 것으로 드러났다. 꼭 필요한 예비 부품들을 베트남을 포함한 다른 곳에서 구입했던 것이다. 베트남은 전쟁 동안 노획한 미군 장비들을 잔뜩 가지고 있었다.[83]

이란은 또한 이스라엘에서도 대량으로 물자를 구매했다. 이스라엘은 무슨 수를 쓰더라도 사담 후세인을 막아야 한다는 생각을 갖고 있었다. 이란과 이스라엘이 서로 거래를 할 용의가 있었다는 사실은 여러모로 충격을 주었다. 특히 누구보다도 호메이니가 유대인들과 이스라엘에 대해 자주 경멸적으로 이야기했다는 사실을 생각하면 말이다. 그는 1970년대에 이렇게 썼다.

"이슬람교와 그 신도들을 방해하는 첫 번째 세력은 유대인입니다. 이슬람교를 겨냥한 모욕과 음모의 근원에는 그들이 있습니다."[84]

이란과 이스라엘은 사담 후세인이 페르시아만 지역의 사태에 끼어든 덕분에 뜻밖의 친구 배역을 맡게 되었다.

이것이 1980년대 초에 소수파와 다른 종교들에 대한 호메이니의 표현 방식이 부드러워진 이유 가운데 하나다. 이 시기에 그는 유대교를 "보통 사람들 사이에서 생겨난 훌륭한 종교"라고 말했다. 다만 그는 유대교를 시온주의와는 구분했다. 시온주의는 적어도 그가 보기에는 본질적으로 종교에 어긋나는 정치적 (그리고 착취적) 운동이었다. 종교에 대한 이런 태도 변화는 그 폭이 매우 컸다. 이에 따라 이란 이슬람 공화국은 예수 그리스도의 모습과 아르메니아어로 쓴 코란 구절이 들어 있는 우표를 발행하기도 했다.[85]

이스라엘과 이란이 협력한 것은 단지 무기 판매 문제만이 아니었고, 군사작전에서도 협력했다. 양쪽이 모두 관심을 가진 한 가지 목표는 이라크의 오시라크 원자로였다. 한 정보 장교에 따르면, 이란과 이스라엘 대표들은 사담의 공격이 시작되기도 전에 파리에서 비밀 회담을 열어 이 시설을 공격하는 작전에 관해 논의했다.[86] 이라크가 이란을 공격한 지 일주일 남짓 뒤에 이란은 F-4 팬텀 제트기 4대를 동원하여 이 원자로에 대한 대담한 습격을 감행하고 실험동과 관리동을 노렸다. 8개월 뒤인 1981년 6월, 이스라엘 전투기 조종사들은 더 나은 성과를 거두어 원자로를 크게 손상시켰다. 이때는 그 원자로가 매우 치명적인

것이 되리라는 두려움이 널리 퍼져 있던 때였다.[87]

이라크가 이란을 공격한 것은 단시간에 달콤한 승리를 얻으려던 것이었다. 처음에 오시라크 원자로가 공격당했을 때도 이라크는 사태를 낙관적으로 보았다. 그러나 시간이 흐르면서 형세가 역전되어 이라크에 불리해졌다. 소련은 사담의 일방적인 행동을 문책하면서 무기 공급을 보류하고 수송을 중단했다. 이라크 지도자는 실망했지만, 어찌할 도리가 없었다. 전쟁이 생각했던 대로 잘 굴러가지 않자 그는 자주 가까운 친구들을 주변에 불러모아 이런저런 얼토당토않은 국제적 음모를 들먹이면서 실패를 변명하고 분통을 터뜨렸다. 그러나 결론은 이라크가 갈수록 밀리고 화력이 부족하다는 것이었다. 1981년 중반의 어느 때 사담은 휘하 장군들 앞에서 거의 절망적으로 이렇게 물었다.

"이제 무기를 암시장에서 구입합시다. 이란 놈들처럼 하면 되겠소?"[88]

이란은 정말로 재주가 뛰어나며 부활하고 있음을 입증하고 있었다. 갈수록 야망도 커져가고 있었다. 1982년 여름이 되자 이란 병사들은 이라크군을 몰아냈을 뿐만 아니라 국경마저 넘어 이라크 영토로 들어갔다. 그해 6월 미국 국가안보국(NSA)이 작성한 특별 정보 보고서는 분명한 상황을 전하고 있다.

"이라크는 이란과의 전쟁에서 사실상 패배했습니다. (……) 이라크가 전세를 역전시키기 위해 단독으로, 또는 다른 아랍 국가들과 함께 할 수 있는 일은 거의 없습니다."[89]

이란은 이제 순풍에 돛을 달고 이슬람 혁명 사상을 다른 나라들로 확산시키려 모색하고 있었다. 레바논의 급진 시아파 세력과 헤즈볼라('알라의 당') 같은 조직에 자금과 물자를 지원하는 한편, 메카에서 폭동을 조장하고 바레인에서 쿠데타 자금을 대기도 했다. 미국 국방부 장관 카스퍼 와인버거는 1982년 7월에 이렇게 말한 것으로 전해졌다.

"나는 이란이 명백히 서아시아 국가들에 큰 위협이 되고 있다고 생각합니다. 이란은 한 무리의 미치광이들이 이끌고 있는 나라입니다."[90]

따라서 역설적으로 사담 후세인이 점점 궁지에 몰리는 것은 미국으로서는 하늘이 준 기회였다. 대사관 인질들은 막후에서의 교섭 타결로 1년 이상 붙잡혀 있다가 테헤란에서 풀려났지만, 이 교착 상태가 끝났다고 해서 두 나라의 관계가 개선된 것은 아니었다. 이와 대조적으로 소련은 계속해서 호메이니에게 접근했다. CIA가 불안스레 지적했듯이 말이다.

미국의 새로운 파트너 이라크

동력은 소련 쪽에 있는 듯했다. 특히 아프가니스탄에서 성공을 거둔 것이 분명했기 때문이다. 그곳에서 소련군은 도시를 점령하고 주요 교통로를 확보했으며, 적어도 밖에서 보기에는 상황을 장악하고 있었다. 1980년 모스크바 올림픽 불참 같은 소련에 대한 외교적 압박은 어떤 가시적인 결과도 내놓지 못했다. 미국의 입장에서 볼 때 희망을 걸 만한 것이 별로 없었다. 정책 담당자들이 한 가지 분명히 취해야 할 조치가 있음을 깨닫기 전까지는 말이다. 그것은 바로 사담을 지원하는 것이었다.

조지 슐츠 미국 국무부 장관이 나중에 말했듯이, 이라크가 계속 퇴각한다면 이 나라는 쉽게 붕괴할 수 있었다. 그것은 "미국에게는 전략적 재난"이 될 터였다.[91] 이는 페르시아만 일대와 서아시아 전체에 혼란을 초래할 뿐만 아니라 국제 석유 시장에서 이란의 영향력을 강화하는 결과를 낳을 터였다. 천천히, 그러나 분명하게 새로운 정책이 떠올랐다. 미국은 이라크에 왕창 걸기로 결정했다. 그곳은 미국이 아시아의 중심에서 진행되는 일에 영향을 미칠 수 있는 가능성이 가장 큰 곳이었다. 사담을 돕는 것은 계속해서 개입할 수 있는 방법이기도 했고, 이란과 소련 두 나라 모두의 전진을 막는 방법이기도 했다.

지원은 몇 가지 형태를 띠었다. 미국은 이라크를 테러 지원국 명단에서 삭제한 뒤 이 나라 경제를 지원하는 일에 나섰다. 융자를 늘려 농업 부문을 지원하고, 사담에게 우선 비군사용 장비와 그다음에 민民-군軍 '겸용' 장비들을 구입하도록 허용했다. '겸용'이란 장비를 최전선까지 실어 나를 수 있는 대형 트럭 같은 것을 말한다. 유럽의 서방 정부들에는 이라크에 무기를 팔도록 권고했으며, 미국 외교관들이 쿠웨이트와 사우디아라비아 같은 지역 강국들에게 이라크가 군비 지출 자금을 대는 데 도움을 주도록 설득하는 작업에 나섰다. 미국 요원들이 수집한 정보가 이라크로 넘어가기 시작했다. 주로 믿을 만한 중개자인 요르단 왕 후세인 빈 탈랄을 통해서였다.[92]

로널드 레이건 대통령의 미국 정부도 이라크의 석유 수출을 늘리도록 (그리고 그 결과로 그 수입을 늘리도록) 도왔다. 이란과의 전쟁으로 페르시아만을 통한 수출이 여의치 않자 이에 대한 대응책으로 사우디아라비아와 요르단 쪽으로 송유관을 확장하도록 권장하고 도와주었다. 이것은 "이란과 이라크의 석유 수출 불균형을 시정"하기 위한 것이었다. 다시 말해 경쟁의 바탕을 평준화하는 것이었다.[93]

여기에 더해 1983년 말부터는 '스톤치Staunch(지혈止血) 작전'이라는 이름의 적극적인 조치를 통해 무기 수출을 줄이고 이란으로 흘러가지 않도록 했다. 이란이 전장에서 진격하는 것을 막기 위해서였다. 미국 외교관들에게는 주재국에 페르시아만 지역에서 휴전 합의가 이루어질 때까지 "귀국과 이란 사이에 있을지도 모르는 어떤 군사 장비(그것이 어디에서 온 것이든) 거래도 중단하는 것을 고려"하도록 요청하라는 지시를 내렸다. 외교관들에게는 이 전쟁이 "우리 모두의 이익을 위협"한다는 사실을 강조하도록 했다. "이란이 전쟁을 더 끌고 갈 힘을 약화"[94] 시키는 것이 긴요하다고 이 명령서는 밝혔다.

이 조치는 또한 이라크인들과 사담의 신뢰를 얻기 위한 의도도 있었다. 사담은 여전히 미국과 그들의 목적에 대해 깊은 의구심을 품고 있었으며, 이런 모든 조치들이 취해진 이후에도 마찬가지였다.[95] 따라서 1983년 말 레이건 대통령이 도널드 럼스펠드 특사를 바그다드에 보냈을 때 그의 명시적인 목표 가운데 하나는 사담 후세인과 "대화를 시작하고 개인적인 친밀감을 구축"하는 것이었다. 럼스펠드의 요약 보고서에 따르면 그는 이 이라크 지도자를 이렇게 설득했다.

"우리는 이라크의 운명에 중대한 이상이라도 생긴다면 이를 서방의 전략적 패배로 생각할 것입니다."[96]

럼스펠드의 행보는 미국과 이라크 양쪽으로부터 주목할 만한 성과라는 평가를 받았다. 게다가 그것은 사우디아라비아가 생각하기에도 "아주 대단한 진전"이었다. 그들도 마찬가지로 호메이니가 서아시아 전역에 시아파 이슬람교를 전파하는 일에 관해 우려하고 있었다.[97]

이라크와의 협력이 너무도 중요했기 때문에 미국은 사담이 화학무기를 사용하는 것을 눈감아줄 용의가 있었다. 한 보고서가 말했듯이, 화학무기 사용은 "거의 일상적으로" 일어나는 일이었다.[98] 이라크가 이 일을 그만두게 하도록 노력할 필요가 있었다. 그러나 비공식적이어야 했다. "공식적인 입장 표명으로 이라크가 놀라 불쾌해지지 않도록" 하기 위해서였다.[99] 화학무기 사용(1925년 제네바 의정서에 의해 엄격히 금지되어 있다)을 비판하는 것은 이란에 선전전의 승리만 안겨줄 뿐이고 긴장을 완화하는 데는 아무런 도움이 되지 않는다는 점도 지적되었다. 미국은 겨자가스 제조에 사용되는 화학물질의 운송을 막는 방안을 모색했고, 이라크가 전쟁터에서 화학물질을 사용하지 말도록 압박하기 위해 활발한 로비를 펼쳤다. 특히 1983년 10월 이란이 이 문제를 유엔으로 들고 간 이후에 더욱 활발해졌다.[100]

그러나 미국은 이라크가 1985년 바드르 공세에서 이란을 상대로 독가스를 사용한 사실이 드러났을 때도 공개적으로는 아무런 비판도 하지 않았다. 그저 미국은 화학무기 사용을 강력하게 반대한다는 원론적인 이야기만 했다.[101] 그러나 그렇기 때문에, 한 미국 고위 관리가 지적했듯이 이라크의 화학무기 생산 능력이 "주로 서방 기업(아마도 미국의 해외 자회사를 포함하는)을 통한 것"이라는 사실은 매우 당혹스러운 일이었다. 이 때문에 사담이 화학무기를 구입하고 사용하는 일에 미국이 공모했다는 불편한 의혹을 사게 되었음을 깨닫는 데는 많은 시간이 걸리지 않았다.[102]

이윽고 화학무기에 관해 절제된 공개적 언급을 하고 이라크 고위 관리들에게 사적으로 간청하는 일조차 사라졌다. 1980년대 중반 이라크가 자기네 민간인들을 상대로 화학무기를 사용하고 있다고 유엔 보고서가 결론지었지만 미국은 침묵으로 대응했다. 이라크의 쿠르드족 주민들에 대한 사담의 잔인하고 한결같은 조치에 대해서도 아무런 비난을 하지 않아 이목을 끌었다. 이는 미군 보고서에 "화학 작용제"가

민간인 목표물을 상대로 광범위하게 사용되었다고 간단히 언급되었다. 미국에게 이라크는 국제법의 원칙보다도 더 중요했다. 그리고 희생자들보다도 더 중요했다.[103]

미국의 무자헤딘 지원

이와 비슷하게, 파키스탄의 핵개발 프로그램을 억제하기 위한 말이나 행동도 전혀 없었다. 소련의 아프가니스탄 침공 이후 파키스탄의 전략적 가치가 높아졌기 때문이다. 지구촌 곳곳에서 인권은 미국의 이익에 한참 못 미치는 두 번째 고려 사항이었다. 혁명 전 이란에서 교훈을 얻었어야 했지만 그러지 못했다. 미국은 분명히 좋지 않은 행동을 지지하려 한 것은 아니었다. 그러나 명예가 실추되는 것은 불가피했고, 독재자들과 자기네 국민을 박해하고 이웃 나라에 도발하려고 하는 사람들을 지지한 대가는 치러야 했다.[104]

그 한 가지 사례는 소련의 침공에 반대하는, 뭉뚱그려 무자헤딘으로 불리게 되는 아프가니스탄의 반군들에 주어진 도움이었다. 무자히딘은 '지하드에 나선 사람들'이라는 의미다. 사실 이들은 민족주의자, 전직 군 장교, 종교적 광신도, 부족 지도자, 기회주의자, 용병 등으로 이루어진 잡다한 무리였다. 그들은 때로 신병과 돈과 무기를 놓고 서로 다투는 경쟁자였다. 그들이 다투던 무기 중에는 수천 정의 반자동 소총과 로켓 추진 유탄 발사기인 RPG-7 등이 있었다. 이런 무기들은 1980년 초부터 CIA가 주로 파키스탄을 거쳐 공급한 것이었다.

무자헤딘은 조직적으로는 체계가 잘 잡히지 않았지만, 막강한 소련군에 대한 저항은 끈질기고 지속적이고 상대의 사기를 떨어뜨리는 것으로 드러났다. 테러리스트들의 공격은 살랑 고속도로변의 주요 도시들과, 우즈베키스탄에서 남쪽 헤라트와 칸다하르로 향하는 통로(소련에서 아프가니스탄으로 병력과 장비를 실어 나르는 주요 간선로) 지역의 주민들의 삶에서 중요한 특징이 되었다. 모스크바로 보낸 보고서들은 적대적인 사건이 우려스러울 정도로 많이 발생하고 있으며 범인을 색출하는 데 어려움이 있음을 언급하고 있다. 반군은 현지 주민들과 뒤섞여 있으라는 지시를 받고 있다고 한 메모는 지적했다. 그 때문에 검거하기가 쉽지 않았다.[105]

아프가니스탄 반군이 점점 많은 승리를 거두고 있는 것은 인상적이었다. 예컨대 1983년 잘랄루딘 하카니Jalaluddin Haqqani라는 지휘관이 이끈 습격은 2대의 T-55 탱크와 로켓탄 발사기, 대공포對空砲, 곡사포 등을 노획하여 이를 파키스탄 국경과 가까운 호스트 인근 터널에 있는 은신처에 숨겨놓았다. 이 무기들은 이제 노출된 고속도로를 지나는 수송대를 공격하는 데 사용되었고, 이를 통해 지역 주민들에게 강력한 소련의 콧대를 꺾을 수 있다는 것을 선전할 수 있었다.[106]

이런 승리들은 소련군의 사기를 떨어뜨렸고, 그들은 난폭하게 반응했다. 어떤 사람들은 전우와 동지들이 죽고 다친 것을 본 뒤 이들이 "피에 굶주리고" 억누를 수 없는 복수심을 느꼈음을 기록했다. 보복은 무시무시했다. 아이들은 살해되고 여자들은 강간당했으며, 모든 민간인은 반군(무자헤딘)으로 의심받았다. 이런 악순환은 갈수록 더 많은 아프가니스탄 사람들을 반군 지지 쪽으로 이끌어갔다.[107] 한 논평가가 썼듯이, 소련군 지휘관들은 정신이 번쩍 들 수밖에 없었다. 파악하기 어렵고 조직을 갖추지 못한 적이라는 호두는 붉은 군대의 큰 망치로도 깰 수 없다는 사실을 깨달았기 때문이다.[108]

반군의 힘은 미국의 주목을 끌었다. 이로 인해 아프가니스탄에서 소련의 팽창을 막는 것이 더 이상 목표가 되지 않았기 때문이다. 1985년 초가 되면 이야기는 이 나라에서 소련을 물리치고 아예 나라 밖으로 몰아내는 쪽으로 바뀌었다.[109] 3월, 레이건 대통령은 국가안보 결정 지시 166호에 서명했다.

"우리 정책의 궁극적인 목표는 아프가니스탄에서 소련군을 제거하는 것이다."

지시는 이어, 그렇게 하기 위해서는 "아프가니스탄 저항 세력의 군사적 효율성을 개선"[110]할 필요가 있다고 지적했다. 이것이 무슨 의미인지는 금세 분명해졌다. 반군에게 제공되는 무기의 양이 급격하게 증가한 것이다. 이 결정은 여기에 스팅어 미사일이 포함되는지의 여부를 둘러싼 오랜 논쟁을 촉발했다. 이 미사일은 5킬로미터 이내의 비행기를 다른 무기들에 비해 상당히 정확하게 격추시킬 수 있는 무시무시한 휴대용 발사 장치였다.[111]

이 새로운 정책의 수혜자는 잘랄루딘 하카니 같은 사람들이었다. 미국 하원의원 찰스 윌슨Charles Wilson은 그가 소련을 상대로 거둔 성과와 그의 종교적 열정에 감복하여 그를 "선량함의 화신"이라고 표현했다. 이들의 활약은 나중에 찬란한 할리우드 대작 〈찰리 윌슨의 전쟁〉(2007)의 소재가 되었다. 더 좋은 무기를 더 많이 얻을 수 있게 되자 잘랄루딘은 남부 아프가니스탄에서 자신의 입지를 넓힐 수 있었고, 그의 강경한 관점은 1985년 이후 쏟아져 들어온 미국의 무기에 힘입은 군사적 성공에 의해 강화되었다. 이는 그가 미국에 대해 무슨 충성심 같은 것을 느꼈다는 말은 아니다. 실제로 그는 미국에 눈엣가시 같은 존재가 된다. 9·11 테러 이후 그는 아프가니스탄의 세 번째 수배자로 이름을 올렸다.[112]

미국은 그런 지휘관 50명가량을 지원하여 그들에게 성과와 지위에 따라 매달 2만 달러에서 10만 달러의 비용을 지불했다. 무자헤딘을 지원하기 위해 사우디아라비아가 내는 돈 역시 증가했다. 사우디아라비아의 지원은 저항 세력이 내건 이슬람의 투쟁성이라는 표현에 사우디아라비아가 공감하고 박해받는 무슬림을 도우려는 욕구에서 비롯한 것이었다. 사우디아라비아 출신으로 자신의 양심에 따라 아프가니스탄에서 싸우고자 하는 사람은 매우 존경을 받았다. 집안이 좋고 논리적이고 인상도 좋은 오사마 빈 라덴은 사우디아라비아의 후원자들이 내는 많은 돈이 흘러들어갈 수 있는 완벽한 대상이었다. 결국 그들이 이런 자금원에 접근할 수 있었기 때문에 그들은 무자헤딘 운동 안에서 중요한 인물이 될 수밖에 없었다.[113] 이런 사실의 중요성 또한 나중에 가서야 드러나게 된다.

이 저항에 대한 중국의 지원 역시 장기적인 영향을 미쳤다. 중국은 처음부터 소련의 침략에 반대 의사를 표명하고, 이를 부정적인 결과를 가져올 팽창주의 정책으로 간주했다. 소련의 1979년 조치는 "아시아와 전 세계의 평화와 안전을 위협"하는 것이라고 당시 중국의 한 일간 신문은 보도했다. 아프가니스탄은 소련의 진짜 목표가 아니며 그들은 이 나라를 그저 "남쪽으로 파키스탄과 인도아대륙 전체를 침략하기 위한 발판"[114]으로 사용할 생각이라는 것이다.

이 소련군에 대한 저항은 중국으로부터도 적극적인 구애를 받았다. 중국으로부터 많은 무기가 제공되었고, 1980년대에 공급량이 꾸준히 늘었다. 실제로 미군 병사들이 2001년 토라보라에 있는 탈레반과 알카에다 기지를 점령했을 때, 그들은 다량의 중국제 로켓 추진식 유탄 발사기와 다기통 미사일 발사기, 지뢰와 소총 등을 발견했다. 20년 전 아프가니스탄으로 보내진 것이었다. 그들이 탄식할 일은 더 있었다. 중국은 또한 신장의 위구르족 무슬림들을 고무하고 선발하고 훈련시킨 뒤 무자헤딘과 접촉하고 합류할 수 있도록 지원했다.[115] 서부 중국의 과격화는 그 이후 줄곧 골칫거리가 되었다.

든든한 후원으로 붉은 군대에 대한 저항이 거세졌고, 소련은 자기네가 고통을 당하고 무기와 병력에서, 그리고 재정적으로도 심각한 손실을 입고 있음을 알아차렸다. 1986년 8월, 4만 톤(가액으로는 대략 2억 5000만 달러 상당)으로 추정되는 탄약이 카불 교외의 한 무기고에서 폭파되었다. 그리고 스팅어 미사일도 성공을 거두어, 1986년 잘랄라바드 부근에서 MI-24 무장 헬리콥터 3대를 격추시켰다. 이 무기의 효과가 입증되자 아프가니스탄에서 사용하던 공중 엄호의 방식이 바뀌었다. 소련 조종사들은 착륙 방식을 바꾸지 않을 수 없었고, 격추당할 가능성을 낮추기 위해 점차 야간 비행을 많이 하게 되었다.[116]

미국이 꿈꾼 장밋빛 미래

1980년대 중반 미국의 미래 전망은 장밋빛으로 보이기 시작했다. 사담 후세인과의 관계를 돈독히 하고 이라크와 신뢰를 쌓는 데 상당한 노력이 투입되었다. 아프가니스탄의 상황은 소련군이 수세에 몰리면서 나아지고 있었다. 마침내 1989년 초에 소련은 아프가니스탄에서 완전히 철수했다. 사실상 미국은 아시아 중심부로 영향력과 권위를 확대하려던 소련의 기도를 격퇴했을 뿐만 아니라, 새로운 네트워크를 구축하는 데 성공하여 이란에서 밀려난 상황을 만회했다.

1985년 봄에 쓰인 한 정보 문서는 "이란의 역사적·전략 지정학적 중요성"을 감안하면 미국과 이란의 관계가 그처럼 형편없었다는 것은 부끄러운 일이라고 썼다.[117] 사실 이란은 1년 전 '테러 지원국'으로 공식 지정되었다. 무기와 관련된 수출과 판매가 전면 금지되고, 민-군 '겸용' 기술과 장비가 엄격히 통제되며, 여러 가지 금융 및 경제 제재가 가해진다는 얘기였다.

대략 비슷한 시기에 쓰인 또 다른 보고서는 미국이 이란과 협상할 때 "내밀 패가 없었다"는 것이 참으로 불운이었다고 썼다. 아마도 미국은 "좀 더 대담한 (그리고 아마도 좀 더 위험한) 정책"을 고려할 필요가 있었다고 이 보고서는 주장했다.[118] 얻을 것이 많았다. 양쪽 모두 말이다.

호메이니가 이제 늙고 병들었기 때문에 미국은 권력의 자리에 올라서게 될 차세대 지도자가 누구인지 알아내려고 열심이었다. 일부 보고에 따르면 이란 정계에는 미국과 접촉하고 관계를 개선하고 싶어하는 온건파가 있었다. 이 온건파와 교섭하면 장래에 가치 있는 것으로 판명될 관계를 구축할 수 있었다. 1980년대 초에 레바논에서 투쟁적인 헤즈볼라 테러리스트들에 납치된 서방 인질의 석방을 이끌어내는 데 이란이 도움을 줄 수 있다는 희망도 있었다.[119]

이란의 입장에서 보더라도 건설적인 접근을 하는 데는 이점들이 있었다. 이란과 미국의 이해관계가 딱 들어맞는 아프가니스탄에서 전개되는 상황은 유망한 출발점이었다. 협력이 가능할 뿐만 아니라 성과를 낼 수 있다는 징표였다. 게다가 이란은 다른 이유들로 인해 관계 개선의 진전을 열망하고 있었다. 특히 1980년 이후 200만 명 이상의 난민들이 쏟아져 들어오는 것은 큰 문제였다. 이란이 난민들을 받아들이는 것은 쉽지 않았고, 이 때문에 이란의 지도부가 우호관계를 발전시켜 이 지역 전체의 불확실성을 제거하기를 원할 가능성이 있었다.[120]

한편으로 이란은 이라크와 치열한 전쟁을 계속 벌이면서 군사 장비 공급처를 찾는 데 애를 먹고 있었다. 흐름이 자기네에게 유리하게 바뀌어 암시장에서 많은 무기들을 사들이고는 있었지만, 미국에서 무기와 예비 부품들을 확보할 수 있다면 더욱더 좋았다.[121] 이에 따라 대화 채널을 열기 위한 시험적인 교섭이 이루어졌다.

처음 만남은 까다롭고 어렵고 불편했다. 이란을 설득하기로 굳게 결심한 미국은 이란에 대한 소련의 의도에 관한 정보(그것은 나중에 "진짜와 가짜가 뒤섞인 정보"로 드러나게 된다)를 제공했다. 미국과 손을 잡는 것이 분명히 이익이라는 점을 이란에 각인시키기 위해 무엇보다도 소련이 이 나라의 일부를 점령하려고 한다는 점에 초점을 맞추었다.[122]

그러나 논의가 진전되면서 미국이 관심을 가지는 문제들에 관한 정보 역시 전달되었다. 소련 장비들의 전투 능력 같은 것들이다. 미국은 언제나 그런 문제들을 신경 써서 추적해왔고, 실제로 아프가니스탄 반군이 노획한 소련의 신무기 AK-74 돌격소총 한 자루를 5000달러에 구입하기도 했다.[123] 미국인들은 T-72 탱크와 MI-24 '악어Krokodil' 공격 헬리콥터의 장점과 한계, 취약성을 분석하면서 아프가니스탄 전사들의 이야기를 경청했다. 그들은 소련군이 네이팜탄과 기타 독가스들을 광범위하게 사용하고 있음을 알게 되었다. 그들은 또한 이 나라 곳곳에서 작전 중인 스페츠나즈(특수부대)가 대단히 효율적이며, 이는 아마도 일반 붉은 군대 병사들에 비해 더 전문적인 훈련을 받은 결과로 보인다는 이야기도 들었다.[124] 이는 20년 뒤에 소중한 지침을 제공하게 된다.

이란과 미국의 이해관계가 자연스럽게 합치했다. 이란 측 협상자들은 "소련의 이데올로기는 이란의 이데올로기와 정면으로 배치된다"

라고 발언했고, 이는 똑같이 단호하게 표현될 수 있는 공산주의에 대한 미국의 태도와 일치하는 것이었다. 이 시기에 소련이 이라크에 상당한 군사적 지원을 제공하고 있었다는 점도 중요했다. 한 고위 인사는 논의 도중 이렇게 말했다.

"소련군이 이란 병사들을 죽이고 있습니다."[125]

불과 몇 년 사이에 철천지원수였던 이란과 미국이 단짝까지지는 아니지만, 점차 차이를 잊어버리고 공통의 목표를 위해 손잡고자 했다. 강대한 세력들 사이에 벌어지는 경쟁의 한가운데를 뚫고 지나가려고 하는 이런 시도는 이전 세대의 이란 외교관들과 지도자들이 끊임없이 썼던 고전적인 정책이었다.

이란-콘트라 사건

관계를 굳히고 싶었던 미국은 이란에 무기를 수출하기 시작했다. 스스로 걸어놓은 금수 조치를 위반하는 것이었고, 그러면서도 다른 나라 정부들에게는 이란에 무기를 팔지 말라고 압력을 가하고 있던 상황이었다. 일부에서는 이런 식의 사태 전개에 반대했다. 대표적인 사람이 조지 슐츠 국무부 장관이었다. 그는 이런 조치가 이란의 승리로 이어지고 "이 지역 곳곳에서 반미 운동의 에너지가 새롭게 터져나올"[126] 것이라고 말했다. 다른 사람들은 그것이 미국의 이익을 도와 이란과 이라크가 서로 소모전을 벌이게 할 것이라는 주장을 이미 내놓았다. 슐츠 휘하의 차관보 리처드 머피Richard Murphy는 1984년 의회 청문회에서 이렇게 말했다.

"어느 쪽(이란 또는 이라크)의 승리도 군사적으로 달성할 수도 없고 전략적으로도 바람직하지 않습니다."

이런 정서는 백악관 고위 관리들의 언급에서도 그대로 되풀이되었다.[127]

100기의 토 미사일(TOW. 발사통으로 발사하고 광학적으로 추적하며 유선으로 유도하는 미사일)을 실은 첫 번째 화물이 1985년 여름에 발송되었다. 이 무기는 이란과 관계를 맺으려고 열심인 중개자를 통해 수송되었다. 바로 이스라엘이었다.[128] 이런 우호적인 관계는 이란 지도자들이 일상적으로 이스라엘을 "지도에서 지워버려야" 한다고 주장하는 21세기 초의 관점에서는 놀라운 일일 것이다. 그러나 1980년대 중반에는 이들의 관계가 매우 긴밀했다. 이스라엘 총리를 지내고 당시 국방부 장관이던 이츠하크 라빈은 이렇게 말하기도 했다.

"이스라엘은 이란의 가장 가까운 친구입니다. 그리고 우리는 입장을 바꿀 생각이 없습니다."[129]

이스라엘이 미국의 무기 프로그램에 기꺼이 참여하려 했던 것은 상당 부분 이라크가 동쪽 이웃에 관심을 집중하지 않을 수 없는 상황에 묶어두기를 원했기 때문이다. 다른 곳에서 꿈지럭거릴 엄두를 내지 못하도록 말이다. 그럼에도 불구하고 이란과 화해하는 문제는 상당히 민감한 일이었다. 미국의 제안에 따르면 이스라엘이 미국의 군수품과 장비를 이란으로 수송해주고 그 뒤에 미국으로부터 비용을 받아야 했다. 이에 따라 이스라엘 정부는 이 계획이 미국 최고위층에서 승인한 것이라는 확인을 요구하고 받아냈다. 실제로 레이건 대통령이 직접 승인했다.[130]

1985년 여름에서 1986년 가을 사이에 이란은 미국으로부터 여러 차례에 걸쳐 다량의 화물을 받았다. 2000기 이상의 토 미사일과 18기의 호크 대공 미사일 등이 들어 있었고, 호크 시스템의 예비 부품들도 두 차례 보내주었다.[131] 모든 배송이 이스라엘을 통해 이루어진 것은 아니었다. 얼마 지나지 않아 미국이 직접 배송을 했기 때문이다. 물론 그 과정에서 물이 더욱 흐려지기는 했다. 이렇게 이란에 무기를 판매해서 받은 돈을 니카라과의 반군 '콘트라Contra'를 지원하는 데 썼기 때문이다.

미국은 쿠바 미사일 위기 이후 미국의 문간에 있는 나라들에 대한 공산주의의 위협에 겁을 먹고, 좌파의 주장과 정책에 대한 효과적인 방파제 구실을 할 수 있는 (그리고 자기네의 문제점은 조용히 넘어가줄 수 있는) 활동적인 집단들에 자금을 지원하는 데 열중했다. 콘트라는 사실 종종 자기네끼리 치열한 다툼을 벌이기도 하는 반군들의 느슨한 집단인데, 이들이 미국 반공산주의 원칙의 (그리고 외교정책상의 무지의) 주요 수혜자였다. 서아시아에서 미국의 비공식적인 행동과 공식적인 행동이 달랐던 것과 마찬가지로, 중앙아메리카에서도 분명히 법으로 금지하고 있지만 반대 세력에게 원조가 제공되었다.[132]

문제는 1986년 말 정점에 도달했다. 비밀이 잇달아 누설되어, 진행되고 있던 일들이 드러난 것이다. 추문은 대통령의 자리마저 위협했다. 11월 13일, 레이건 대통령은 황금시간대에 전국 방송에 출연하여 "고도로 민감하고 매우 중요한 외교정책 문제"에 관해 연설했다. 성패가 달린 순간이었기 때문에 그는 자신의 온갖 매력을 동원해 성공을 거두어야 했다. 레이건은 변명하거나 방어적으로 들리는 것을 피하고자 했다. 필요한 것은 설명이었다. 그의 설명은 이 지역에 있는 나라들의 중요성을 완벽하게 요약했다. 그리고 미국이 무슨 수를 쓰더라도 영향을 미칠 필요가 있다는 것을 강조했다.

대통령은 얼어붙은 시청자들에게 말했다.

"이란은 세계에서 가장 중요한 지역 일부를 포함하고 있습니다. 이 나라는 소련과 따뜻한 바다 인도양의 입구 사이에 놓여 있습니다. 지도를 보면 소련이 왜 아프가니스탄에 군대를 보내 그 나라를 점령하고, 가능하다면 이란과 파키스탄까지 점령하려 했는지를 알 수 있습니다. 이란은 지리적으로 매우 중요한 위치에 있기 때문에 적들은 그곳에서 페르시아만에 인접한 아랍 국가들에서 나오는 석유의 운송에 개입할 수 있습니다. 지리적인 문제는 차치하고라도, 이란에 매장된 석유는 세계 경제의 장기적인 건전성에 중요한 역할을 합니다."

이것이 "소량의 방어용 무기와 예비 부품의 판매"를 정당화한다고 말했다. 이란에 정확하게 어떤 무기들이 넘어갔는지는 밝히지 않은 채 그는 이렇게 말했다.

"이 얼마 안 되는 화물은 다 합쳐도 화물 수송기 한 대에 너끈히 들어가는 물량입니다."

그가 한 일은 모두 "이란과 이라크 사이의 피로 얼룩진 6년 전쟁을 명예롭게 끝내기" 위한 것이었다. "국가가 뒷받침한 테러리즘을 몰아내고 (……) 모든 인질의 안전한 귀환을" 위한 것이었다.[133]

이런 연설이 엄청난 후폭풍을 막아주지는 못했다. 미국이 인질 석방과 직접 거래한 듯한 방식으로 이란에 무기를 팔았음이 알려졌기 때문이다. 사태는 이란-콘트라 계획에 깊숙이 관여했던 사람들이, 이 은밀하고 불법적인 행위가 바로 대통령에 의해 승인되었음을 증언하는 문서를 파쇄했다는 사실이 드러나면서 더욱 고약해졌다.

레이건은 이 문제를 조사하기 위한 청문회에 출석했는데, 이 자리에서 그는 자신이 이란에 무기를 파는 계획을 승인했는지 어떤지 기억이 나지 않는다고 변명했다. 1987년 3월, 그는 다시 한 번 텔레비전 연설을 했다. 이번에는 "나도 알지 못하는 가운데 이루어진 행위들"에 대해 분노를 표했다. 이는 레이건 자신이 이제 이야기하는 진실을 내팽개친 발언이었다.

"몇 달 전 나는 미국 국민들에게 내가 무기와 인질을 맞바꾸지 않았다고 말했습니다. 내 마음과 선의는 아직도 그것이 진실이라고 내게 말합니다. 그러나 사실과 증거는 그렇지 않다고 내게 말합니다."[134]

이런 당혹스러운 폭로는 레이건 행정부 깊숙이까지 영향을 미쳤다. 그 뒤 고위 인사 여러 명이 음모와 위증, 증거 은닉 등의 혐의로 기소되었다. 국방부 장관 와인버거, 국가안보 보좌관 로버트 맥팔런, 그의 후임 존 포인덱스터, 국무부 차관보 엘리엇 에이브럼스, CIA 작전 담당 부국장 클레어 조지를 비롯한 여러 명의 CIA 직원들. 이 화려한 면면들은 미국이 세계의 중심부에서 입지를 확보하기 위해 어디까지 가려 했었는지를 보여준다.[135]

이 기소가 결국 눈속임 이외에 아무것도 아니었다는 사실 역시 마찬가지다. 지도급 인사 모두는 1992년 크리스마스 전날 조지 H. W. 부시 대통령으로부터 사면을 받았다. 다시 말해 유죄 판결이 뒤집어졌다. 사면 포고문에는 이렇게 쓰여 있다.

"그들의 행위가 옳았든 옳지 않았든, 그들이 그런 일에 나섰던 동기는 애국심이었습니다."

대통령은 이어, 그들의 개인 재산과 이력, 그리고 가족에 미친 영향은 "그들이 저질렀을 어떤 범죄 및 판단 착오와 견주어도 상당히 컸다"[136]라고 말했다. 이 사면받은 사람들 가운데 몇몇은 이미 위증과 의회에 대한 증거 은닉 등 여러 가지 죄목으로 유죄 판결을 받았고, 와인버거에 대한 재판은 2주 뒤에 시작될 예정이었다. 이는 재판이란 고무

줄 같은 것이라는 고전적인 사례이자, 목적이 수단을 정당화한다는 전형적인 사례였다. 그 파장은 워싱턴 정가보다 훨씬 먼 곳까지 미쳤다.

추악한 진실이 드러나다

사담 후세인은 미국이 이란과 거래했다는 소식을 듣고 졸도할 지경이었다. 이라크는 미국이 이웃이자 숙적인 이란에 맞서 자기네를 지원하고 있다고 생각해왔다. 사담은 1986년 11월 레이건이 처음 텔레비전 연설을 한 직후 즉각 회의를 열어 레이건의 발언 내용에 대해 논의했다. 이 자리에서 사담은 무기 판매가 "등 뒤에서 칼을 꽂는" 비열한 짓거리이고, "악독하고 부도덕한 행위"의 극치라며 마구 떠들어댔다.[137] 그는 미국이 이라크인들로 하여금 "피를 더 흘리게" 하려고 작정했다고 결론지었다. 다른 사람들은 빙산의 일각만 드러났을 뿐이라고 맞장구쳤다. 몇 주 뒤 한 고위 인사는 미국이 이라크를 상대로 계속해서 음모를 꾸밀 것이라고 말했다. 타리크 아지즈Ṭāriq ʿAzīz 부총리는 이에 동의하며, 이것이 제국주의 세력의 전형적인 특징이라고 말했다.[138] 분노와 배신감은 분명했다.

"미국인들을 믿지 마시오! 미국인들은 거짓말쟁이들이오! 미국인들을 믿지 마시오!"

20년 이상 지난 뒤 바그다드에서 찾아낸 한 녹음 테이프에는 이렇게 호소하는 목소리가 담겨 있었다.[139]

이란-콘트라 사건은 워싱턴에서 일자리가 사라지게 했지만, 1980년대 중반 이라크에서는 그것이 포위 강박을 확산시키는 데 결정적인 역할을 했다. 미국에 실망한 사담과 휘하 인사들은 이제 모든 것이 음모로 보였다. 이 이라크 지도자는 제5열 분자에 관해 이야기하기 시작했고, 그런 자들을 발견하면 목을 따버리겠다고 했다. 이란뿐만 아니라 미국과 가까워 보이는 다른 아랍 국가들도 갑자기 매우 의심스러워 보였다. 나중에 미국의 한 고급 보고서가 결론지었듯이, 사담은 이란-콘트라 사건 이후 "미국은 믿을 수 없으며 미국이 나를 해치려 하고 있다"고 확신하게 되었다.[140]

미국이 양다리를 걸치고 배신하려 한다는 믿음은 분명히 근거가 있었다. 미국은 과거에 샤와 친구가 될 태세가 되어 있었다. 이제 그들은 아야톨라 호메이니 정권과 유대를 강화하려 노력하고 있었다. 상당한 군사적·경제적 지원이 아프가니스탄의 고약한 무리들에게 제공되었다. 이유는 단지 미국이 오랫동안 소련과 경쟁관계라는 것뿐이었다. 사실 사담 자신도 미국 정책 담당자들에게 적절하다 싶은 순간에 친구로 받아들여졌다. 그러나 더 이상 적절하지 않다고 생각되자 희생양이 되었다.

미국의 이익을 앞세우는 것은 그 자체로 문제는 아니었다. 문제는 제국주의 방식의 외교정책을 추진하려면 좀 더 세심한 솜씨가 필요하다는 점이었다. 또한 장기적인 영향에 관한 철저한 고려가 필요했다. 미국은 20세기 말에 실크로드 국가들에 대한 통제권을 다투는 과정에서 매번 성급하게 거래를 하고 협정을 맺었다. 장래의 문제를 고려하지 않은 채 현재의 문제를 해결하는 데만 급급한 것이다. 몇몇 경우에는 더 곤란한 문제가 생겨날 소지를 만들어놓았다. 소련을 아프가니스탄에서 몰아내는 목표는 성취되었다. 그러나 그다음에 무슨 일이 일어날지에 대해서는 고려하지 않았다.

미국이 만들어놓은 세계의 적나라한 현실은 1980년대 말과 1990년의 이라크에서 너무도 분명하게 나타났다. 당황한 미국 관리들은 이란-콘트라 사건의 낭패 이후 와인버거 국방부 장관의 표현대로 "아랍 국가들의 신뢰를 다시 얻기"[141] 위해 최선을 다했다. 이라크에게 이례적으로 많은 액수의 신용대출을 해주고, 민-군 겸용과 기타 첨단기술에 대한 규제 완화 등 교역을 늘리기 위한 조치들을 취하며, 지지부진한 이라크의 농업 분야에 돈을 대주는 것 등이 포함되었다. 모두 사담과의 신뢰를 회복하기 위한 조치였다.[142]

그러나 이라크 쪽에서는 이를 상당히 다르게 이해했다. 사담은 그런 제안들을 받아들이기는 했지만, 그것이 또 다른 함정의 일부라고 생각했다. 아마도 무력 공격의 서곡이며, 아마도 이란-이라크 전쟁 동안에 쌓인 부채 청산이 문제가 되는 시기에 서서히 압력을 높이려는 시도의 일환일 터였다.

바그다드 주재 미국 대사 에이프릴 글래스피April Glaspie는 이렇게 단언했다.

"[이라크인들은] 미국이 (……) 이라크를 겨냥하고 있다고 확신하고 있습니다. 그들은 이에 대해 언제나 불만을 터뜨렸습니다. (……) 그리고 나는 사담 후세인이 정말로 그렇게 믿고 있다고 생각합니다."[143]

1989년 말, 이라크 지도부 사이에서 미국이 사담 후세인을 몰아내기 위해 쿠데타를 꾸미고 있다는 소문이 나돌았다. 타리크 아지즈는 제임스 베이커 미국 국무부 장관에게 대놓고 말했다. 이라크는 미국이 사담 제거를 계획하고 있다는 증거를 가지고 있다고.[144] 포위 강박은 피해망상으로 발전해 미국이 무슨 조치를 취하든 잘못 해석되기 십상이었다.

이라크의 의구심은 이해하기 어렵지 않았다. 특히 미국이 약속했던 대출 보증이 1990년 7월에 갑자기 취소되었으니 말이다. 사실 그것은 이라크에 재정 지원을 쏟아부으려던 백악관의 시도가 의회의 반대로 실패했기 때문이다. 더 좋지 않은 일도 있었다. 7억 달러의 자금 지원이 취소된 마당에 이라크가 과거에 독가스를 사용했다는 이유로 제재가 가해졌다. 사담의 입장에서 보자면 이것은 역사가 되풀이된다는 실례 가운데 하나였다. 미국은 이렇게 하겠다고 약속해놓고는 저렇게 하고 있었다. 그것도 음흉한 방법으로 말이다.[145]

이 무렵에 이라크군은 나라의 남쪽으로 집결하고 있었다.

"보통의 경우라면 이것은 우리가 상관할 바가 아닙니다."

글래스피 미국 대사는 1990년 7월 25일에 사담 후세인을 만나 이렇게 말했다. 이런 내용은 두 사람의 대화를 담은 기록이 유출되어 밝혀졌는데, 이 20세기 말의 가장 고약한 축에 속하는 문서를 보면 대사는 사담에게 또 이렇게 말했다.

"나는 부시 대통령으로부터 이라크와의 관계를 개선하라는 지시를 직접 받았습니다."

그러고는 사담의 "나라를 재건하려는 비길 데 없는 노력"을 찬탄했다. 그럼에도 불구하고 글래스피는 이라크 지도자에게 이렇게 말했다.

"우리는 이라크에게 돈이 필요하다는 것을 알고 있습니다."

그 뒤에 공개된 또 다른 문서에 따르면 "면담하는 동안 진실하고 합리적이고 따뜻"했던 사담은 이라크가 어려운 시기를 겪고 있음을 시인했다.[146] 가스 개발의 부진, 오랜 국경 분쟁, 유가 하락 등이 경제에 문제를 일으켰다고 그는 말했다. 이란과의 전쟁으로 쌓인 빚 역시 마찬가지였다. 그는 해법이 한 가지 있다고 말했다. 샤트알아랍 강의 통제권을 가진다면 몇몇 문제를 해결하는 데 도움이 되리라는 것이었다.

이 지역은 이라크가 오랫동안 쿠웨이트와 분쟁을 벌이던 곳이었다.

"이 문제에 대해 미국은 어떻게 생각하고 있습니까?"

그가 묻자 대사는 이렇게 대답했다.

"우리는 아랍 국가들 사이의 갈등에 대해서는 아무런 의견도 갖고 있지 않습니다. 이라크가 쿠웨이트와 벌이고 있는 분쟁 같은 일에는요."

대사는 이어 이것이 무슨 의미인지를 분명히 밝혔다.

"베이커 [국무부] 장관은 1960년대에 처음 이라크에 설명했던 내용을 제게 강조했습니다. 쿠웨이트 문제는 미국과 관련이 없다고 말입니다."[147]

사담은 미국이 허락해줄 수 있는지를 물은 것이었고, 그것을 얻었다. 그다음 주에 그는 쿠웨이트를 침공했다.

그 결과는 재앙이었다. 그 이후 30년 동안 세계의 문제는 아시아의 등뼈를 따라 늘어선 나라들에서 일어나는 사건들의 소용돌이 속으로 들어갔다. 이 나라들에서의 통제력과 영향력을 둘러싼 싸움이 전쟁과 반란과 국제적인 테러 행위들을 양산했고, 기회와 가능성 역시 만들어냈다. 이란, 이라크, 아프가니스탄에서만이 아니라 흑해에서 동방으로 뻗은 띠 지역의 나라들에서도 마찬가지였다. 시리아에서 우크라이나까지, 카자흐스탄에서 키르기스스탄까지, 투르크메니스탄에서 아제르바이잔까지, 그리고 러시아에서 중국까지도 마찬가지였다. 세계에 관한 이야기의 중심에는 언제나 이들 나라가 있었다. 그러나 쿠웨이트를 침공하던 시기 이후에는 모든 것이 '새로운 실크로드'의 탄생에 관한 것이었다.

비극으로 가는 길

후세인, 미국의 친구에서 적으로

1990년 이라크의 쿠웨이트 침공은 이례적인 일련의 사건들을 촉발했고, 그것이 20세기 말과 21세기 초를 규정했다. 사담은 한때 영국인들에게 "매력적인 미소"를 지닌 "괜찮은 젊은이"로 호평을 받았다. 다른 여러 동료들처럼 "싹싹한 체하는" 일도 없었다. 그는 "변죽을 울리지 않고" 말하기를 좋아했다. 바그다드 주재 영국 대사 글렌케언 밸푸어 폴Glencairn Balfour Paul은 1960년대 말에 "그에 대해 좀 더 안다면 함께 일을 할 수 있는 사람"[1]이라고 결론지었다. 프랑스인들에게는 '아랍의 드골'이었다. 자크 시라크 대통령은 그의 "민족주의와 사회주의"를 진심으로 칭찬했다. 미국 또한 1980년대 초에 럼스펠드가 말한 "이 지역에서 미국의 입지"[2]를 개선하기 위해 그에게 기댈 생각을 가지고 있었다.

쿠웨이트 공격은 이란-콘트라 추문과 미국의 양다리 걸치기가 드러난 이후의 자위책自衛策 같은 것이라고 사담 후세인은 1990년 12월에 측근 참모들에게 말했다.[3] 세계의 나머지 사람들은 그렇게 보지 않았다. 유엔이 즉각적인 이라크의 철군을 요구한 가운데 곧바로 경제 제재가 가해졌다. 이라크가 커져가는 외교적 압박을 싹 무시하자 문제를 결정적으로 해결하기 위한 계획이 만들어졌다.

1991년 1월 15일 조지 H. W. 부시 미국 대통령은 "헌법이 정한 대통령과 총사령관으로서의 책임과 권한에 따라, 그리고 미국의 법률과 조약에 의해" 군사행동의 사용을 승인했다. "공중과 해상과 육상의 통상 병력이 우리 연합국들과의 협력 아래" 무력을 사용할 것을 승인한 '국가 안보 지시 54호'의 첫 문장에는 이라크의 침략(쿠웨이트의 자주적인 영토와 국제법을 위반한 행위다)에 대한 언급이 빠져 있다. 그 대신에 부시 대통령은 이후 30년 동안 미국 외교정책의 기조를 이루는 다음과 같은 이야기를 한다.

"페르시아만 일대의 석유를 살 수 있도록 하고 이 지역의 핵심 우방들을 지키는 것은 미국의 국가 안보에 필수적이다."[4]

사담 후세인의 쿠웨이트 침공은 미국의 지배력과 이익에 대한 직접적인 도전이었다.

야심찬 공격이 이어졌다. 여러 연합국에서 끌어모은 병사들이 참전했고, 지휘관은 노먼 슈워츠코프Norman Schwarzkopf 장군이었다. 같은 이름의 그의 아버지는 2차 세계대전 때 연합국을 위해 이란을 지키는 데 도움을 주었고, 모사데그를 실각시킨 '아약스 작전'뿐만이 아니라 정보기관 SAVAK(1957년부터 1979년까지 이란 국민을 공포에 떨게 했던 기관이다)의 창설에도 관여한 바 있었다.

연합군의 공습은 주요 방어 및 통신 시설과 무기 관련 시설들에 집중되었고, 이와 동시에 지상군은 '사막의 폭풍 작전'으로 이라크 남부와 쿠웨이트로 진격했다. 원정은 극적이었고, 또한 신속했다. 1991년

1월에 작전을 시작한 지 6주 뒤에 부시 대통령은 종전을 선언했다. 그는 2월 28일 텔레비전 연설에서 이렇게 말했다.

"쿠웨이트는 해방되었습니다. 이라크군은 격퇴되었습니다. 우리의 군사적 목표는 달성되었습니다. 쿠웨이트는 다시 쿠웨이트인의 수중으로 돌아갔습니다. 스스로 운명을 결정하게 되었습니다. (……) 지금은 좋아할 때가 아닙니다. 확실히 싱글벙글할 때가 아닙니다. (……) 우리는 이제 승리와 전쟁 너머를 바라보아야 합니다."[5]

부시 대통령에 대한 지지율은 하늘 높이 치솟아, 1945년 독일이 항복하던 날 트루먼 대통령이 기록했던 수준을 넘어섰다.[6] 그 이유는 여러 가지가 있겠지만, 전쟁의 목표가 명확하게 규정되고 단시간 내에 달성되었으며 연합군의 인명 피해가 다행스럽게도 적었다는 점을 들 수 있을 것이다. 미국은 사담이 "화학무기나 생물무기, 핵무기"를 사용하고 테러 공격을 지원하거나 쿠웨이트 유전을 파괴하지 않는 한 그를 실각시킨다는 계획까지는 세우지 않았다. 그러나 그런 일이 생긴다면 "이라크의 현재 지도부를 교체하는 것이 미국의 분명한 목표가 될 것"[7]이라고 부시 대통령은 말했다.

이른 단계에서 군사행동을 끝내기로 결정하자 아랍어권 세계와 그 너머에서도 이를 찬탄했다. 이라크군이 쿠웨이트의 유정을 다수 파괴하고 불질렀음에도 불구하고 내린 결정이었다. 이런 일들이 무시된 것은 이라크 수도로 이동하는 것이 달갑지 않은 "임무 변경"이 될 것이라고 생각했기 때문이라고, 부시 대통령은 국가안보 보좌관을 지낸 브렌트 스코크로프트Brent Scowcroft와 1990년대 말에 함께 지은 책에서 밝혔다. 아랍 세계와 그 밖의 지역에서까지 동맹국들의 적대감을 불러일으킬 수 있다는 점 외에도, 지상전을 이라크로 확대하여 "사담 제거

를 위해 노력"하는 데는 많은 대가를 치러야 한다는 점을 인식했기 때문이었다.[8]

리처드 체니 국방부 장관도 1992년 디스커버리 협회 연설에서 이에 동의했다.

"우리는 바그다드로 계속 진격하지 않기로 결정했습니다. 그것은 결코 우리의 목표에 들어 있지 않았기 때문입니다. 그것은 미국이 하기로 했던 것이 아니었고, 의회가 승인해준 것이 아니었고, 연합국이 구성된 이유도 아니었습니다."

또한 미국이 "이라크를 점령하고 통치하는 문제에 얽히기"를 원치 않았다고 말했다. 그는 이렇게 인정했다.

"그리고 내게 든 생각은 사담이 과연 많은 미군 사상자를 낼 가치가 있는가 하는 것이었습니다. 답은 그렇게 많이 희생할 필요가 없다는 것이었습니다."[9]

사담 후세인을 타도하기보다는 억제하겠다는 것은 공식 입장일 뿐이었다. 비공식적으로는 얘기가 달랐다. 종전이 선언된 지 불과 몇 주 뒤인 1991년 5월에 부시는 "사담 후세인을 권좌에서 몰아내기 위한 여건을 조성"하는 계획을 승인했다. 이 일을 위해 비밀 작전용으로 두둑한 자금까지 마련해놓았다. 무려 1억 달러였다.[10] 1920년대 이래로 미국은 광범위한 전략적 이해관계에 부합하는 정권들을 떠받치기 위해 활발하게 개입해왔다. 미국은 이제 이 지역에 대한 자국의 구상을 강요하기 위해 정권 교체를 고려한다는 것을 다시 한 번 드러내고 있었다.

'민주주의 전도사' 미국

영향력을 키우려는 미국의 야망은 1990년대 초에 나타난 심각한 지정학적 변화에 의해 촉발된 측면이 있었다. 쿠웨이트 침공 조금 전에 베를린 장벽이 무너졌고, 이라크의 패배 이후 몇 달 사이에 소련이 붕괴했다. 1991년 크리스마스 날 미하일 고르바초프 소련 대통령은 그 자리에서 물러났고, 소련이 15개 독립국가로 해체되었음을 발표했다. 몇 주 뒤 부시 대통령은 의회에서 이렇게 말했다.

"세계는 엄청난 변화를 겪었습니다. (……) 하느님의 은총으로 미국은 냉전에서 승리를 거두었습니다."[11]

러시아에서는 과도기에 정권을 놓고 격렬한 싸움이 촉발되어 헌정 위기가 닥쳤고, 1993년 군 탱크가 러시아 정부 건물인 모스크바의 벨리돔을 포격한 뒤 수구파가 물러났다. 이 시기에는 중국에서도 큰 변화가 일어났다. 1976년 마오쩌둥毛澤東이 죽은 뒤 덩샤오핑鄧小平 등에 의해 도입된 개혁 정책이 성과를 내기 시작했다. 이것이 중국을 고립된 지역의 강자에서 경제적·군사적·정치적 야망을 키워가는 나라로 변모시켰다.[12] 남아프리카공화국에서도 역시 아파르트헤이트라는 폭압 정치가 마침내 막을 내렸다. 자유와 평화와 번영의 북은 크고도 의기양양하게 울리는 듯했다.

부시 대통령은 상·하원 합동 회의에서 이렇게 말했다.

"한때 (……) 둘로 나뉘었던 세계에 이제 유일하고 두드러진 초강대국만이 남았습니다. 바로 아메리카합중국입니다."[13]

서방은 승리를 거두었다. 이라크에서 도덕적으로 약간의 편법을 썼지만, 그것은 무엇보다도 중요한 전도傳道 목표가 아메리카 제국의 특질과 자질의 확산을 가속화한다면 정당화될 수 있었다. 미국이 전하려는 도는 바로 민주주의였다.

이에 따라 이라크의 쿠웨이트 침공 이후의 10년 동안 미국은 애매모호하면서도 동시에 야심찬 정책을 추구했다. 미국은 이라크 같은 나라들을 해방시키고 민주주의의 개념과 실제를 양성한다는 주문을 반복적으로 외웠다. 그러나 미국은 또한 빠르게 변하는 사회에서 열심히, 그리고 때로는 잔혹하게 자국의 이익을 보호하고 확대하고자 노력했다. 무슨 대가를 치러야 한대도 거의 상관없었다.

페르시아만 전쟁 이후 통과된 유엔 결의안 687호에는 쿠웨이트의 자주권과 관련된 조치들이 포함되어 있었지만, 이라크에 대한 제재도 가해졌다. "의약품 및 건강용품 이외 제품이나 상품의 (……) 판매와 공급"이 제한되었다. "식료품"도 마찬가지로 예외 사항이었다.[14] 이런 조치들은 군비 축소(생물·화학무기 프로그램의 중단 같은 것이다)를 강제하고 쿠웨이트의 자주권을 인정하는 협정을 강제하기 위한 것이었다.

이라크의 수출과 금융 거래에 대한 전면적인 제한은 처참한 결과를 초래했다. 특히 가난한 사람들에게는 더욱 심했다. 세계적인 의학 잡지 《랜싯The Lancet》의 잠정 평가에 따르면 이런 정책의 직접적인 결과인 영양실조와 질병으로 5년 동안 50만 명의 아이들이 죽은 것으로 추산되었다.[15] 1996년 레슬리 스탈Leslie Stahl은 텔레비전 프로그램 〈60분60Minutes〉에서 매들린 올브라이트 유엔 주재 미국 대사(몇 달 뒤에 국무부 장관이 된다)를 인터뷰하면서 이라크에 대한 제재의 결과로 1945년 히로시마에서 원자폭탄 투하로 죽은 사람보다 더 많은 아이들이 죽었다고 말했다. 올브라이트는 이렇게 대답했다.

"이것은 매우 어려운 선택입니다. 그러나 (……) 우리는 그런 대가를 치를 만한 가치가 있다고 생각합니다."[16]

휴전 이후 이라크에게 가해진 것은 경제 제재만이 아니었다. 휴전이 합의된 직후 북위 36도 이북과 북위 32도 이남(나중에 북위 33도 이남으로 확대되었다)이 비행 금지 구역으로 설정되었다. 1990년대에 미국, 프랑스, 영국 군용기를 띄워 20만 차례 가까이 무장 감시 출격에 나서며 순찰했다.[17] 이 비행 금지 구역 설정은 이라크 영공의 절반 이상에 해당하는데, 표면적으로는 북부의 소수민족 쿠르드족과 남부의 시아파 주민들을 보호한다는 명목이었다. 이런 설정이 유엔 안전보장이사회의 위임도 없이 일방적으로 이루어졌다는 것은 서방이 다른 나라의 내부 문제에 간섭하고 자기네 마음대로 일을 처리하려 했음을 보여준다.[18]

이는 1998년에 다시 한 번 입증되었다. 빌 클린턴 대통령은 '이라크 해방법'에 서명하여 미국의 정책을 공식화했다.

"사담 후세인이 이끄는 정권을 이라크의 권좌에서 제거하고 그 정권을 대체할 민주적 정권의 등장을 촉진하는 노력을 지원하는 것이 미국의 정책이 되어야 합니다."[19]

클린턴은 또한 일치되지 않는 사담 반대 목소리들을 "통일시켜 효율적으로 협력"할 수 있도록 한다는 목표 아래 "이라크의 민주적 반대파"에게 800만 달러를 제공할 것이라고 발표했다.[20]

자국이 원하는 것을 얻기 위한 미국과 그 동맹국들의 시도는 이라크에만 국한되지 않았다. 예를 들어 클린턴 대통령은 대화 채널을 열고 이란-콘트라 추문의 여파와 1988년 미국 해군 전함 빈센스호가 이란 여객기를 격추시킨 참사 이후 곤두박질치던 양국 관계를 개선하기 위해 이란 지도부에 접근했다. 이란이 취한 보복 조치의 전모는 아직 분명하지 않지만, 여러 가지 증거가 되는 흔적들은 미국의 목표물들을 향한 광범위한 테러 공격이 이루어졌음을 시사한다. 아마도 1988년 12월 스코틀랜드 로커비 상공에서 있었던 팬암 항공 103편 격추와 1996년 사우디아라비아 다란 부근의 미군 기지 폭파 같은 사건들이 여기에 포함될 것이다.[21]

클린턴 대통령은 미군 기지 사건에 이란이 개입되었음을 강력하게 시사하는 미국 자체 조사 결과가 나오자 1990년대 후반 모하마드 하타미 이란 대통령에게 중개자를 통해 편지를 보내 항의했다. 이란은 병사 19명의 죽음에 이란이 연루되었다는 미국의 주장이 "부정확하고 인정할 수 없다"고 일축하며 펄쩍 뛰었다. 더구나 10년 전 "이란 민간 항공기 격추에 책임이 있는 미국인들을 기소하거나 인도"하기 위해 어떤 노력도 하지 않은 미국이 테러 공격에 대해 분노를 표하는 것은 위선적인 일이라고 주장했다. 그럼에도 불구하고 이란은 미래에 대한 희망을 제안했다. 답변서는 이란이 "미국에 대해 적대할 의사가 없음"을 미국 대통령은 믿어도 된다고 말했다.

"이란인들은 적의를 품고 있지 않을 뿐만 아니라 정말로 위대한 미국인들을 존경하고 있습니다."[22]

이러한 전진은 아프가니스탄에서도 반복되었다. 이곳에서는 1996년 탈레반 강경파 정권의 지도자(물라)인 무함마드 오마르Muhammad Omar와 중개인을 통해 접촉한 뒤 대화 채널이 열렸다. 여기서도 초기의 조짐은 희망적이었다. 카불 주재 미국 대사관이 마련한 첫 만남에 관한 믿을 만한 보고서에 따르면, 한 탈레반 고위 지도자는 이렇게 말했다.

"탈레반은 미국을 높이 평가하고 있습니다."

더구나 "소련에 맞선 항전 동안에" 미국이 제공한 지원을 잊지 않고 있다고 했다. 무엇보다도 그는 이렇게 말했다.

"탈레반은 미국과 우호관계를 원하고 있습니다."[23]

이런 유화적인 메시지는 낙관론의 근거가 되었고, 이 지역에 미국이 장래에 유용할 것으로 보이는 연락원과 옛 친구들을 두고 있다는 점도 마찬가지였다. 그런 사람들 가운데 하나가 소련의 침공 이후 오랫동안 CIA 요원으로 활동했던 군사 지도자 잘랄루딘 하카니였다. 그가 탈레반 내부에서 점점 더 중요해지고 있음을 강조한 한 메모에는 사회 정책과 여권女權에 관한 그의 상대적으로 진보적인 태도가 기록되어 있다.[24]

미국은 아프가니스탄이 투사와 테러리스트들의 온상이 되고 있음을 우려했다. 탈레반이 1996년에 카불의 통제권을 장악하자, 이웃나라들은 점점 더 불안해졌다. 지역이 불안정 상태에 빠질 수 있고, 종교적 근본주의가 대두하며, 소련의 붕괴 이후 물러났던 러시아가 다시 이 지역에 들어올 수도 있기 때문이었다.

오사마 빈 라덴 제거 작전

이런 우려는 1996년 10월 칸다하르에서 탈레반 지도자들과 고위급 회담을 하는 자리에서 제기되었다. 그들은 투사 훈련소가 폐쇄되었다고 미국 관리들에게 장담했으며, 직접 확인하고 싶다면 조사를 허락하겠다고 밝혔다. 아프가니스탄의 사실상의 외무부 장관인 무함마드 고우스 등 탈레반 인사들은 미국 정보기관에서 갈수록 우려하고 있는 오사마 빈 라덴에 대해 묻자 호의적으로 반응했다. CIA는 빈 라덴이 1992년 소말리아에서의 미군 병사 공격과 1993년 뉴욕 세계무역센터 테러, 그리고 "이집트, 사우디아라비아, 파키스탄의 알카에다 모병소와 숙소 네트워크" 창설에 관련이 있다고 지목했다. 한 정보 보고서는 이렇게 밝히고 있다.

"오사마 빈 라덴은 세계 이슬람 극단주의 활동의 가장 중요한 재정 후원자 가운데 하나다."[25]

미국 관리들은 아프가니스탄 대표들에게 이렇게 말했다.

"여러분이 그가 어디에 있는지 알려주고, 그가 우리에게 이런 (테러) 공격을 감행할 수 없다는 사실을 확인시켜주기를 바랍니다."

아프가니스탄 관리들은 빈 라덴이 "손님으로, 그리고 난민으로 우리와 함께" 있으며, 그런 만큼 파슈토족 전통에 따라 "손님을 존중하고 너그럽게 대할" 의무가 있다고 대답했다. 그들은 이렇게 말했다.

"우리는 누구라도 우리 영토를 테러에 사용하는 행위를 용납하지 않을 것입니다."

어떻든 빈 라덴은 아프가니스탄에 있는 동안 테러 공격을 "하지 않겠다고 약속"했으며, 게다가 그가 토라보라 부근 잘랄라바드 남쪽의 동굴에 살고 있다고 탈레반이 의심해서 그에게 "거기서 옮겨 보통 가옥에서 살라"고 말하자 그대로 따랐다고 했다.[26]

이 말은 표면적으로는 안도감을 주었지만, 미국은 좀 더 분명히 못박아두려고 했다.

"이 사람은 독입니다."

미국 관리들은 탈레반 대표들에게 단호하게 말했다.

"모든 나라는, 심지어 미국처럼 크고 강한 나라도 친구가 필요합니다. [그리고] 아프가니스탄은 특히 친구가 필요합니다."

이것은 경고 사격이었다. 빈 라덴이 앞으로 테러 공격에 개입한다면 후과가 있을 것이라는 암시였다. 탈레반 지도부의 고위 인사인 물라 모하마드 라바니 아훈드Mohammad Rabbani Akhund의 대답은 분명했다.

이전에 했던 말의 반복이었다. 그의 대답은 워싱턴에 보낸 (그리고 이슬라마바드, 카라치, 라호르, 리야드, 제다의 공관에도 사본이 전달된) 전문에 전체가 인용되어 있다.

"지구촌의 이 지역에는 누군가 도피처를 구한다면 그 장소를 제공해주어야 한다는 관습이 있습니다. 그러나 테러 행위를 하는 사람들이 있다면 알려주십시오. 우리도 상식이 있는 사람들이고, 누구라도 그런 더러운 짓을 하도록 내버려두지 않을 것입니다."[27]

이런 장담은 완전히 검증받지 못했다. 또한 그대로 믿은 것도 아니었다. 1998년 봄이 되자 CIA는 한 가지 생포 계획에 공을 들이고 있었다. 기획자들은 "완벽한 작전"이라고 표현했고, 이를 위해서는 아프가니스탄의 "부족들"의 지원과 협력을 얻을 필요가 있었다. 심하게 수정된 CIA 보고서에 따르면 5월쯤에는 "오사마 빈 라덴을 송환하는 계획이 아주 잘 돌아가고" 있었다. 그 계획은 "상세하고 신중하고 현실적인" 것이었다. 위험이 따르기는 했지만 말이다.

이 계획이 승인을 받는 것은 또 다른 문제였다. 한 관계자가 말했듯이 "이 작전이 승인받을 가능성은 반반"이었다. 고위 군 장교들의 생각은 조금 덜 낙관적이었다. 델타포스 지휘관은 이 계획의 세부적인 부분에 대해 "불편해"한 것으로 전해졌고, 합동 특수작전 사령부(JSOC) 사령관은 CIA의 계획이 "능력 밖"이라고 생각했다. "작전에 대한 최고 수준의 훈련"이 진행되었지만, 계획은 중단되었다.[28]

빈 라덴과 거래하기 위한 분명한 시도가 이루어지기 전에 일이 꼬였다. 1998년 8월 7일 알카에다는 케냐, 탄자니아의 최대 도시들인 나이로비와 다르알살람에 있는 미국 대사관을 동시에 폭파하여 224명이 죽고 수천 명이 다쳤다. 의혹의 눈길은 곧바로 빈 라덴에게로 향했다.

2주가 되지 않아 미국은 행동에 돌입했다. 아프가니스탄의 알카에다 기지로 의심되는 네 군데에 78발의 순항 유도탄을 발사한 것이다. 클린턴 미국 대통령은 8월 20일 텔레비전 연설에서 이렇게 말했다.

"우리의 공격 목표는 테러입니다. 우리의 임무는 분명합니다. 오사마 빈 라덴과 연계되고 그로부터 자금을 받는 급진적인 조직들의 네트워크를 깨는 것입니다. 빈 라덴은 아마도 오늘날 세계에서 국제 테러리즘을 조직하고 자금을 대는 대표적인 인물일 것입니다."

이 시기에 클린턴은 백악관 인턴 모니카 르윈스키와 관련된 성추문에 휩싸여 대통령직을 위협받고 있었기 때문에 사흘 전에 별도의 텔레비전 연설을 해야 했다. 그는 음모의 배후 조종자를 제거하는 일에 나서기 전에 탈레반과 의논하지 않았다. 그는 성명에서 비판에 선수를 치려는 듯 이렇게 말했다.

"우리의 행동이 이슬람 세계에 맞서려는 것이 아님을, 세계가 이해해주시기를 바랍니다."

사면초가에 몰린 클린턴 대통령은 이어, 이슬람교는 그와 반대로 "위대한 종교"라고 말했다.[29]

오사마 빈 라덴 제거 계획이 실패한 것은 물론 좋지 않은 일이었다. 그러나 그들은 또한 탈레반을 적으로 만들었다. 탈레반은 즉각 아프가니스탄 영토를 공격하고 동아프리카에서 일어난 테러에 개입했는지 입증되지도 않은 자기네 손님을 공격한 데 대해 분노를 표했다. 물라 오마르는 탈레반이 "빈 라덴을 결코 누구에게도 내주지 않고, 우리의 피를 흘리고 무슨 수를 쓰더라도 그를 보호할 것"이라고 선언했다.[30]

한 정보 분석에 나온 대로 아랍 세계에서는 빈 라덴과 극단주의에 대한 동조세가 상당했다. 그곳에서는 무슬림 주민들이 "불공정한 대우를 받으며 희생되고 있다"는 메시지가 "미국의 정책은 부패한 정권을 떠받치고 있으며, (……) 아랍 세계를 분열시키고 약화시키고 착취하도록 만들어졌다"는 대중적인 믿음과 밀접하게 연관되어 있었다. 빈 라덴의 테러리즘을 지지하는 사람은 별로 없지만, "많은 사람들이 그의 정치적 정서에 일부 공감하고 있다"라고 이 보고서는 결론지었다.[31]

이는 바로 물라 오마르가 가지고 있던 생각이었다. 그는 미사일 공격이 있고 사흘 뒤에 놀랍게도 워싱턴의 미국 국무부에 전화를 걸어 이렇게 경고했다.

"미국의 공격은 역효과를 낳고 이슬람 세계에서 반미 감정을 고조시킬 것이오."

아프가니스탄 최고 지도자와 미국 관리 사이의 직접적인 접촉으로는 유일하게 알려진 이 전화 통화는 최근에 기밀 해제되었는데, 이 통화에서 물라 오마르는 클린턴 대통령이 겪은 "최근의 국내적 곤경"에 주목했다. 르윈스키 사건을 언급한 것이다. 이를 염두에 두고 처참한 일방적 공격 이후 "이슬람 세계에서 미국의 인기를 다시 끌어올리고" 싶다면 "의회는 클린턴 대통령을 물러나게 해야 한다"[32]라고 물라 오마르는 말했다.

한편으로 탈레반의 선임 대변인 와킬 아흐메드 무타와킬Wakil Ahmed Mutawakkil은 미국의 공격이 "전체 아프가니스탄 인민들"에 대한 공격이라고 맹비난했다. 아흐메드에 따르면 공격 이후 칸다하르와 잘랄라바드에서는 대규모 반미 시위가 일어났다. 그는 얼마 뒤에 미국 관리들과 이 공격 문제를 논의했는데, 이 자리에서 그는 이렇게 말했다.

"칸다하르가 워싱턴을 향해 비슷한 공격으로 보복할 수 있었다면 그렇게 했을 것입니다."[33]

미국이 이라크를 지원한다고 하면서 뒤에서는 이란에 무기를 팔고 있었음을 깨달은 사담 후세인의 경우처럼, 문제가 되는 것은 배신감과 양다리 걸치기였다. 미국은 앞에서는 우호적인 메시지를 보내고는 뒤에서 몹쓸 짓을 한 것이었다.

와킬 아흐메드는 미국이 무력 공격을 한 뒤 내놓은 증거들이 조잡하다며 분노했다. 탈레반 지도부는 언제나 빈 라덴이 아프가니스탄 땅을 기반으로 테러 행위를 한 사실이 드러나면 그에 대해 조치를 취할 것이라고 약속했다.[34] 실제로 물라 오마르는 거의 즉각 미국 국무부에 증거를 요구했다.[35] 어떤 사람들은 혐의가 조작되었다고 생각하고 있고, 또 다른 사람들은 빈 라덴이 "한때 미국의 지원을 받은 숙달된 게릴라"임을 지적했다고 이 탈레반 관리는 말했다. 미국이 제시한 것은 거의 증거가 될 수 없는 "서류 몇 장"에 지나지 않았다. 빈 라덴에 관한 "약간 새로운 것이 담겨 있다"며 탈레반에 건네진 비디오테이프는 도무지 황당할 뿐이었다. 증거 가치가 전혀 없었다.

공격은 부끄러운 짓이었고, 무고한 아프가니스탄 사람들을 죽였으며 아프가니스탄의 주권을 침해했다고 아흐메드는 주장했다. 미국이 정말로 빈 라덴 문제를 해결하고 싶다면 사우디아라비아와 이야기해야 한다고 그는 결론지었다. 그렇게 한다면 일은 "순식간에" 풀릴 것이라고 했다.[36] 묘하게도 미국은 이미 다른 경로를 통해 같은 이야기를 접하고 있었다. 사우디아라비아에 도움을 구하는 문제에 관한 외교 전

문과 연구 논문, 그리고 권고들이 쏟아져 들어왔던 것이다.[37]

미국의 공격이 초래한 영향은 처참했다. 1년 뒤에 쓰인 알카에다 위협에 관한 미국의 정보 분석에서도 이야기하고 있듯이, 빈 라덴을 제거하려는 시도가 실패했을 뿐만 아니라 이 공격은 그가 아랍어권 세계와 그 밖의 지역에서도 "핍박에 시달리면서도 꿈쩍 않는 약자"의 이미지를 굳히는 데 이바지했다. 진짜 위험은 "미국의 문화적 오만"에 대한 인식이 확산된 것이었다. 미국의 공격이 "도덕적으로 의문스러웠고" 빈 라덴의 폭탄 테러와 다르지 않다는 점도 뼈아픈 일이라고 보고서는 경고했다. 두 경우 모두 폭력 사용을 정당화하는 정치적 주장 때문에 무고한 희생자가 고통을 당한 것이었다. 그 결과는 이러했다.

"보복을 위한 순항 유도탄 공격은 (……) 결국 이득보다 손해가 더 많았다고 볼 수 있다."

미국은 또한 공습이 "새로운 일련의 폭탄 테러 음모를 촉발"[38]할 수 있음을 알아야 한다고 이 보고서는 예언하듯이 덧붙였다.

서방의 표리부동에 대한 의혹

그런 일이 일어나기도 전에, 실패한 간섭은 달갑지 않은 결과를 가져왔다. 서방의 표리부동에 대한 의혹이 굳게 뿌리내림에 따라 탈레반 지도부의 외부 세계에 대한 인식은 단호해졌다. 포위 강박이 커짐에 따라 종교적 관점이 갈수록 강경해졌고, 급진적 이슬람교라는 상품을 전 세계에 수출하는 데 더 집중하게 되었다. 물론 그런 일은 거의 불가능할 것이라고 당대의 한 CIA 보고서는 판단했지만 말이다.[39]

그럼에도 불구하고 미국의 압박은 보수적인 목소리들을 점점 더 근본주의로 접근하게 만들었다. 제2인자이자 카불 슈라('협의')의 대표인 물라 라바니는 빈 라덴을 내보내지 않으면 아프가니스탄이 국제적으로 더욱 고립될 것이라고 우려했는데, 이런 주장은 물라 오마르에게 압도당하고 있었다. 외세에 협력하거나 굴복하지 않는다는 그의 강경노선이 많은 지지를 받고 있었다. 그 결과로 탈레반은 무슬림을 서방의 손아귀에서 해방시키고 공상적인 중세 이전 시대로 돌아가자는 빈 라덴의 공격적인 제안 쪽으로 더 가까이 이동했다.[40]

이것은 바로 9·11 공격의 목표였다. 1999년에 쓰인 한 정보 보고서는 이미 빈 라덴이 "크고 과장된 자아"를 가지고 있다고 기록했다.

"그는 자신을 매우 크고 매우 오래된 역사 무대의 배우로 여긴다. 예컨대 그는 자신이 현대판 십자군에 저항하고 있다고 생각한다."[41]

그렇다면 그가 세계무역센터 공격 이후 배포한 녹음 및 영상물에서 자신의 준거로서 십자군이나 십자군 전사들을 언급한 사실은 시사적이다. 혁명가는 때로 이상적인 과거를 일깨우기는 하지만, 테러 행위를 고무하고 정당화하기 위해 1000년 전을 바라보는 사람은 거의 없다.

9·11 이전 몇 달 동안에 알카에다의 위협을 경고하는 정보들이 많았다. '빈 라덴, 미국 공격 결심'이라는 제목이 달린 2001년 8월 6일자 "대통령 친전용親展用" 메모는 미국 전역에서 수행된 "약 70건의 현장 전면 조사"에서 수집한 정보들을 바탕으로 연방수사국(FBI)이 내린 결론을 보고하고 있다.

"FBI 정보는 이 나라에 비행기 납치나 다른 형태의 공격과 일치하는 의심스러운 행동 패턴이 존재함을 보여주고 있습니다."[42]

미국은 그동안 아프가니스탄의 정권에 대해 문을 열어놓기 위해 노심초사해왔고, 이런 언질을 주었다.

"미국은 탈레반 자체는 반대하지 않습니다. 그리고 탈레반을 파괴할 생각도 없습니다."

문제는 빈 라덴이었다. 이 지역의 미국 외교관들은 탈레반 측에 이렇게 조언했다.

"미국과 탈레반이 빈 라덴 문제를 해결할 수 있다면 우리는 완전히 새로운 관계를 맺게 될 것입니다."[43]

그 문제는 해결되지 않았다.

9·11 이후의 세계

2001년 9월 11일 아침 8시 24분, 뭔가 크게 잘못되어가고 있음이 분명해졌다. 항공 관제소가 보스턴을 떠나 로스앤젤레스로 가는 아메리카 항공 11편과 연락하려 애쓰고 있었다. 조종사에게 3만 5000피트 상공으로 올라가도록 지시한 지 11분이 지났다. 마침내 응답이 왔는데, 뜻밖의 말이 흘러나왔다.

"우리는 비행기 몇 대를 붙잡고 있다. 조용히 그대로 있어라. 그러면 아무 일도 없을 것이다. 우리는 공항으로 돌아간다."[44]

오전 8시 46분(미국 동부 시각), 보잉 767기는 세계무역센터 북쪽 타워로 돌진했다. 이후 한 시간 17분 사이에, 납치된 다른 여객기 3대가 추락했다. 유나이티드 항공 175편은 세계무역센터 남쪽 타워에 충돌했고, 아메리카 항공 77편은 펜타곤(미국 국방부 청사)으로 날아들었으며, 유나이티드 항공 93편은 펜실베이니아 주 생크스빌 부근에 추락했다.[45]

9·11로 2977명이 사망했다. 이들 외에 테러범 19명도 함께 죽었다. 세계무역센터 쌍둥이 건물과 펜타곤 건물이 붕괴된 이 공격은 엄청

난 심리적 충격을 주었다. 대사관 건물이나 해외의 미군 병사들을 향해 저질러진 테러 공격도 충격을 주기에 충분했지만, 미국 본토에서 목표물을 향한 합동 공격은 재앙 그 자체였다. 비행기가 의도적으로 건물로 돌진하는 잊을 수 없고 공포스러운 장면과 그 이후의 처참하고 혼란스럽고 비극적인 모습은 즉각적이고 대규모적인 대응을 요구했다. 조지 W. 부시 대통령은 공격 당일 저녁 텔레비전 연설에서 이렇게 말했다.

"이 악독한 행위의 배후에 있는 자들을 색출하는 일이 진행되고 있습니다. 나는 우리 정보기관과 법 집행 기구를 총동원하여 범죄자들을 찾아내 재판대에 세울 것입니다."

그는 이어 이렇게 경고했다.

"우리는 이 짓을 저지른 테러범들과 그들을 숨겨준 자들을 구분하지 않을 것입니다."[46]

온 세계에서 지지 표명이 폭주했다. 리비아, 시리아, 이란에서도 대통령이 "희생자들에게 심심한 애도와 연민"을 표명하고 이렇게 덧붙였다.

"테러를 뿌리 뽑기 위해 노력하는 것은 국제적인 의무입니다."[47]

빈 라덴이 공격의 배후에 있다는 사실이 금세 드러났다. 탈레반의 파키스탄 주재 대사 압둘 살람 자이프Abdul Salam Zaeef는 빈 라덴이 그렇게 "잘 조직된 계획"[48]을 실행할 만큼의 자원이 없었다고 주장하긴 했지만 말이다. 와킬 아흐메드 무타와킬은 공격 다음 날 카타르의 알자지라 방송에서 이렇게 말했다.

"우리는 이 테러 공격을 규탄합니다. 그 배후에 누가 있든 말입니다."[49]

공격 몇 시간 만에 빈 라덴을 처리하기 위한 전략들이 만들어졌다. 9월 13일 아침에 나온 실행 계획은 이란과 관계를 맺고 투르크메니스탄, 우즈베키스탄, 키르기스스탄, 카자흐스탄, 중국 당국과 접촉하는 일의 중요성을 제기했다. 모두 아프가니스탄과 국경을 맞대고 있거나 가까운 나라였다. 그 후 일주일 이내에 이들의 기운을 "다시 북돋우"기 위한 계획이 만들어졌다. 곧 있을 탈레반에 대한 군사행동을 준비하도록 하기 위한 것이었다.[50] 9·11에 대한 첫 번째 대응은 실크로드의 나라들을 줄 세우는 것이었다.

아프가니스탄의 이웃 가운데 한 나라는 특별히 주목을 끌었다. 파키스탄은 탈레반과 한 세대(어쩌면 두 세대) 전부터 공감과 긴밀한 유대를 맺어오고 있었다. 테러 공격은 이제 파키스탄에 명확한 선택을 요구했다. 파키스탄 군 통합정보국(ISI)의 마흐무드 아흐메드 Mahmud Ahmed 국장의 말대로 "회색이 없는 (……) 흑과 백" 사이의 선택이었다. 파키스탄은 "테러와의 싸움에서 미국 편에 서든지 아니면 미국에 맞서든지"[51] 결정해야 했다.

아프가니스탄 공격을 위한 조각들이 제 위치로 옮겨지면서 탈레반에게는 불길한 마지막 경고가 전해졌다. 페르베즈 무샤라프 Pervez Musharraf 파키스탄 대통령이나 아흐메드 국장이 직접 전달하기로 한 내용이었다.

"당신들과 당신들의 생존에 득이 되려면 모든 알카에다 지도자들을 넘겨주고, 테러 분자들의 캠프를 폐쇄하며, 미국이 테러 분자들의 시설에 들어갈 수 있도록 허용해야 할 것입니다."

"어떤 식으로든 아프가니스탄과 연관된 개인이나 집단"이 미국에 대한 테러 공격과 연관되었다면 그 응보는 "엄청날 것"이라고 했다. 이 퉁명스러운 전갈은 이렇게 마무리되었다.

"탈레반 정권의 모든 기둥들은 파괴될 것입니다."[52]

이 최후통첩은 단호하고도 분명했다. 빈 라덴을 내놓아라. 내놓지 않으면 그 후과를 감당해야 할 것이다.

빈 라덴을 찾아내고 알카에다의 역량을 파괴하기 위해 온갖 노력이 기울여졌지만, 범인 추적보다 더 중요한 것이 있었다. 실제로 미국의 관심은 금세 더 큰 그림으로 옮겨갔다. 아시아의 중심부를 결정적으로, 그리고 적절하게 통제하는 문제였다. 영향력이 있는 사람들이, 이 지역의 나라들을 완전히 개조해야 한다고 주장했다. 이곳에서 미국의 이익과 안전이 근본적으로 개선될 수 있도록 말이다.

수십 년 동안 미국은 악마와 도박을 해왔다. 수십 년 동안 아시아의 중심부는 매우 중요하게 여겨져왔다. 그래서 2차 세계대전 이후 이 지역이 미국의 국가 안보에 직접적인 연관이 있다고 분명하게 언급하는 것이 일상화되었다. 동방과 서방 사이에 있는 지정학적 위치는 서로 경쟁하는 초강대국에게 전략적으로 중요한 곳으로 만들었고, 천연자원들(특히 석유와 천연가스)은 페르시아만 국가들과 그 주변 국가들에서 일어나는 일들이 미국의 국가 안보와 직결되도록 만들었다.

테러와의 전쟁

9·11 만행 3주 뒤인 2001년 9월 30일 이전에 럼스펠드 미국 국방부 장관은 부시 대통령에게 미국이 가까운 장래에 "전쟁 목표"의 일환으로서 무엇을 성취하도록 노력할 수 있고 노력해야 하는지에 관한 "전략적 사고"라는 보고서를 제출했다. 그는 이렇게 썼다.

"알카에다와 탈레반의 목표물에 대한 몇 차례의 공습이 곧 시작될 계획입니다."

그가 '전쟁'이라고 언급한 것의 시작을 드러낸 것이다. "테러 행위에 대한 지원을 중단하도록 각 나라들을 설득하거나 강제"하는 것이 중요하다고 그는 썼다. 그러나 그가 그다음에 제안한 것은 극적이고 엄청나게 야심찬 것이었다.

"만약 전쟁이 세계의 정치 지형을 상당히 바꾸지 못한다면 미국은 그 목표를 달성할 수 없습니다."

그런 뒤에 그것이 무엇을 의미하는지가 분명하게 설명되었다.

"미국 정부는 이런 노선에 따라 목표를 구상해야 합니다. 아프가니스탄과 또 다른 하나의 (또는 두 개의) 핵심 국가에 새로운 정권을 세우는 일입니다."[53]

그는 그게 어느 나라인지 구체적으로 밝힐 필요는 없었다. 바로 이란과 이라크였다.

9·11 공격은 미국이 전 세계의 여러 나라들과 관계를 맺는 방식을 바꾸었다. 미국의 장래는 이라크가 시리아 및 터키와 국경을 맞대고 있는 그 서부 변경에서부터 힌두쿠시 산맥까지 뻗친 아시아의 등뼈 지역을 확보하는 데 달려 있었다. 부시 대통령은 2002년 1월 말에 단호하게 비전을 제시했다. 그 무렵 탈레반은 카불을 포함한 주요 도시에서 축출되었다. 집중적인 공습과 지상군의 대량 투입을 수반한 '항구적 자유 작전'이 개시된 지 몇 주 지나지 않아서였다. 빈 라덴은 아직 잡히지 않았지만, 부시 대통령은 국정 연설에서 미국이 왜 더 야심찬 목표에 주목해야 하는지를 설명했다. 이전에 미국의 이익에 적대적인 여러 정권들이 있었다.

"그런 정권들 가운데 일부가 9월 11일 이후 아주 조용합니다. 그러나 우리는 그들의 진정한 본질을 알고 있습니다."

대표적인 '불량배 국가' 북한이 그 하나였다. 그러나 진짜 초점은 다른 두 나라가 제기하는 위협에 맞추어져 있었다. 바로 이란과 이라크였다. 이 나라들이 북한 정권과 함께 "악의 축을 이루어 무장을 하고 세계 평화를 위협"하고 있었다. 이 악의 축을 해체하는 것이 긴요했다.

"테러와의 전쟁은 제대로 시작되었습니다. 그러나 이제 겨우 시작일 뿐입니다."[54]

통제권을 장악하겠다는 결의는 대단했다. 안정을 해치고 위험하다고 판단되는 정권을 전복시키는 것은 미국과 그 동맹국들의 전략적 사고의 중심에 있었다. 분명하게 존재하는 위협을 제거하는 것이 가장 먼저 해야 할 일이 되었다. 그다음에 무슨 일이 일어날지, 일어날 수 있는지, 일어나야 하는지에 대해서는 생각하지 않았다. 단기적인 문제를 해결하는 것이 장기적인 전망보다 더 중요했다. 이는 2001년 가을 아프가니스탄을 겨냥하여 작성된 계획들에서 분명하게 드러났다. 공습이 이미 시작된 뒤에 작성된 한 보고서는 이렇게 제안했다.

"미국 정부는 탈레반 이후에 어떻게 할 것인지를 고민해서는 안 됩니다."

알카에다와 탈레반을 물리치는 것이 핵심이었다. 그 뒤의 상황은 그때 가서 걱정하면 될 일이었다.[55]

이런 근시안적 태도는 이라크의 경우에도 마찬가지였다. 사담 후세인을 권좌에서 몰아내는 일에만 집중했을 뿐 이 나라의 장래 모습에 대해서는 계획이 없었다. 사담을 제거하려는 욕망은 부시 행정부 출범 초기부터 과제로 올라 있었다. 새 국무부 장관 콜린 파월은 부시 대통령이 취임한 지 72시간도 되기 전에 (그리고 9·11 몇 달 전에) 미국의

"이라크 정권 교체 정책"에 대한 설명을 요구했다.[56]

테러 공격 이후에 관심은 거의 즉각 사담 후세인에게로 옮겨갔다. 미군 병사들이 아프가니스탄에 대한 통제권을 확실하게 장악한 것으로 보이는 시기에 국방부는 이라크를 향한 대규모 이동을 준비하느라 바쁘게 움직였다. 럼스펠드 국방부 장관이 미국 중앙사령부(USCENTCOM) 사령관 토미 프랭크스 장군과의 만남에 앞서 적은 2001년 11월의 메모가 분명하게 보여주듯이 문제는 간단했다.

"어떻게 시작할 것인가?"[57]

방아쇠가 될 수 있는 것으로 세 가지가 상정되었다. 모두가 군사행동을 정당화하기 위한 것이었다. 2001년 11월에 어쩌면 사담은 "북쪽에서 쿠르드족에 대한 조치들"을 취할지도 모른다고 럼스펠드는 생각했다. 아마도 "9·11 공격이나 탄저균 공격(2001년 9월에 몇몇 언론사와 두 명의 상원의원에게 잇달아 탄저균이 든 우편물을 보낸 사건)과 관련"이 있을 수도 있었다. 아니면 "대량살상 무기(WMD) 사찰을 둘러싼 마찰"이 생긴다면 어떨까? 그것이 그럴듯한 명분이 될 듯했다. 그래서 그 뒤에 이런 평을 달았다.

"이제 사찰 요구에 관해 생각을 시작해보자."[58]

2002년 한 해와 2003년 초에 이라크에 대한 압박이 커졌다. 화학무기 및 생물무기 문제와 대량살상 무기 문제가 그 핵심에 있었다. 미국은 거의 전도자 같은 열의로 이 일을 추진했다. 9·11과 이라크 사이의 연결에 대한 "확실한 증거"가 없는 상태에서 오직 영국 총리 앤서니 블레어만이 전쟁을 지원해줄 것으로 보인다고 한 보고서는 썼다. 물론 "상당한 정치적 비용"을 지불해야 하겠지만 말이다. 또 다른 보고서는 이런 사실을 강조했다.

"미국과 동맹을 맺었거나 미국에 우호적인 많은 (대부분은 아닐지라도) 나라들은 이라크에 대한 전면 공격(……)에 대해 심각한 우려를 품고 있습니다. 특히 유럽의 나라들이 그렇습니다."

이에 따라 전면전을 위한 법적 틀을 만드는 작업에 들어갔다. 유엔이 군사행동을 위한 분명한 권한을 주지 않을 것으로 보였기 때문이다.[59]

이라크가 대량살상 무기를 만들기로 작정했을 뿐만 아니라 그것도 은밀하게 추진하고 있다는 증거를 모으는 일이 특히 강조되었다. 그리고 동시에 국제원자력기구(IAEA)에서 나온 조사관들을 방해했다는 점을 부각시켰다. 어떤 경우에는 이것이 모니터 요원들에게 문제를 일으키기도 했다. 그들은 자기네 입장이 과장되고 왜곡되고 심지어 완전히 위험에 처해 있음을 깨달았다. 예컨대 2002년 봄 브라질 출신의 유엔 화학무기금지기구(OPCW) 사무총장 주제 부스타니José Bustani가 비공개 회의 이후 축출되었다. 주요 국제기구의 수장이 자리에서 쫓겨난 것은 처음이었다.[60] 일회적이거나 때로 신뢰할 수 없는 자료원으로부터 수집된 정보가 부각되어 사실성 여부에 의문이 제기되었다. 빈틈없어 보이는 이라크와 사담에 불리한 증거를 만들어내려는 일관된 결의의 결과였다. 파월 미국 국무부 장관은 2003년 2월 5일 유엔에서 이렇게 말했다.

"동료 여러분, 제가 오늘 하는 모든 진술은 근거, 확실한 근거가 있는 것입니다. 단순한 주장이 아닙니다. 우리가 여러분께 전해드리는 것은 사실이고, 명백한 정보에 근거한 결론입니다."[61]

그것은 전혀 사실이 아니었다. 겨우 일주일 전 국제원자력기구의 한 보고서는 이렇게 결론지었다.

"우리는 현재까지, 이라크가 1990년대에 그 핵무기 프로그램을 폐기한 뒤에 이를 복구했다는 증거를 발견하지 못했습니다. (……) 추가적인 검증 활동이 필요합니다."[62]

이는 유엔 감시검증사찰위원회(UNMOVIC) 위원장인 한스 블릭스Hans Blix가 같은 날인 2003년 1월 27일 내놓은 수정 발표와 일치하는 것이었다. 그는 사찰원들이 때로 적대적인 사건들을 겪기는 했지만 사찰원의 요구에 "이라크는 아직까지 전체적으로 상당히 협조적"[63]이라고 했다.

나중에 밝혀지게 되지만, 사담 후세인은 2001년 알카에다의 공격과 전혀 관련이 없었다. 실제로 2003년 3월 19일에 시작된 침공 이후 바그다드에서 찾아낸 수백만 쪽의 문서들은 특이하게도 테러에 관한 언급이 거의 없었다. 오히려 이라크 정보기구(IIS)와 관련된 기록들은 아부 압바스로도 알려진 팔레스타인해방기구(PLO) 지도자 무함마드 자이단Muhammad Zaidan 같은 사람들을 억제하는 데 상당한 관심을 기울였음을 시사한다(팔레스타인해방기구는 1980년대에 몇 건의 떠들썩한 공격을 벌였던 조직이다). 또한 어떤 상황에서도 미국의 목표물을 공격한 적이 없는 것으로 드러났다. 미국이 이라크를 공격한 경우만이 예외였다.[64]

마찬가지로, 이라크를 지역 및 세계 평화를 위협하는 나라로 생각했던 사람들에게는 광범위하고 정교한 핵무기 프로그램이 그렇게 생생한 현실로 보였지만, 지금 우리가 알고 있는 대로 그것은 거의 근거가 없었다. 콜린 파월이 "커다란 야자나무 숲에 숨어 있고 (……) 탐지를 피하기 위해 1~4주마다 한 번씩 이동하는" 이동식 생물무기 설비라고 표현한 트레일러는 기상 관측 기구氣球인 것으로 드러났다. 이

라크 측에서 설명한 대로였다.[65]

무슨 수를 쓰더라도 사담 후세인을 몰아낸다는 집념은 고질적인 장래 계획 부재와 연관되어 있었다. 침공 전과 침공이 진행되는 와중에 만들어진 청사진과 책자들은 해방 이후 이라크 앞에 놓인 목가적인 미래를 제시하고 있었다. 한 주요 연구는 이라크의 석유가 "엄청난 자산"이라고 낙관적으로 주장했다. 그것은 "민족이나 종교에 관계없이 이 나라의 주민 하나하나에게 도움"[66]을 줄 잠재력이 있었다. 부가 즐겁고 공평하게 분배될 것이라는 순진한 가정은 침공으로 어떤 일이 일어날 것인지에 대한 예상이 매우 비현실적이었음을 말해주고 있다. 그러나 자발적인 결단의 동기는 어디에나 있었다. 백악관 대변인 아리 플라이셔는 2003년 2월 한 브리핑에서 이렇게 말했다.

"이라크는 아프가니스탄과 달리 그래도 부유한 나라입니다. 이라크는 이라크 국민 소유인 엄청난 자원을 가지고 있습니다. 그렇기 때문에 (……) 이라크는 자기네 나라의 재건을 위해 많은 짐을 짊어질 수 있습니다."

2003년 3월 침공이 시작되고 여드레 뒤 하원 세출위원회 청문회에서 폴 월포위츠 국방부 차관도 이 말을 거의 그대로 되풀이했다. 걱정할 필요가 없었다. 그는 이렇게 말했다.

"우리가 다루고 있는 것은 정말로 자기네 나라의 재건을 위해 돈을 댈 수 있는 나라입니다. 비교적 빨리 말입니다."

석유 수입은 앞으로 "2~3년 안에" 500억에서 1000억 달러에 이를 것이라고 그는 기분 좋게 예측했다.[67]

사담을 제거하면 이라크는 젖과 꿀이 흐르는 땅으로 바뀔 것이라는 생각은 엄청난 규모의 희망적 사고였다. 미군이 아프가니스탄으로 투입될 때 정책 입안자들은 근엄하게 지적했다.

"미국은 탈레반을 축출한 후 어떤 군사적 개입도 하지 말아야 한다. 미국은 전 세계에서 대규모로 반테러 활동을 벌여야 할 것이기 때문이다."[68]

이라크의 경우에도 비슷한 예상이었다. 미국 중앙사령부 계획에 따르면, 이 나라를 침공하는 데는 27만 명의 병력이 필요했다. 그리고 3년 반이 지나면 지상군 5000명 이상은 필요하지 않다고 했다. 이런 예측은 보고 싶은 것만 보는 사람들에게 브리핑하는 프레젠테이션 슬라이드 위에서는 그럴듯해 보였다.[69] 다시 말해 그것은 손쉬운 전쟁이었고, 신속하게 끝낼 수 있으며 아시아의 중요한 지역에서 새로운 균형을 이뤄낼 수 있는 전쟁이었다.

미국-이라크 전쟁이 남긴 것

그러나 두 경우 모두 전쟁은 길어지고 비용도 많이 들었다. 이라크는 바그다드 점령과 그 후의 대규모 반란 이후 거의 내전에 휩싸이다시피 했다. 아프가니스탄에서는 미국의 개입에 대한 반발이 1980년대 소련에 저항했던 때와 마찬가지로 조직적이고 완강했다. 파키스탄도 다시 강경파 저항군에게 결정적인 지원을 제공했다.

병사 수천 명이 목숨을 잃었고, 15만 명 이상의 참전 미군이 부상을 당해 70퍼센트 장애 등급 이상으로 등재되었다.[70] 그 뒤에는 군사 행동에 의해 또는 부수적 피해(집중 공격이나 드론 공격이나 자동차 폭발이 일어날 때 운 나쁘게 그 장소에 있다가 당한 피해들)를 입고 죽거나 다친 수십만 명의 아프가니스탄 민간인과 이라크 민간인이 있다.[71]

금전적인 비용도 놀라운 속도로 치솟았다. 최근의 한 연구는 이라크와 아프가니스탄 개입 비용이 장기 요양과 장해 보상을 포함할 경우 6조 달러에 이르는 것으로 추산했다. 미국의 가구당 7만 5000달러꼴이다. 이는 2001년부터 2012년 사이에 증가한 미국 국가 채무의 20퍼센트에 해당하는 수치다.[72]

개입의 효과가 기대했던 것보다 제한적이라는 사실은 사태를 더욱 악화시켰다. 2011년이 되자 버락 오바마 미국 대통령은 아프가니스탄을 거의 포기했다. 이는 오바마 행정부의 전 국방부 장관 로버트 게이츠의 회상인데, 그는 2011년 3월 백악관 회의에서 상황이 매우 암울함을 느꼈다고 썼다.

"나는 거기에 앉아서 생각했다. 대통령은 자기 휘하의 사령관 데이빗 페트레이어스를 믿지 않고 있고, 아프가니스탄 대통령 하미드 카르자이의 자리를 지켜줄 수 없으며, 자기 자신의 전략을 믿지 않고, 자신이 전쟁에 이길 것이라고 생각하지 않는다. 그에게는 빠져나오는 것이 전부다."[73]

카르자이 대통령도 이 같은 말을 분노에 차서 되풀이했다. 그는 서방이 옹립하고, 서방이 지원하고, 많은 사람들이 보기에 서방의 힘으로 강력해진 사람이었다. 그는 작가 윌리엄 달림플William Dalrymple에게, "국가로서의" 아프가니스탄은 미국의 정책 때문에 엄청난 고난을 겪었다고 말했다.

"[미국은] 테러와 싸우되 그것이 있는 곳에서 싸우지 않았습니다. 그것이 아직도 있는 곳에서요. 그들은 계속해서 아프가니스탄과 그 국민들을 해쳐왔습니다."

그것은 다른 말로 표현할 수가 없었다. 그는 이렇게 말했다.

"이것은 배신입니다."[74]

한편 이라크에서는 인명 손실과 막대한 비용, 그리고 내동댕이쳐진 장래에 대한 희망에 비해 성과가 별로 없었다. 사담 후세인이 타도된 지 10년이 지난 뒤에 이 나라는 건전한 민주주의로 가는 변화 도정에서 가장 낮은 단계에 있었다. 인권, 출판의 자유, 소수자의 권리, 부패, 언론의 자유 등에서 이라크는 사담 후세인 치하에서보다 더 높은 순위에 오르지 못했고, 몇몇 경우에는 오히려 낮아졌다. 이 나라는 불확실성과 불안정으로 무기력해졌고, 소수계 주민들은 처참한 동란과 터무니없는 폭력에 시달렸다. 미래에 대한 전망은 암울해 보였다.

그리고 물론 서방 일반과 특히 미국의 명예 실추가 있었다. 럼스펠드 미국 국방부 장관은 9·11이 일어난 지 2주 뒤에 부시 대통령에게 이렇게 조언했다.

"우리는 미국인들이 무슬림을 죽인다는 이미지를 최대한 피해야 합니다."[75]

이 분명한 인식은 금세 다른 것으로 대체되었다. 관타나모 감옥에 재판도 없이 사람들을 수감하고 있다는 이미지다. 이 장소는 수감자들이 미국 헌법의 보호를 받을 수 없는 사람들이라는 생각에서 특별히 선택된 곳이었다. 미국과 영국이 서둘러 이라크를 침공한 일을 조사한 연구들은 이미 밀실에서 내려진 결정을 뒷받침하기 위해 증거가 부정확하게 설명되고 조작되고 만들어졌음을 발견했다. 사담이 축출된 이후 이라크에서는 언론인들이 "번영하는 민주적 미래"를 강조하기 위해 "승인된 미국 정부 정보"를 이용하여 자유의 개념을 선전했는데, 이곳에서 언론매체를 통제하려는 노력은 현실이 아닌 꿈을 바탕으로 보도 내용을 승인하던 소련식 정치위원에 대한 기억을 떠올리게 했다.[76]

여기에 더해 초법적인 용의자 송환, 조직적인 고문, 위험하다고 생각되는(그러나 입증할 필요는 없었다) 인물들에 대한 드론 공격 등이 있었다. 이것은 서방의 교양과 다원주의에 대해 많은 것을 이야기해주었기 때문에 이 문제는 공개적으로 토론될 수 있었고, 많은 사람들은 앞에서는 민주주의가 최고라는 메시지를 보내면서 뒤에서는 제국주의 권력을 행사하는 데 대해 두려움을 느꼈다. 몇몇 사람들은 너무 충격을 받은 나머지 정책이 만들어진 과정을 그대로 드러내는 기밀 정보를 흘리기로 결심하기까지 했다. 실무적으로도 너무 급하고 종종 국제법과 정의에 대한 생각이 거의 없었다. 이 가운데 어느 것도 서방이 좋게 보이는 것은 없었다. 정보기관들은 이를 예민하게 느꼈고, 그들은 고문의 본질과 규모에 관한 보고서들을 기밀로 유지하려 애썼다. 미국 상원의 직접적인 도전에 직면해서도 말이다.

이라크와 아프가니스탄에 영향을 미치고 틀을 잡는 데 관심을 집중하기는 했지만, 이란에 변화를 가져오려는 노력도 중요했다. 여기에는 제재도 포함되었다. 이는 미국이 정력적으로 밀어붙인 것이었는데, 아마도 역효과를 낳은 것으로 보인다. 1990년대 이라크에서 그랬듯이 그 영향이 가난하고 약하고 권리를 빼앗긴 사람들에게 가장 강하고 가장 두드러지게 미쳤음은 분명하다. 그들의 사나운 팔자를 더욱 고약하게 만들었을 뿐이다.

이란의 석유 수출을 제한한 것은 물론 이란 국민의 생활수준을 낮추었지만, 또한 지구 반대편에 있는 사람들의 생활수준도 낮추었다. 지구촌 에너지 시장에서 가스·전기·연료의 단위당 가격은 미국 미네소타 주의 농민, 에스파냐 마드리드의 택시 운전사, 사하라 사막 이남 아프리카에서 공부하고 있는 소녀, 베트남의 커피 재배 농민에게 영향을 미쳤다. 우리는 모두 수천 킬로미터 밖에서 벌어지는 힘의 정치에 의해 직접적인 영향을 받는다. 개발도상국에서는 동전 몇 닢이 삶과 죽음을 가를 수 있다는 것을 우리는 잊기 쉽다. 금수 조치는 목소리를 낼 수 없는 사람들을 조용히 질식시키는 일이 될 수 있었다. 인도 뭄바이 빈민가의 어머니들, 케냐 몸바사의 바구니 짜는 사람들, 남아메리카에서 불법 채굴 작업에 항의하는 여성들 같은 사람들이다. 그리고 이런 모든 일로 인해 이란은 1970년대에 독재적이고 편협하고 부패한 정권이 사들인, 미국의 기술로 구축했던 핵 프로그램을 부인하도록 강요받고 있다.

사실 이란에 가해지는 외교적·경제적 압박과는 별개로, 미국은 이란의 우라늄 농축 프로그램을 중단시키기 위해 무력 사용도 고려할 수 있다고 끊임없이 밝혀왔다. 아들 부시 행정부의 마지막 단계에서 리처드 체니 부통령은 자신이 이란의 핵시설들에 대한 공격을 강하게 밀어붙였다고 주장했다. 물론 부시르 등에 있는 원자로는 지금 정교한 러시아제 토르 지대공 미사일 시스템으로 엄중하게 보호되고 있지만 말이다. 그는 2009년에 이렇게 말했다.

"나는 동료들 가운데 그 누구보다도 열렬한 군사행동 지지자였던 것 같습니다."[77]

다른 사람들은 그에게 선제공격이 이 지역 전체의 상황을 개선하는 것이 아니라 악화시킬 것이라고 경고했다. 그러나 그는 거듭거듭 이 생각으로 되돌아갔다. 예컨대 군사행동의 위협이 없으면 협상은 실패할 것이라고 말했다. 2013년에 그는 ABC 뉴스에 출연해서 이렇게 말했다.

"우리가 그것 없이 어떻게 우리 목표를 달성한다는 건지 알 수 없군요."[78]

서방이 원하는 것을 얻기 위해 무력을 사용하겠다는 위협이 (그리고 사용하려는 의지가) 필요하다는 이야기는 워싱턴에서 하나의 주문呪文이 되었다. 존 케리 국무부 장관은 2013년 11월에 이렇게 말했다.

"이란은 자기네 프로그램이 정말로 평화적이라는 것을 입증해야 할 겁니다."

그는 이란이 이것을 명심해야 한다고 경고했다.

"진실은 대통령이 (……) 그 위협(군사행동)을 협상 테이블에서 치우지 않았다고 분명하게 이야기했다는 점입니다."

이것은 그가 반복적으로 이야기하는 메시지였다. 케리는 2014년 1월 사우디아라비아가 소유한 알아라비야 텔레비전과의 인터뷰에서 이렇게 말했다.

"미국은 군사적인 선택지를 취할 수 있고, 그럴 준비도 되어 있습니다."

필요하다면 미국은 "스스로가 해야 할 일을 할" 것이라고 그는 덧붙였다.[79] 오바마 대통령은 이렇게 강조했다.

"내가 대통령 자리에 있으면서 누누이 밝혔듯이, 미국과 미국의 이익을 지키기 위해서라면 필요한 경우 나는 망설이지 않고 무력을 사용할 것입니다."[80]

미국은 이란을 협상 테이블로 끌어내기 위해 압박하면서도 뒤에서는 자기네가 어쨌든 원하는 것을 이루기 위해 행동을 취하고 있었던 듯하다. 이란 나탄즈 핵시설에 있는 원심 분리기와 이어 이 나라 곳곳에 있는 원자로들을 공격한 스턱스넷 바이러스가 어디에서 왔는지에 대해서는 많은 가능성이 있지만, 여러 표지들은 핵 프로그램을 겨냥한 매우 정교하고 공격적인 사이버 전략들이 미국에서 (그리고 직접 백악관에서) 나온 것일 수 있음을 시사한다.[81] 사이버 테러는 그것이 서방 정보기관의 손에 의한 것이라면 용인될 수 있는 것으로 보인다. 이란에 대해 무력을 사용하여 서방의 이익에 맞는 세계 질서를 유지하려는 일은 고대 문명의 교차로에서 입지를 유지하려는 시도의 새로운 국면일 뿐이다. 거기에는 걸려 있는 것이 너무 크기 때문이다.

맺음말 : 새로운 실크로드

자원 경쟁은 계속된다

여러 가지 측면에서 20세기 말과 21세기 초는 동방과 서방을 연결하는 중요한 땅에서 자기네 입지를 유지하기 위해 불운한 사투를 벌이고 있던 미국과 유럽 나라들에게는 재난의 시기였다. 최근 수십 년 동안에 일어난 사건들에서 두드러진 점은 세계 역사에 대한 서방의 인식 부족이다. 이 지역에서 일어나고 있는 일들에 대한 더 방대한 그림과 더 폭넓은 주제와 더 큰 패턴에 대한 인식 말이다. 정책 입안자와 정치가와 외교관과 장군들이 보기에 아프가니스탄, 이란, 이라크의 문제는 분명하고 개별적이며, 서로 느슨하게 연결되어 있을 뿐이었다.

그러나 한 걸음 물러서서 보면 소중한 관점과 놀라운 통찰력을 가지고 소용돌이 속에 있는 광대한 지역을 볼 수 있다. 터키에서는 나라의 얼을 둘러싼 싸움이 일어나, 어디에 미래가 있느냐를 놓고 분열된 정부에 의해 인터넷 서비스와 소셜 미디어가 돌연 폐쇄되었다. 이 딜레마는 우크라이나에서도 되풀이되었다. 여기서는 서로 다른 국가

비전이 나라를 갈가리 찢어놓았다. 시리아 역시 보수 세력과 진보 세력이 많은 희생자를 내가며 서로 싸우면서 극심한 변화라는 충격적인 경험을 하고 있다. 캅카스 지역 역시 정체성과 민족주의 등 다양한 문제들이 용솟음치면서 전환의 시기를 거쳤다. 체첸과 조지아가 가장 대표적이다.

물론 더 동쪽 지역도 있다. 키르기스스탄에서 2005년에 일어난 튤립 혁명은 오랜 정치적 불안정의 서곡이었다. 서부 중국의 신장에서는 위구르족 주민들이 점점 동요하고 적대적으로 변해 테러 공격이 이제 상당한 위협이 되고 있다. 이에 따라 당국에서는 수염을 길게 기르는 것이 미심쩍은 생각을 품고 있다는 표지라는 포고를 발표하고, '량리 프로젝트靓麗工程'라는 공식 프로그램을 시작하여 여성들의 부르카 착용을 금지하려 하고 있다.

그리고 이라크, 아프가니스탄에서 서방이 어설프게 개입하고 우크라이나와 이란 및 기타 지역에서 압력을 행사하는 일 이외에 진행되는 것이 더 있다. 동방에서 서방까지 실크로드들이 다시 한 번 일어서고 있다. 이슬람 세계의 혼란과 폭력, 종교적 근본주의, 러시아와 그 이웃들 사이의 충돌, 중국이 서부 지방에서 벌이는 극단주의와의 사투를 보면 혼란과 동요를 느끼기 쉽다. 그러나 우리가 목격하고 있는 것은 한때 지적·문화적·경제적 풍광을 지배했으며 이제 다시 떠오르고 있는 지역의 산고産苦다. 우리는 세계의 무게중심이 이동하는 징표를 보고 있다. 그것이 수천 년 동안 있었던 곳으로 되돌아가고 있는 것이다.

이런 일이 일어나는 데는 분명한 이유가 있다. 물론 가장 중요한 것은 이 지역에 매장된 천연자원이다. 페르시아, 메소포타미아와 페르시아만 일대의 자원을 독점하는 것은 1차 세계대전 기간에 최우선 과제였고, 역사상 가장 큰 전리품을 확보하기 위한 노력은 그 이후 이 지역에 대한 서방 세계의 태도를 지배했다. 오히려 윌리엄 녹스 다시 유전이 얼마나 방대한지 처음 밝혀졌을 때보다 지금 해야 할 일이 더 많다.

카스피해 일대의 지하에 있는 확인된 원유 매장량만 해도 모두 합쳐 미국 전체 매장량의 거의 두 배에 이른다.[1] 타크타크 유전(이곳에서는 2007년 이후 석유 생산이 하루 2000배럴에서 25만 배럴로 늘었으며, 이는 한 달에 수억 달러의 가치다) 같은 석유 매장지들이 새로 발견된 쿠르디스탄에서부터 카자흐스탄과 러시아 사이에 있는 거대한 카라차가낙 매장지(1조 2000억 세제곱미터로 추정되는 천연가스와 액화가스, 원유가 매장되어 있다)에 이르기까지, 이 지역의 나라들은 그 천연자원의 무게에 짓눌려 있다.

그리고 우크라이나 동부 러시아와의 국경 지대에 펼쳐진 도네츠강 유역이 있다. 이곳은 오랫동안 석탄 매장지로 명성을 누려왔다. 채탄 가능 매장량이 100억 톤 안팎으로 추정된다. 이곳 역시 중요성이 커지는 지역이다. 더 많은 광물자원이 있기 때문이다. 최근 미국 지질조사소(USGS)가 실시한 지질학적 평가에 따르면 14억 배럴의 석유와 680억 세제곱미터의 천연가스, 그리고 상당한 양의 천연가스액이 매장된 것으로 추산되었다.[2] 투르크메니스탄에도 천연가스가 매장되어 있다. 이 나라 지하에는 20조 세제곱미터 이상으로 추산되는 천연가스가 있는데, 이는 세계 4위의 매장량이다.

그리고 톈산 금맥의 일부인 우즈베키스탄과 키르기스스탄의 금광들도 있다. 톈산 금맥은 금 매장 규모가 남아프리카공화국 비트바테르스란트 분지에 이어 세계 2위에 해당한다. 그런가 하면 카자흐스탄에서는 휴대전화와 휴대용 컴퓨터, 재충전 배터리의 필수 원료인 베릴

륨, 디스프로슘 등 희토원소稀土元素가 발견되고 있고, 원자력 에너지에 (그리고 핵탄두에도) 필수적인 우라늄과 플루토늄도 발견된다.

심지어 흙 자체도 풍부하고 귀중하다. 한때 매우 귀하게 여겨졌던 상품은 중앙아시아의 말이었다. 중국의 황궁과 델리의 시장에서 탐냈고, 키예프의 작가와 콘스탄티노플, 베이징의 작가들에게도 유명했다. 말이 풀을 뜯던 스텝 지대의 대부분은 오늘날 놀랄 만큼 생산성이 높은 남부 러시아와 우크라이나의 곡창지대로 변모했다. 체르노좀chernozyom('검은 흙')이라는 이름은 정말로 비옥하고 인기가 있어 한 NGO는 우크라이나에서만 매년 10억 달러어치에 가까운 흙이 파내져 팔리고 있다고 밝혔다.[3]

이 지역에서 벌어지는 전쟁의 위험과 소란이 미치는 영향은 전 세계 주유소의 석유 가격에서만 느낄 수 있는 것은 아니다. 그것은 우리가 사용하는 기술의 가격에도 영향을 미치고, 심지어 우리가 먹는 빵 가격에도 영향을 미친다. 예컨대 2010년 여름 기상 악화 때문에 러시아의 작황이 좋지 않았고 국내 수요에도 훨씬 못 미쳤다. 식량 부족이 분명해지자 곧바로 곡물의 외국 수출 금지령이 내려졌다. 열흘 동안 공고한 뒤에 곧바로 시행하는 것이었다. 세계 곡물 가격에 미치는 영향은 즉각적이었다. 단 이틀 동안에 곡물 가격이 15퍼센트 올랐다.[4] 2014년 초 우크라이나의 혼란 역시 비슷한 영향을 미쳐 밀 가격이 급등했다. 그것이 세계 3위의 밀 수출국인 우크라이나의 농작물 생산에 영향을 미칠 것이라는 공포 때문이었다.

지구촌의 이 지역에서 이루어지는 다른 농작물 재배도 비슷한 틀에 따라 움직인다. 한때 중앙아시아는 바부르의 오렌지 나무로 유명했고, 나중에는 튤립으로 유명했다. 튤립이 17세기 서유럽의 주요 도시들에서 귀하게 여겨져 암스테르담의 운하 주택을 튤립 한 뿌리와 바꾼다는 말이 나올 정도였다. 오늘날 쟁탈의 대상은 양귀비다. 양귀비 재배(특히 아프가니스탄의)가 전 세계 헤로인 소비 수요를 뒷받침하고, 그 가격을 결정한다. 그리고 물론 마약 중독 치료와 갱생 관리로 인해 발생하는 비용과 조직범죄 단속을 위한 비용에도 영향을 미친다.[5]

이곳은 서방에게는 이상하거나 낯선 지구촌의 한 부분일 수 있고, 심지어 기괴하다고 할 만큼 이질적일 수도 있다. 1998년에 투르크메니스탄에서는 사파르므라트 느야조브 대통령의 거대한 황금 조각상이 세워졌다. 얼굴이 해 쪽으로 돌아가게 만든 것이었다. 4년 뒤에는 열두 달 이름을 바꿨다. 종전에 '아프렐aprel'이었던 4월은 당시 지도자의 죽은 어머니 이름을 따서 구르반솔탄Gurbansoltan이 되었다.

한편 이웃 카자흐스탄에서는 누르술탄 나자르바예프 대통령이 2011년에 96퍼센트라는 경이로운 득표를 얻어 재선에 성공했다. 엘튼 존과 넬리 퍼타도 같은 팝스타들이 대통령 가족을 위한 사적인 공연을 했다는 외교 전문이 새어나왔다. 이 팝스타들에게는 거절하기에는 너무 아까운 조건을 제시했다.[6]

타지키스탄에서는 잠시 세계 최대의 깃대가 있다는 기록을 보유했다가 관심은 이제 중앙아시아 최대의 극장을 건설하는 쪽으로 옮겨갔다. 그 옆에는 이 지역 최대의 도서관, 최대의 박물관, 그리고 가장 큰 찻집이 있다.[7]

한편 카스피해 건너 서쪽의 아제르바이잔에서는 일함 알리예프 대통령이 최근 선거에서 약간 덜 확실한 86퍼센트의 득표에 만족해야 했다. 미국 외교관들은 그의 가족을 영화 〈대부〉의 콜리오네 일가와 비교했다. 이곳 지배자의 아들은 두바이에 무려 4500만 달러 상당의 저택과 아파트를 소유하고 있는 것으로 보도되었다. 아제르바이잔인의 연평균 수입 1만 년분에 해당하는 액수다. 열한 살짜리에게는 그리 부족하지 않은 재산이다.[8]

그리고 그 남쪽의 이란. 마흐무드 아흐마디네자드 대통령은 유대인 대학살을 부인하고, 서방 "강국들과 독재자들"이 인간 면역결핍 바이러스(HIV)를 개발하여 "그들이 가난한 나라들에게 약과 의료 장비를 팔아먹을 수 있도록" 했다고 비난했다.[9]

이 지역은 서방에서 생각하기에 후진적이고 독재적이며 폭력적인 곳이었다. 힐러리 클린턴 미국 국무부 장관은 2011년, 아시아의 중심부가 너무 오랫동안 "갈등과 분열에 의해 찢겨" 있었다고 말했다. 이곳에서는 교역과 협력이 "상품과 사람의 이동을 막는 관료주의적 장벽과 기타 장애물들" 때문에 질식된 상태였다. "그곳에 사는 사람들의 더 나은 미래"를 위한 유일한 방법은 항구적인 안정과 안전을 위해 노력하는 것이라고 클린턴은 결론지었다. 적어도 자신의 견해로는 그렇게 해야만 사회·경제 발전에 필수적인 "더 많은 민간투자를 끌어들일" 수 있을 터였다.[10]

그러나 그 모든 명백한 '이질성'에도 불구하고 이 지역은 세계사에서 언제나 어떤 방식으로든 결정적인 중요성을 지니고 있었다. 먼 옛날부터 지금까지 동방과 서방을 연결하며 사상과 풍습과 언어들이 서로 경쟁하는 도가니였다. 그리고 오늘날 실크로드가 다시 떠오르고 있다. 많은 사람들이 보지 못한 채 지나치고 있을 뿐이다.

경제학자들은 아직 흑해, 소아시아, 레반트를 히말라야 산맥과 연결하는 띠 모양의 지역에, 또는 그 땅속과 바다 아래에 있거나 산속에 묻혀 있는 부에 관심을 돌리지 않고 있다. 그 대신 그들은 역사적인 연관은 없지만 표면적으로 측정 가능한 데이터가 비슷한 나라들의 집단에 초점을 맞추었다. 브라질, 러시아, 인도, 중국, 남아프리카공화국의 머리글자를 딴 BRICS나 지금 갑자기 유행하고 있는 말레이시아, 인도네시아, 한국, 터키로 이루어진 MIST(M은 말레이시아 대신 멕시코를 꼽는 경우가 많으며, 한국은 South Korea여서 S로 들어갔다 — 옮긴이) 같은 집단들이다.[11] 사실 우리가 바라보아야 할 곳은 진짜 '가운데 땅', 즉 '세계의 중심'이다. 이곳은 발견을 기다리고 있는 '거친 동방'이나 '신세계'가 아니다. 우리 눈앞에 다시 떠오르고 있는 지역이자 일련의 연결망이다.

새로운 실크로드 도시들

도시들이 급속히 발전하여 새로운 공항과 관광지, 고급 호텔, 초대형 건물들이 각국에 여기저기 생겨나면서 자기네 수중에 들어온 막대한 돈으로 마음껏 환상을 탐닉하고 있다. 투르크메니스탄의 아슈하바트에는 수억 달러가 투입되어 새로운 대통령 관저와 실내 겨울 스포츠 경기장이 지어졌고, 카스피해 동안의 아바자 관광 지구에 보수적인 평가로도 이미 20억 달러 이상이 퍼부어졌다. 나무로 만든 거대한 고치와 오목한 유리 벽면이 있는 바쿠 헤이다르알리예프 국제공항의 현대식 터미널은 석유 세례를 받은 아제르바이잔에 도착하는 여행객들에게 이 나라의 야망과 부에 대해 거의 의문을 품을 수 없게 한다. 2012년 유로비전 가창대회를 유치하기 위해 지은 공연장인 크리스털홀 역시 마찬가지다.

아제르바이잔의 수도 바쿠가 급성장하면서 세계 여행객들의 선택지도 늘어났다. 이 도시에서 하룻밤 묵어가려는 사람들은 이제 힐튼, 켐핀스키, 래디슨, 라마다, 셰라턴, 하야트리젠시 가운데서 호텔을

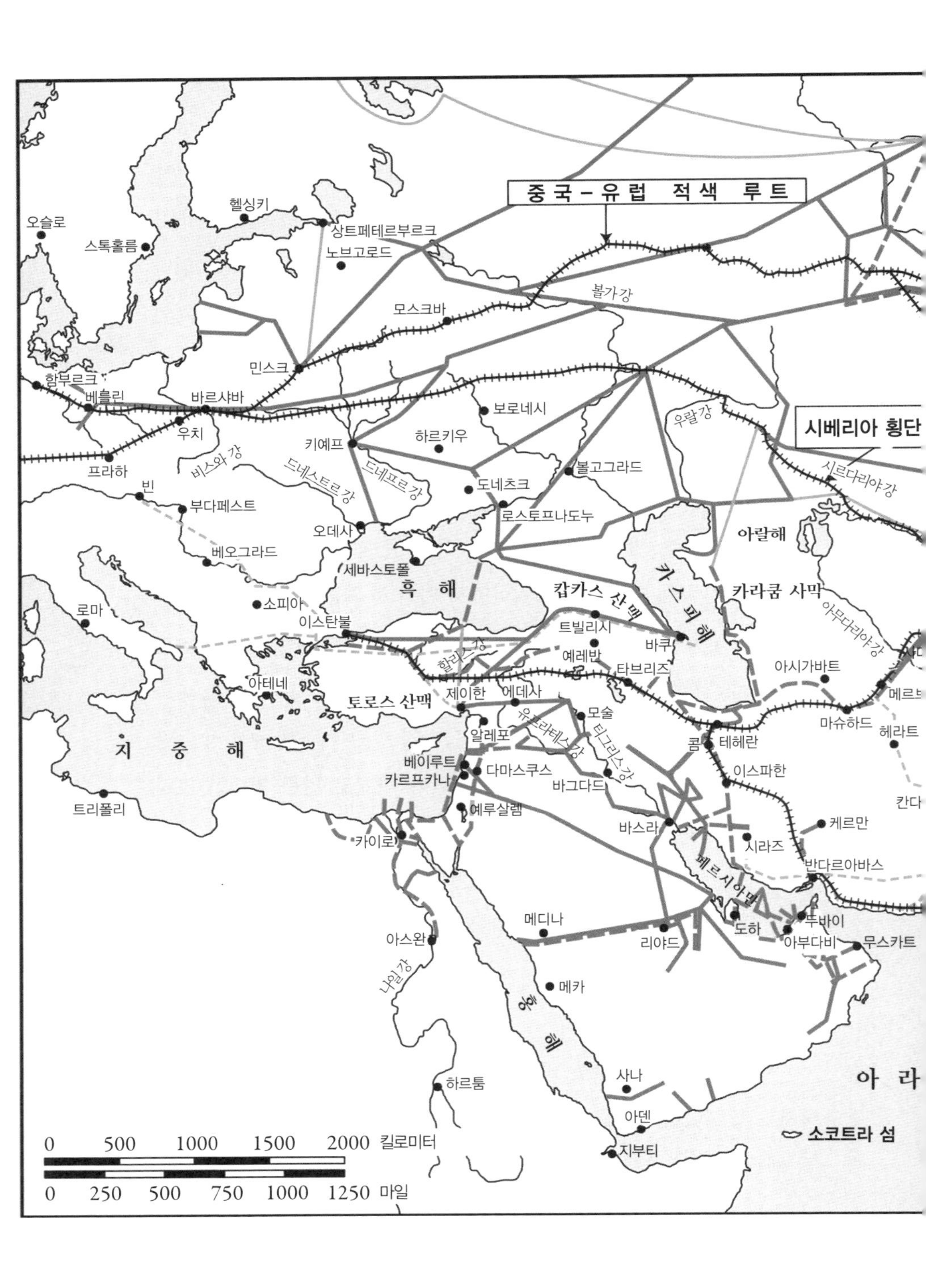

중국-유럽 적색 루트
시베리아 횡단
오슬로
헬싱키
스톡홀름
상트페테르부르크
노브고로드
모스크바
볼가강
민스크
함부르크
베를린
바르샤바
우치
프라하
키예프
하르키우
보로네시
우랄강
비스와 강
드네스트르 강
드네프르 강
볼고그라드
도네츠크
시르다리야강
빈
부다페스트
오데사
로스토프나도누
아랄해
베오그라드
세바스토폴
흑해
카스피해
카라쿰 사막
캅카스 산맥
아무다리야강
소피아
로마
이스탄불
트빌리시
바쿠
예레반
할리스강
타브리즈
아시가바트
아테네
토로스 산맥
제이한
에데사
모술
메르브
마슈하드
헤라트
유프라테스강
티그리스강
콤
테헤란
알레포
지중해
베이루트
카르프카나
다마스쿠스
바그다드
이스파한
칸다
트리폴리
예루살렘
바스라
케르만
카이로
시라즈
반다르아바스
페르시아만
메디나
도하
두바이
리야드
아부다비
무스카트
아스완
나일강
메카
홍해
사나
아라
하르툼
아덴
소코트라 섬
지부티
0 500 1000 1500 2000 킬로미터
0 250 500 750 1000 1250 마일

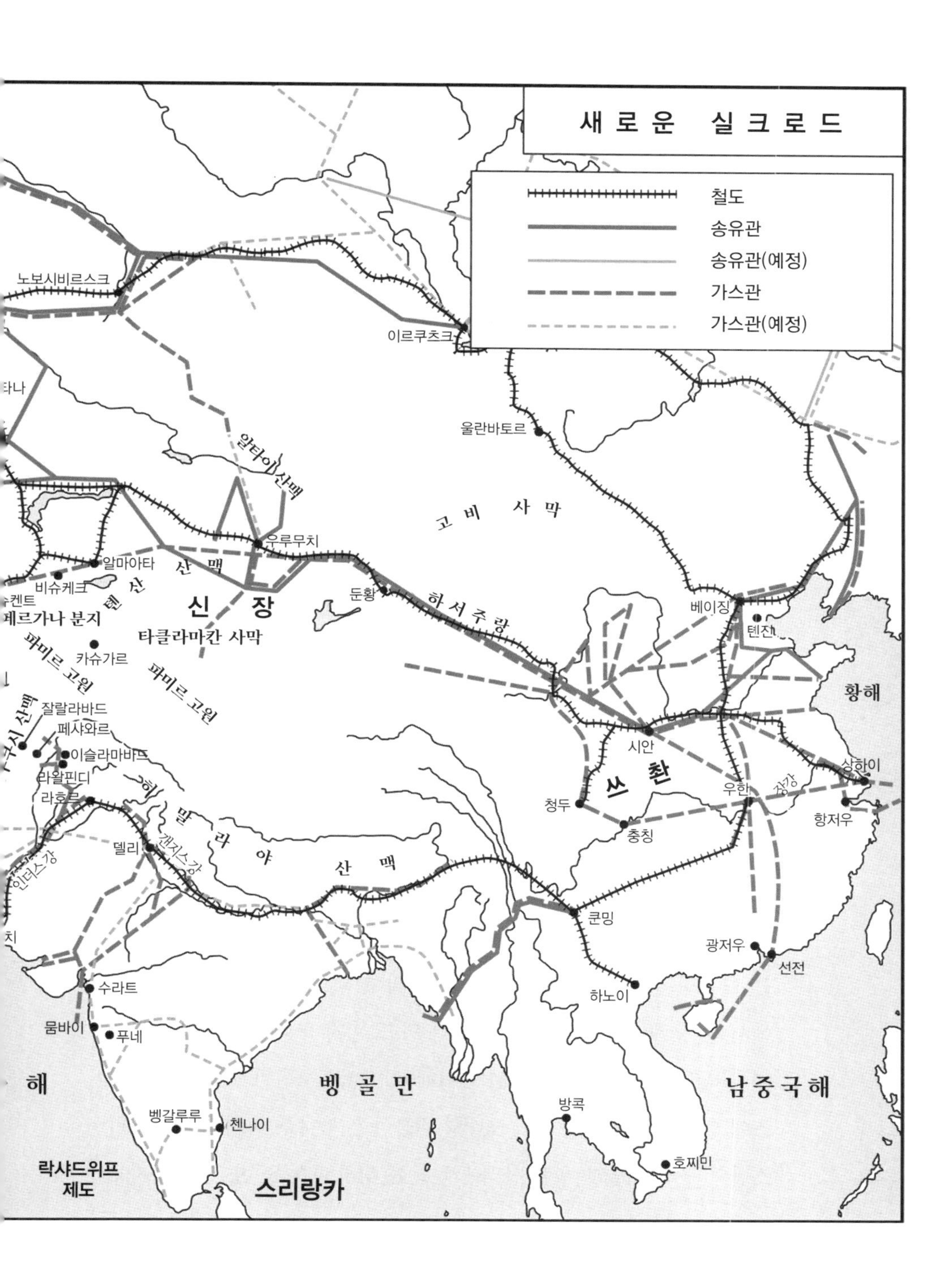

새로운 실크로드
철도
송유관
송유관(예정)
가스관
가스관(예정)
노보시비르스크
이르쿠츠크
울란바토르
고비 사막
알타이 산맥
우루무치
알마아타
비슈케크
톈산 산맥
신장
둔황
하서주랑
베이징
톈진
황해
타클라마칸 사막
카슈가르
파미르 고원
파미르 고원
잘랄라바드
페샤와르
이슬라마바드
라왈핀디
라호르
히말라야 산맥
델리
갠지스강
인더스강
시안
쓰촨
청두
충칭
우한
창강
상하이
항저우
쿤밍
광저우
선전
하노이
수라트
뭄바이
푸네
벵골만
남중국해
방콕
벵갈루루
첸나이
호찌민
락샤드위프 제도
스리랑카

고를 수 있게 되었다. 물론 새로 생긴 중소 호텔들도 있다. 그리고 이것은 단지 시작일 뿐이다. 2011년에만 이 도시의 호텔 객실 수는 두 배로 늘었고, 앞으로 4년 뒤에 다시 그 두 배가 될 것이라는 전망이다.[12]

그리고 아르빌. 석유업계 바깥의 사람들에게는 잘 알려지지 않은 곳이지만, 이라크령 쿠르디스탄의 주요 도시다. 이곳에 새로 들어선 로타나 호텔의 숙박 요금은 유럽의 대도시나 미국의 주요 도시에 있는 호텔보다 비싸다. 기본 객실료가 하루 290달러부터 시작한다. 여기에는 아침식사와 온천 이용이 포함되지만 와이파이가 안 된다.[13]

큰 도심지들도 새로 만들어졌다. 여기에는 물론 새로운 수도들도 포함된다. 카자흐스탄의 아스타나 같은 곳인데, 이 도시는 먼지만 날리던 곳에서 20년도 안 되는 사이에 만들어졌다. 이곳에는 지금 노먼 포스터Norman Foster가 디자인한 거대한 '평화·화해 궁전'이 자리 잡고 있다. 100미터 높이의 바이테렉 타워도 있다. 나무 모양의 이 타워 안에는 황금 알이 들어 있는데, 방문객들에게 나자르바예프 대통령의 손바닥 자국에 손을 얹고 소원을 빌도록 권하고 있다.

보통 사람의 눈에는 이곳이 새로운 변경 땅, 난데없이 런던, 뉴욕, 파리의 경매장에 나타나 최고의 예술 작품을 사고 오랫동안 살던 주민들이 거의 믿을 수 없는 가격으로 지구촌 최고의 부동산을 구입하고 즐거워하는 억만장자가 사는 곳으로 보인다. 런던 부동산 시장에서는 구소련 공화국들에서 온 구매자들의 평균 지출이 미국이나 중국에서 온 구매자들의 세 배 가까이나 되고, 현지 구매자들보다도 네 배나 된다.[14] 뉴욕 맨해튼과 런던 메이페어, 나이츠브리지, 그리고 남프랑스에 있는 고급 단독주택과 초대형 건물들은 하나씩 하나씩 우즈베키스탄의 구리 재벌과 우랄 산맥에서 칼륨 장사로 돈을 번 거물, 카자흐스탄에서 온 석유 부자가 많은 돈을 지불하고(이들은 언제나 현찰로 낸다) 사들이고 있다.

어떤 사람들은 재산을 세계적인 축구 선수에게 쏟아붓는다. 카스피해 지역의 한 거물은 사뮈엘 에토오를 사서 다게스탄 연고의 안지 마하치칼라 팀에서 뛰게 했다. 에토오는 한때 세계 최고 연봉을 받던 선수다. 다른 사람들도 자기네 나라의 인지도를 높이는 데 돈을 아끼지 않는다. 아제르바이잔은 2012년 바쿠에서 17세 이하 여자 월드컵 축구대회를 유치했는데, 개회식에서 제니퍼 로페스의 공연이 눈에 띄었다. 2년 전 트리니다드토바고에서 열린 10분짜리 개회식과는 천양지차였다. 그때는 수백 명이 지켜보는 가운데 작은 무용단이 공연을 했다.[15]

자원을 실어 나르는 길들

아시아의 등뼈 지역에서 새로운 연결망이 튀어나와 이 핵심 지역을 동서남북과 연결하고 있다. 그것은 여러 다른 루트와 모습과 형태를 띠고 있다. 수천 년 동안 그래 왔던 것처럼. 여기에 새로운 종류의 대동맥들이 추가되었다. 예컨대 '북방 운송망'은 러시아, 우즈베키스탄, 카자흐스탄, 키르기스스탄, 타지키스탄 등을 통해 아프가니스탄에 있는 미국과 연합국 군에 '비군사적 상품'을 배송하는 일련의 운송 통로다. 경우에 따라서는 1980년대 소련군의 점령 시기에 소련이 건설한 기반시설을 이용하기도 한다.[16]

그리고 물론 비용을 지불할 용의와 능력이 있는 유럽, 인도, 중국과 그 너머의 소비자들에게 에너지를 운송해주는 송유관과 가스관이 있다. 파이프라인이 이 지역을 모든 방면으로 이리저리 가로지르며 터키 동남부의 제이한 항으로 연결되거나, 중앙아시아로 뻗어나가 경제가 성장하고 있는 중국의 화석연료 수요를 충당한다. 새로운 시장도 열리고 서로 연결되어 아프가니스탄, 파키스탄, 인도 사이의 긴밀한 협력을 촉진하고 있다. 이들의 이익은 연간 270억 세제곱미터의 천연가스를 수송할 수 있는 새로운 파이프라인을 통해 더 싸고 더 많은 에너지를 실어 나를 때 긴밀하게 연결될 수 있다.

투르크메니스탄의 유전에서 고속도로를 따라 헤라트와 칸다하르, 그리고 퀘타와 물탄으로 향하는 이 노선은 2000년 전에 활동했던 소그드 상인들에게도 역시 17세기의 말 상인들과 마찬가지로 익숙했을 것이고, 빅토리아 시대의 영국 철도 설계자들이나 전략가들과 마찬가지로 중세 가즈니 궁정에서 일하기 위해 길을 가던 시인들에게도 낯익었을 것이다.

기존 파이프라인과 예정된 파이프라인이 유럽을 세계의 중심에 있는 석유 및 가스 매장지와 연결한다. 이에 따라 자원 수출국뿐만 아니라 파이프라인이 지나가는 나라의 정치적·경제적·전략적 중요성도 덩달아 증대된다. 러시아가 이미 보여준 바와 같이 에너지 공급은 무기로 사용될 수 있다. 가격을 올릴 수도 있지만 그저 우크라이나로 가는 공급을 끊을 수도 있다.

유럽의 많은 나라들이 러시아의 가스에 크게 의존하고 있고 그보다 더 많은 나라들이 크렘린에서 지원하는 가스프롬이 전략적 지분을 소유하고 있거나 심지어 지배 지분을 가진 회사들에 의존하고 있는 상황에서, 에너지와 자원과 파이프라인을 경제적·외교적·정치적 무기로 사용하는 것은 21세기의 화두가 될 것으로 보인다. 블라디미르 푸틴 러시아 대통령의 박사학위 논문이 러시아 광물자원에 대한 전략적 계획과 이용에 관한 것이었다는 사실은 아마도 불길한 징조일 것이다. 일부에서는 논문의 독창성이나 심지어 박사학위 수여의 진실성에 의혹의 시선을 보내고 있기는 하지만 말이다.[17]

동쪽으로 이 파이프라인은 중국이 30년 계약으로 가스 공급을 예매함에 따라 미래의 생명소를 실어 나르고 있다. 이 기간 동안 4000억 달러어치에 이른다. 선금도 일부 포함되어 있는 이 막대한 금액은 중국이 갈망하는 에너지 공급을 보장해주었으며, 220억 달러로 추산되는 새 파이프라인 건설 비용을 정당화하고 있다. 뿐만 아니라 소련은 그 이웃 및 경쟁자들과 거래하는 데서 자유로움과 또 다른 확신을 얻게 되었다. 따라서 2014년 우크라이나 위기 때 소련이 취한 행동에 대해 중국이 유엔 안전보장이사회 회원국 가운데 유일하게 소련을 비난하지 않았던 것도 놀랄 일은 아니다. 서로가 이득을 얻는 거래의 냉정한 현실은 서방의 정치적 벼랑 끝 전술보다 훨씬 강력한 것이다.

수송망과 파이프라인은 지난 30년 동안에 극적으로 확장되었다. 대륙 횡단 철도에 막대한 투자가 이루어져 이미 중국에서 독일 뒤스부르크 부근의 대형 유통센터까지 연결되는 1만 1179킬로미터의 수송선 위신어우渝新歐 철로가 개통되었다. 시진핑習近平 중국 국가주석은 2014년 유럽 종점의 유통센터를 직접 방문했다. 길이가 1킬로미터 가까이 되는 열차들이 수많은 휴대용 컴퓨터와 신발과 옷, 상하지 않는 물건들을 싣고 갔다가 전자기기와 자동차 부품, 의료 장비들을 싣고 돌아오는 여행을 시작했다. 여기에 걸리는 시간은 16일이다. 중국의 태평양 쪽 항구에서 해로로 가는 것보다 시간이 상당히 단축된다.

철로망 개선에 430억 달러를 투입하겠다는 발표가 이미 나온 상황에서 일부 사람들은 매년 열차로 수송되는 컨테이너 수가 2012년

7500개에서 2020년까지는 750만 개로 증가할 것이라고 예측한다.[18] 이것은 단지 시작일 뿐이다. 이란과 터키와 발칸 반도와 시베리아를 모스크바, 베를린, 파리와 연결하는 철로 계획이 마련되고 있고, 새로운 노선이 베이징을 파키스탄, 카자흐스탄, 인도와 연결할 예정이다. 심지어 300여 킬로미터 길이의 터널을 베링 해협 밑으로 뚫어 기차가 중국에서 알래스카와 캐나다를 거쳐 미국 본토까지 갈 수 있게 하자는 이야기도 나온다.[19]

큰 게임에 뛰어든 중국

중국 정부는 물자와 에너지원에 연결되고 도시, 항구, 대양들에 접근할 수 있는 네트워크를 꼼꼼하고도 신중하게 구축하고 있다. 교역의 물량과 속도를 대폭 늘리기 위한 기반시설을 개선하거나 아예 새로 건설하는 데 막대한 돈을 투자한다는 발표가 매달 새로 나온다. 중국은 이를 "강철 같은 친구"에서 "어떤 상황에서라도" 유지될 수 있는 친구로 격상된 나라들과 제휴하여 추진하고 있다.[20]

이러한 변화들은 이미 중국 서부 지방의 재부상을 이끌었다. 내륙 지방의 임금이 해안보다 싸기 때문에 많은 기업들이 아라산커우阿拉山口(중국과 카자흐스탄의 국경 검문소가 있는 곳—옮긴이)와 가까운 도시들로 이전하기 시작했다. 예전에 이 나라 서부로 들어오던 관문이었고, 오늘날 기차가 이곳을 지나간다. 휴렛패커드는 생산 시설을 상하이에서 중국 서남부 충칭重慶으로 옮겼다. 그곳에서 지금 연간 2000만 대의 휴대용 컴퓨터와 1500만 대의 프린터를 생산하고 있고, 이 수많은 기기들을 기차를 통해 서방 시장으로 수송한다. 포드 자동차 같은 다른 기업들도 이를 따랐다. 주요 IT 제조업체이자 애플의 핵심 공급자

인 폭스콘은 선전深圳에 있던 이전의 시설들을 줄여 청두成都의 비중을 늘렸다.[21]

다른 수송망들도 만들어졌다. 매일 다섯 편의 비행기가 기업인과 관광객을 중국에서 카자흐스탄 알마티로 실어 나른다. 아제르바이잔의 바쿠에서는 비행기가 화물을 싣고 이스탄불을 일주일에 35차례 왕복한다. 러시아 곳곳으로 가는 비행기는 더 많다. 아슈가바트, 테헤란, 아스타나, 타슈켄트 같은 공항들의 늘어난 도착 및 출발 일정은 이 지역 도시들 사이의 방대한 수송망을 보여준다. 또한 도착편이 드문 유럽과의 접촉이, 특히 페르시아만 지역 및 인도, 중국과 비교하여 얼마나 적은지도 보여준다.

한때 세계에서 가장 걸출한 학자들을 배출했던 이 지역에 빼어난 새 지식의 요람도 생겨나고 있다. 지역의 통치자와 거부들이 기부하고 예일 대학, 컬럼비아 대학 등이 관리하는 대학들도 페르시아만 일대에 속속 들어서고 있다. 중국어와 중국 문화를 홍보하는 비영리 문화센터인 공자학원孔子學院도 있다. 이 기관은 중국과 지중해 사이의 모든 나라에 설립되어 중국의 관대함과 호의를 과시하고 있다.

놀라운 카타르 국립박물관에서부터 아부다비의 구겐하임 미술관과 바쿠 현대미술관에 이르기까지 새로운 예술센터들도 건립되고 있다. 그리고 타슈켄트의 국립도서관이나 트빌리시의 사메바 대성당 같은 인상적인 건축물도 있다. 사메바 대성당은 조지아의 거부 비지나 이바니시빌리Bidzina Ivanishvili가 돈을 댔는데, 그는 2006년 경매를 통해 피카소의 〈도라 마르와 고양이Dora Maar au Chat〉(1941)를 9500만 달러에 구입한 사람이다. 이 지역은 과거의 영광을 되살리고 있다.

프라다, 버버리, 루이뷔통 같은 서방 패션 업체들은 페르시아만 일대와 러시아, 중국 등 동아시아에 커다란 매장을 열어 막대한 매출액을 올리고 있다(이에 따라 고운 천과 비단이 원산지에서 되팔리게 된 것은 흥미로운 아이러니다).[22] 옷은 언제나 사회적 지위를 드러내는 물품이었다. 2000년 전 흉노족 수장에서부터 500년 전 르네상스 시대의 남녀들도 마찬가지였다. 오늘날 최고급 브랜드에 대한 게걸스러운 욕구는 깊은 역사적 뿌리가 있다. 그리고 그것은 부와 중요성이 커지고 있는 나라들에서 새로운 상류층의 등장을 알리는 지표다.

좀 더 이색적이고 악의적인 취향을 가진 사람들을 위해 무기와 마약과 그 밖의 것들을 익명으로 거래할 수 있는 폐쇄적인 웹사이트가 있다. 과거의 교통망과 교역 중심지를 떠올리게 하는 그 이름은 의도적으로 선택된 것이다. 바로 '실크로드'다. 사법 당국은 새로운 기술을 개발해내는 사람들과 미래의 통제권을 잡기 위해 끊임없이 쫓고 쫓기는 게임을 벌이고 있는데, 과거에 대한 싸움 역시 점차 새로운 시대(우리가 그것을 향해 가고 있다)의 중요한 부분이 되어가고 있다.

이는 역사가 그 자체를 위해 재검토되고 재평가될 것이라는 의미만은 아니다. 새로운 대학들이 생겨나 성장하면서 그런 일도 일어나기는 하겠지만 말이다. 그러나 과거는 실크로드 곳곳에서 매우 생생한 주제다. 이슬람의 정신을 둘러싼 경쟁 종파들 사이의, 경쟁하는 지도자들 사이의, 경쟁하는 교리들 사이의 싸움은 선지자 무함마드의 사후 첫 100년 동안만큼이나 치열하다. 많은 것이 과거에 대한 해석에서 비롯한다.

한편으로 러시아와 그 이웃들 사이의 관계와 다른 한편으로 서방 세계와의 관계는 마찬가지로 불안정하고 격렬한 것으로 드러났다. 과거의 경쟁의식과 적대감은 역사(거기서는 많은 일들이 해결되거나 한쪽에 치워졌다) 속에서 찬찬히 고른 사례들에 의해 자극되거나 누그러질 수 있다. 옛 관계들이 과거에 얼마나 유용하고 중요했는지를 밝혀내는 것은 미래에 큰 도움이 될 수 있다. 중국이 바로 상업적·지적 교류라는 공통의 유산을 주장함으로써 서쪽에 있는 실크로드와 연결시키는 일에 그렇게 많은 투자를 하는 이유다.

실제로 중국은 이 지역에서 텔레커뮤니케이션 혁명을 선도해왔다. 유선 케이블망 구축을 추진하고, 세계에서 가장 빠른 수준의 다운로드 속도를 가능케 하는 데이터 송신기도 갖추었다. 그 상당 부분은 중국 인민해방군과 밀접하게 연관된 화웨이華爲와 중흥통신中興通訊(ZTE)에 의해 이루어졌다. 중국 국가개발은행(CDB)으로부터 저리 융자를 받거나 정부 간 원조라는 형태로 타지키스탄, 키르기스스탄, 우즈베키스탄, 투르크메니스탄 등에 최첨단 시설들을 건설할 수 있었다. 중국은 이 지역의 안정성과 무엇보다도 광물자원 때문에 이들 나라와 장기적인 관계를 구축하고 싶어한다.

이들 텔레컴 기업들에 대한 우려가 커지자 미국 의회는 청문회를 열었다. 청문회는 화웨이와 중흥통신을 "믿을 수 없다"고 결론지었다. 그들이 중국 "국가의 영향"을 너무 많이 받기 때문에 "미국에 안보 위협을 제기"한다는 이유였다. 그 뒤에 NSA가 '샷자이언트Shotgiant 작전'이라는 비밀 프로그램에 착수하여 화웨이 서버에 잠입하고 해킹한 사실이 드러난 것을 생각하면 자기모순이라 할 수 있다.[23]

서방이 점점 중국에 집착하게 된 것은 놀라운 일이 아니다. 새로운 중국 네트워크가 구축되는 과정에 있고 그것이 세계 곳곳으로 확산되고 있기 때문이다. 12세기 중반까지만 해도 사우샘프턴, 런던, 리버풀에서 지구 반대편으로 갈 때 영국 영토를 떠나지 않고 갈 수 있었다. 지브롤터에 입항했다가 그다음에 몰타로 가고, 그 뒤에 이집트의 포트사이드로 간다. 거기서 아덴, 봄베이, 콜롬보로 가고 말레이 반도에서 쉰 뒤 마지막으로 홍콩에 도착한다.

오늘날에는 중국인들이 비슷한 일을 할 수 있다. 카리브해 지역에 대한 중국의 투자는 2004년에서 2009년 사이에 네 배 이상으로 뛰어올랐다. 태평양 지역 곳곳에서는 도로와 운동 경기장, 그리고 환하게 빛나는 공공건물들이 중국에서 온 원조와 저리 융자와 직접투자의 도움으로 건설되고 있다. 아프리카에서도 활동이 크게 늘었다. 중국은 진행 중인 '큰 게임'에서 앞서 나갈 수 있도록 도와줄 여러 개의 발판을 만들어나가고 있다. 그것은 환경의 변화가 각자에게 중대한 영향을 미칠 것으로 보이는 시기에 에너지와 광물자원, 식량 공급, 그리고 정치적 영향력을 놓고 벌이는 경쟁의 일환이다.

새로운 길

서방의 시대는 갈림길에 서 있다. 아니, 어쩌면 종말에 와 있는지도 모른다. 2012년 미국 국방부가 마련한 한 보고서 발표회에서 오바마 대통령의 개회 연설 첫 문장은 미래에 대한 장기적인 전망을 분명한 말로 지적했다.

"우리 나라는 전환의 순간을 맞고 있습니다."

오바마는 이어, 세계는 우리 눈앞에서 변화하고 있다고 말했다.

"우리의 리더십을 요구하는 이 변화하고 있는 세계에서 아메리카합중국은 자유와 안전을 위한 세계 역사상 가장 큰 세력으로 남을 것입니다."[24]

실제로 이 보고서가 분명히 밝히고 있듯이, 이것은 사실상 미국의 완전한 방향 재정립이었다. 보고서는 이렇게 설명한다.

"우리는 필연적으로 아시아-태평양 지역을 재조정해야 합니다."

이후 10년에 걸쳐 이미 계획되어 있던 5000억 달러의 방위비 지출 예산이 삭감되고 추가 삭감도 있을 듯하지만, 오바마 대통령은 이것이 "이 중요한 지역(아시아-태평양)을 희생시켜 이루어지지는 않을 것"[25]이라고 애써 강조했다. 이 보고서를 거칠게 다시 표현하자면, 미국은 100년 동안 서유럽 나라들과의 특별한 관계에 상당한 관심을 쏟아왔는데 이제 다른 곳을 볼 때가 되었다는 의미다.

영국 국방부에서도 독자적으로 같은 결론에 도달했다. 그들의 독자적인 최근 보고서는 마찬가지로 세계가 혼란과 변화의 시기를 지나고 있음을 인정했다. 이 연구의 필자들은 영국 공무원 특유의 절제된 표현으로 2040년까지는 "전환의 시기가 될 것"이라고 썼다. 보고서는 이렇게 단언했다.

"이 기간 동안에 세계는 기후 변화, 급속한 인구 증가, 자원 부족, 이데올로기의 부활, 그리고 서방에서 동방으로의 권력 이동 등의 현실에 맞닥뜨리게 될 것으로 보인다."[26]

세계의 중심이 형체를 드러내면서 이 중요한 지역 여러 곳의 관계를 공식화하는 기관과 조직들이 나타나기 시작했다. 본래 러시아, 카자흐스탄, 키르기스스탄, 타지키스탄, 우즈베키스탄, 중국 사이의 정치적·경제적·군사적 협력을 도모하기 위해 설립된 상하이협력기구(SCO)는 점점 영향력이 커지고 점차 유럽연합(EU)의 대안이 될 수 있는 조직으로 변모하고 있다.

일부에서는 이 모임을 "인권 침해를 위한 도구"로 매도하고 회원국들이 고문에 관한 유엔 협약을 존중하지 않고 소수자 보호가 전혀 없음을 강조하지만, 다른 사람들은 벨라루스와 스리랑카 같은 나라들이 옵서버로 회의에 참석하는 것을 공식 승인받으면서 장래성이 있는 것으로 보고 있다.[27] 터키는 이를 넘어서서 정회원국으로 참여하게 해달라고 요구했다. 레제프 타이이프 에르도안 터키 총리는 2013년에 한 텔레비전 인터뷰에서, 질질 끌고 불만스러운 유럽연합 가입 신청에서 등을 돌려 동방을 바라볼 것이라고 밝혔다. 그는 이렇게 말했다.

"상하이협력기구가 더 낫습니다. 더 강력하고, 우리와 가치관도 같습니다."[28]

이런 발언을 곧이곧대로 받아들여서는 안 될 것이다. 지구촌의 이 지역의 국가와 국민들은 오랫동안 서로에 대해 양면적인 태도를 취하고 상충하는 이해관계를 자국에게 이득이 되도록 곡예를 해왔기 때문이다. 그럼에도 불구하고 새로운 세계 질서의 등장을 인식하면서 미국, 중국, 소련과 그 밖의 나라들도 같은 결론을 냈다는 것은 결코 우연이 아니다. 지금은 이 지역 전체를 번영하게 만들 "새로운 실크로드에 우리의 눈길을 고정"할 때라고, 2011년 힐러리 클린턴 미국 국무부 장관은 말했다.[29]

이는 시진핑 중국 국가주석도 언급한 주제였다. 그는 2013년 가을 중앙아시아를 순방할 때 아스타나에서, 동방과 서방을 연결하는 이 지역에 사는 사람들은 2000년 넘게 "민족과 신앙과 문화적 배경의 차이"에도 불구하고 공존하고 협력하고 번영을 누릴 수 있었다고 말했다. 그는 이어 이렇게 말했다.

"중앙아시아 나라들과 우호적이고 협력적인 관계를 발전시키는 것은 중국 외교정책의 최우선 과제입니다."

그는 이어, 경제적 유대관계를 더욱 긴밀히 하고 대화의 폭을 넓

히며 교역을 확대하고 통화 유통량을 늘릴 때가 되었다고 말했다. 그는 또 "실크로드 경제 지대"를 만들 때라고 말했다. 다시 말해 '새로운 실크로드'다.[30]

우리 주위의 세계는 변화하고 있다. 서방의 정치적·경제적·군사적 패권이 압박을 받는 시대로 들어서면서 불안감이 요동치고 있다. 진보의 파도와 민주주의의 분출을 약속했던 '아랍의 봄'의 헛된 기대 대신, 이 지역 전체와 그 너머에는 편협함과 고통과 공포가 들어섰다. '이라크-시리아 이슬람국(ISIS)'과 그 지지자들이 땅과 석유와 희생자들의 마음을 자기네 통제 아래 넣으려 하고 있다.

더 큰 혼란이 오리라는 것을 의심하는 사람은 별로 없다. 특히 석유 가격의 급격한 하락 때문이다. 그것은 페르시아만 일대와 아라비아 반도, 그리고 중앙아시아 국가들에 영향을 미칠 우려가 있다. 몇 세대 동안 풍부한 석유와 가스 매장량에 기대 살아온 그들은 예산의 균형을 맞추느라 고생할 것이고, 긴축 조치를 도입하지 않을 수 없을 것이다. 경제적 압박과 정치적 불안은 서로 연관되어 있다. 그리고 빠르고 쉽게 해결되는 경우가 드물다.

흑해 북쪽에서는 러시아의 크림 반도 합병과 우크라이나 개입으로 인해 모스크바와 워싱턴(그리고 유럽연합) 사이의 관계가 불안정해졌다. 오랫동안 버림받은 나라였지만 이제 평화와 번영을 누리던 중심으로서의 전통적인 역할로 돌아가려는 것처럼 보이는 이란의 행보와는 뚜렷한 대조를 보인다.

그리고 물론 전환 국면으로 들어선 중국도 있다. 지난 20년 사이에 일군 아찔할 정도의 경제 성장 속도는 많은 사람들이 '새로운 표준 new normal'이라 부르는 속도로 둔화되고 있다. 꾸준하지만 극적이지는 않은 성장이다. 중국이 국경을 맞대고 있는 나라들이나 한 칸 건넌 이웃들과 어떻게 지내는지, 그리고 중국이 국제 무대에서 어떤 역할을 할지에 따라 21세기의 모습이 달라질 것이다.

시진핑이 2013년에 제시한 일대일로一帶一路 비전에 막대한 자원이 투입된다는 것은 중국이 미래를 계획하고 있음을 강하게 시사한다. 다른 곳에서는 트라우마와 곤란, 난관과 문제들이 고통을 주는 듯하다. 새로운 세계의 조짐이 우리 눈앞에 떠오르고 있다. 다음번 위협은 어디에서 올 것인지, 종교적 극단주의를 어떻게 다루면 좋을지, 국제법을 무시하려는 것처럼 보이는 나라들과는 어떻게 협상해야 할지, 그리고 우리가 이해하려고 노력할 시간을 거의 또는 전혀 갖지 못한 민족·문화·종교와는 어떻게 관계를 맺어야 할지를 곰곰이 생각하는 사이에 아시아의 등뼈 곳곳에서 네트워크와 연결망들이 새로 짜이고 있다. 아니, 복구되고 있다. 실크로드가 다시 떠오르고 있다.

감사의 말

세상에서 옥스퍼드 대학만큼 역사가가 작업하기에 좋은 곳은 없다. 장서와 수장품은 단연 최고이고, 사서들은 자료를 찾는 능력이 매우 뛰어나다. 나는 특히 보들리 도서관, 동방연구소Oriental Institute 도서관, 새클러 도서관, 테일러 슬라브어·현대 그리스어 연구소 도서관, 세인트앤터니 칼리지의 중동 도서관과 그 직원들 모두에게 감사드린다. 옥스퍼드 대학의 그 훌륭한 자료들을 이용하지 못했다면, 그리고 그것들을 찾아준 분들의 지원과 인내가 없었다면 이 책을 쓰지 못했을 것이다.

나는 큐Kew에 있는 국립 공문서관에서 외무부 기록 속에 들어 있는 편지와 전문과 메모들을 읽고, 내각 회의의 의사록을 뒤지고, 국방부 제안서를 검토하며 많은 시간을 보냈다. 이 모든 자료들은 40분 이내에 내게 도착했다. 그곳에서 일하는 모든 분들이 능률적이고 진지하게 일을 처리해준 데 대해 감사한다.

케임브리지 대학 도서관은 내게 하딩 경의 글들을 참고할 수 있도록 해주었고, 케임브리지 대학 처칠 칼리지의 처칠 기록관은 친절하게도 모리스 행키 남작의 사적인 일기를 읽을 수 있게 해주고, 또한 마크 에이브럼스가 수집한 놀라운 선전연구부 신문 모음을 볼 수 있게 해주었다. 나는 워릭 대학 BP 문서보관소와 그 문서 관리자 피터 하우스고가 브리티시 석유회사(BP), 그리고 그 전신인 앵글로-페르시아 석유회사 및 앵글로-이란 석유회사와 관련된 자료들을 찾아준 데 대해 감사드린다.

나는 또한 국제 문제, 특히 20세기 및 21세기 미국 역사에 관한 기밀 해제 문서를 소장한 미국 조지 워싱턴 대학 국가안보문서관에도 감사드린다. 이곳은 최근 수십 년간의 중요한 원자료들의 보고다. 그렇게 많은 문서들을 한곳에서 찾을 수 있었기에, 나를 지치게 하고 많은 시간을 잡아먹었을 거듭되는 대서양 횡단 여행을 줄일 수 있었다.

옥스퍼드 대학 우스터 칼리지의 학장과 이사들에게도 감사드린다. 그들은 내가 거의 20년 전 특별연구원으로 이 대학에 간 이래 놀랍도록, 그리고 한결같이 친절하게 대해주었다. 나는 옥스퍼드 비잔티움 연구센터에서 훌륭한 학자들과 함께 연구하는 행운을 누렸다. 특히 마크 휘토는 끊임없이 자극을 주고 격려해주었다. 옥스퍼드 등 여러 곳과 영국, 유럽, 아시아, 아프리카 등지를 여행하는 도중에 동료 및 친구들과 대화하고 토론하면서 좋은 생각을 다듬는 데 도움을 받았고, 때로는 나쁜 생각을 버릴 수 있었다.

몇몇 동료와 친구들이 이 책 원고를 읽어주었고, 나는 그분들 각자에게 은덕을 입었다. 폴 카틀리지, 에이브릴 캐머런, 크리스토퍼 타이어먼, 마렉 잰코비악, 도미닉 파비즈 브룩쇼, 리사 자딘, 메리 레이븐, 시나 페이즐, 콜린 그린우드, 앤서니 머가원, 니컬러스 윈저 등은 이 책의 여러 부분들을 읽고 유용하고 날카로운 평을 해주었고, 덕분에 더 나은 책이 나올 수 있었다. 또한 앤젤라 머클린이 페스트와 중앙아시아에서의 전염병 확산에 대한 최근 연구들을 소개해준 데 대해 감사한다.

최근 역사책들은 점점 더 좁은 주제와 더욱 짧은 기간에 초점을 맞추고 있다. 나는 블룸스버리와 크노프 출판사가 수천 년의 기간과 여러 대륙, 여러 문화에 걸친 대작을 위해 판을 벌이는 데 열심인 것을 보고 감격했다. 담당 편집자 마이클 피시위크는 처음부터 든든한 기둥이 되어주었다. 내게 시야를 넓게 가지도록 촉구하고, 그런 뒤에 내가 그렇게 해낼 때까지 참을성 있게 기다려주었다. 그의 쾌활함과 날카로운 눈, 그리고 한결같은 지원은 의지가 되었을 뿐만 아니라 소중했다. 나는 영리한 관찰과 질문, 그리고 아이디어로 시기적절하게 도움을 준 크노프의 앤드류 밀러에게도 감사한다.

블룸스버리에도 감사해야 할 분이 많다. 애나 심슨은 본보기가 될 만한 매력으로 서커스단 단장 역할을 해서, 글자꼴에서 지도까지, 사진에서 쪽수까지 모든 것이 제자리에, 올바른 모습으로 있게 했다. 그렇게 해서 컴퓨터 문서를 현실 속의 아름다운 책으로 바꾸어놓았다. 피터 제임스는 원고를 한 번 이상 다 읽고 개선할 부분에 대한 수준 높은 제안을 해주었다. 그의 훌륭한 판단은 큰 도움이 되었다. 교정자 역할을 해준 캐서린 베스트는 내가 전혀 생각지도 못했던 문제들을 짚어주었고, 데이비드 애킨슨은 방대한 색인을 만들어주었다. 지도는 재주만큼이나 참을성이 강한 마틴 루비코스키가 만들어주었고, 필 베레스퍼드는 훌륭한 사진들을 모으는 데 도움을 주었다. 에마 유뱅크는 그저 놀라울 따름인 표지 디자인을 맡아주었다. 내가 쓴 책을 독자들이 읽을 수 있도록 안내하는 데 도움을 준 주드 드레이크와 헬렌 플러드에게도 감사한다.

그러나 나는 캐서린 클라크에게 특별한 감사의 말을 표해야 한다. 몇 년 전 옥스퍼드에서 점심을 먹으면서, 내가 하나의 작업에서 여러 가지 주제를 소화할 수 있을 것이라고 격려해주었기 때문이다. 나는 그때까지 자신이 없었다. 그런 미심쩍음은 글을 쓰면서 불쑥 나타나곤 했다. 보통 밤 늦은 시각이었다. 나는 캐서린의 조언과 지원과 격려에 감사한다. 지칠 줄 모르는 뉴욕의 내 지지자 조이 파냐멘타에게도 마찬가지다. 클로이 캠벨은 내 수호천사였고, 원고를 읽은 뒤 우아하고 세련되게 나의 문제점과 나쁜 습관을 말끔히 없애주었다.

나의 부모님은 내게 걷기와 말하기를 가르쳤음을 자주 상기시켜 주신다. 내가 어렸을 때 소중한 세계 지도를 주시고 그것을 내 침실 벽에 붙이도록 해주신 것이 부모님이었다(물론 부모님은 접착 테이프를 사용하거나 지도의 대양 부분에 〈스타워즈〉 스티커를 붙이는 것은 허락하지 않으셨다). 그분들은 내가 스스로 생각하도록, 그리고 듣고 본 것은 해보도록 가르치셨다. 나와 내 형제자매들은 저녁 식탁에서 여러 언어들로 이야기를 나누고 자유롭게 의견을 말할 수 있는 가정에서 자라는 행운을 누렸다. 다른 사람들이 말한 내용을 이해할 뿐만 아니라 그들 이야기의 속뜻까지 헤아리게 한 가르침은 귀중한 것이었음을 나중에 알았다. 나는 내 형제자매들과 아기 시절 이래의 친한 친구들에게 감사한다. 높은 표준을 세우고 가장 혹독한 비판자가 되어주었기 때문이다. 내가 아는 한 과거를 공부하는 것이 쉽다고 생각하는 사람은 그들밖에 없다.

아내 제시카는 25년 동안 나와 함께했으며, 열정적인 대학생이던 시절부터 나에게 자극이 되어주었다. 우리는 인생의 의미에 대해 토론했고, 부족민들의 중요성에 대해 이야기했으며, 케임브리지의 여러 칼리지 지하실에서 춤을 추었다. 나는 내가 누리는 행운이 진짜인가 싶어 매일 내 살을 꼬집어봐야 했다. 아내가 없었으면 이 책을 쓸 수 없었을 것이다.

그러나 이 책은 나의 네 아이들에게 바치는 책이 되어야 하리라. 그들은 내가 서재에서 나오면, 즉 내가 그날의 문젯거리를 생각하기 위해 에어컨이 켜지고 조금 이색적인 문서 창고에서 나오면 나를 바라보고 내 이야기를 듣고 점점 더 훌륭한 질문들을 던졌다. 캐터리나, 플로라, 프랜시스, 루크. 너희들은 내 자랑이자 즐거움이다. 이제 이 책은 마무리되었다. 드디어 너희들이 원하는 대로 정원에서 함께 놀 수 있게 되었구나.

옮긴이의 말

세계사 책이니 당연하겠지만, 이 책 원서에는 '지중해'를 가리키는 'Mediterranean'이라는 단어가 많이 나온다. 본래는 형용사여서 'Mediterranean Sea'가 되어야 지중해이지만, Sea를 생략하고 앞에 정관사를 붙여 명사화한 'the Mediterranean'도 지중해다. 이 말은 라틴어 medius(가운데)와 terra(땅)를 합친 형태다. '가운데 땅' 또는 '땅의 한가운데'라는 뜻이므로, 동양의 중국中國과 같은 개념이다. 그런데 옛 서양 세계에서는 자기네가 인식하는 땅(세계)의 한가운데에 바다가 자리 잡고 있어 그 바다인 지중해에 이 이름을 붙인 것이다.

하지만 원서의 앞머리와 끄트머리에 나오는 일부 'Mediterranean'은 용법이 조금 다르다. 지중해가 아니라 글자 그대로 '가운데 땅'을 가리킨다. 어디일까? 따로 떨어진 아메리카 대륙을 제외하고 아프로유라시아 대륙으로 시야를 한정해보자. 지중해 동안에서 히말라야 산맥에 이르는, 서아시아와 중앙아시아 일대가 이 책에서 말하는 '가운데 땅'

이다. 이런 관점에서 보면 유럽도 변방이고, 중국도 변방이고, 사하라 사막 이남의 아프리카도 변방이다. 이 책은 그 '가운데 땅' 지역을 중심에 놓고 세계의 역사를 살펴본다. 그 지역을 저자는 '세계의 중심' 또는 '아시아의 등뼈'로 표현한다.

그런데 우리의 머릿속에는 이 지역이 낙후된 곳이라는 생각이 박혀 있다. 현재뿐만 아니라 과거에도 그랬을 것이라고 생각한다. 그러니 이 지역이 어떻게 세계사의 중심이 될 수 있을까 하는 의문이 든다. 사실 이 지역은 먼 옛날부터 동방과 서방이 활발하게 교류하던 곳이었다. 교류가 이루어진다는 것은 경제활동이 활발하다는 의미이고, 경제활동이 활발해지면 강력한 정치체가 들어서고 문화가 발전할 가능성이 높아진다. 실제로 이 지역에서는 페르시아의 역대 왕조나 이슬람 왕조, 투르크계 왕조 등 강력한 제국들이 명멸했다. 몽골제국 역시 동쪽에서 출발하기는 했지만 이 지역을 아우르며 대제국의 바탕을 마련했다.

이 지역 중심의 세계사를 낯설어하는 것은, 저자도 서두에서 말하듯이 우리가 그렇게 교육받아온 탓이다. 우리가 배운 세계사는 그리스-로마를 시작으로 하는 서양 고전 문명과 그 이후의 서양 중세 기독교 세계, 그리고 대탐험시대 이후 서양 열강의 식민지 개척으로 이어진다. 서유럽 문명이 줄곧 세계사의 주역이었다. 그러나 여기에는 허구가 섞여 있다. 우선, 저자의 말마따나 서유럽은 그리스-로마의 상속자가 아니다. 후대에 사칭했을 뿐이다. 졸부가 신분 세탁을 한 셈이고, 우리 개념으로 하자면 족보를 위조한 것이다. 지금 서유럽이라 하면 이탈리아를 포함해서 생각하지만, 그 주력은 지중해권과는 별개의 문화권인 북서 유럽이다. 그리고 16세기가 되기 전에는 이들이 세계사를 주도한 적도 없고 그럴 능력도 없었다. 대략 5세기 서로마가 멸망하기 전까지는 로마의 변방이었고, 7세기 이슬람 세력의 대두 이후에는 중앙에 버티고 선 이 세력을 상대하기가 버거웠다.

그러다가 팔자가 피기 시작한 것은 콜럼버스로 대표되는 대탐험 시대부터다. 새로운 대륙을 '발견'하고 그곳에서 금은보화와 자원과 노동력을 수탈하면서 졸부가 되었다. 맨 먼저 탐험을 주도한 포르투갈과 에스파냐 등 두 이베리아 반도 국가가 수탈과 교역을 통해 풍요를 누렸고, 이어 영국과 네덜란드가 식민지 개척과 교역에 뛰어들었다. 프랑스 역시 뒤를 따랐다. 이들의 제국주의는 해외는 물론 유럽 안에서도 끊임없이 크고 작은 전쟁을 불러왔고, 결국 20세기 들어 두 차례의 거대한 패싸움으로 기력을 소진하고 말았다. 이후 세계는 서유럽 문명의 종가라 할 수 있는 영국의 후계자인 미국과 새로운 이데올로기를 들고 나온 소련의 양강이 각축을 벌이다가 소련이 붕괴하면서 외형상 미국의 독주 체제가 만들어졌다.

그러나 저자는 이 시점에서 '가운데 땅'의 재부상을 이야기한다. 근거는 석유를 비롯한 자원이다. 페르시아만 일대의 국가들은 이미 1970년대에 석유의 위력을 보여준 바 있지만, 석유 외에도 천연가스와 여러 가지 광물자원이 많고 그런 자원 부국이 페르시아만 일대를 넘어서 중앙아시아 국가들로까지 확대되었다. 자원 개발로 생겨나는 부는 자연히 정치적 발언권으로 이어질 수밖에 없고, 저자는 러시아, 중국과 중앙아시아 국가들을 중심으로 한 상하이협력기구가 유럽연합의 대안이 될 가능성까지 이야기하고 있다.

물론 현실은 아직 '가운데 땅'이 다시 세계사의 중심이 되리라고 생각하기에는 너무나 암담하다. 이 지역의 주요 국가인 이란과 이라크는 미국을 중심으로 하는 서방 세력에게 봉쇄와 침공이라는 형태의 학대를 당했던 후유증에서 아직 벗어나지 못하고 있고, 아프가니스탄은 소련과 미국에 잇달아 유린당했다. 통치자의 문제가 빌미를 준 경우도 있지만 강대국의 이익 추구라는 측면이 더 강하다는 평가들이 있다. 이런 식의 수난을 당하지는 않았지만 중앙아시아 국가들도 소련에서 갈라져 나온 지 얼마 안 되어 역사가 일천한 데다, 국부의 증대에 걸맞은 정치적 성숙을 이루어내지 못하는 등 아직 졸부 티를 벗지 못하고 있다. 여기에 지금 세계에 큰 문제를 던지고 있는 IS까지 생각하면 이 지역이 주도하는 세계사라는 것이 아직 요원해 보이는 것도 사실이다. 그러나 한때 이 지역에 만들어졌던 교역로가 다시 기지개를 켜고 있다는 저자의 말은 귀담아들을 필요가 있는 듯하며, 오늘날의 세계를 이해하는 데도 중요한 팁이 될 것이다.

이 지역을 중심에 놓고 세계사를 조망한 이 책은 말하자면 대안 세계사다. '새로운 세계사(A New History of the World)'라는 원서의 부제가 이를 압축해 보여준다. '실크로드(The Silk Roads)'라는 제목은 이 책이 교류를 중심으로 한 세계사임을 암시한다. 실크로드는 그런 교류의 통로를 일반적으로 가리키는 것이지, 둔황을 거쳐 동로마에 이르는 육상의 특정 교통로만을 가리키지 않는다. 따라서 서유럽 중심의 세계사를 비판하면서도 서유럽이 교류의 주역으로 등장한 15세기 이후에는 서유럽을 중심으로 이야기를 전개한다. 그리고 이 시점이 되면 대서양 횡단로와 모든 바닷길이 중심 실크로드가 된다. 상당히 두꺼운 책이면서도 세계사에서 무시할 수 없는 존재인 중국 등 동아시아에 대한 서술이 생각보다 적은 것도 그 때문일 것이다. 그러고 보니 이 책에서는 진짜 '가운데 땅'에 밀려 지중해도, 중국도 모두 변방이 되어버렸다.

첨언 한 가지. 앞서 말한 대로 '실크로드'라는 말이 '육상의 특정 교통로'를 가리킨다는 선입견에 휘둘린다면 이 책이 고대와 중세에 치우쳐 있을 것으로 생각하기 쉽지만 그렇지 않다. 이 두꺼운 책의 절반 가까이는 영국, 독일, 러시아(소련), 미국이 세계의 패권을 놓고 각축을 벌인 근현대사를 다루고 있어, 현대 세계의 모습이 형성된 과정을 자세히 살펴볼 수 있다. 이와 함께 무지막지한 이미지의 몽골제국이 영리한 통치술과 경제 정책으로 대제국을 완성하고 번영을 누렸다는 등 세계사의 상식을 뒤엎는 이야기들도 풍부하게 담고 있다.

이재황

주

19. 밀의 길

1 'Hitler's Mountain Home', *Homes & Gardens*, November 1938, 193–5.
2 A. Speer, *Inside the Third Reich*, tr. R. and C. Winston (New York, 1970), p. 161.
3 Ibid. 칸넨베르크의 아코디언 연주에 관해서는 C. Schroder, *Er War mein Chef. Aus den Nachlaß der Sekretärin von Adolf Hitler* (Munich, 1985), pp. 54, 58.
4 R. Hargreaves, *Blitzkrieg Unleashed: The German Invasion of Poland* (London, 2008), p. 66; H. Hegner, *Die Reichskanzlei 1933–1945: Anfang und Ende des Dritten Reiches* (Frankfurt-am-Main, 1959), pp. 334–7.
5 Speer, *Inside the Third Reich*, p. 162.
6 M. Muggeridge, *Ciano's Diary, 1939–1943* (London, 1947), pp. 9–10.
7 House of Commons Debate, 31 March 1939, Hansard, 345, 2415.
8 Ibid., 2416. 또한 G. Roberts, *The Unholy Alliance: Stalin's Pact with Hitler* (London, 1989); R. Moorhouse, *The Devil's Alliance: Hitler's Pact with Stalin* (London, 2014)을 보라.
9 L. Bezymenskii, *Stalin und Hitler. Pokerspiel der Diktatoren* (London, 1967), pp. 186–92.
10 J. Herf, *The Jewish Enemy: Nazi Propaganda during World War II and the Holocaust* (Cambridge, MA, 2006).
11 W. Churchill, *The Second World War*, 6 vols (London, 1948–53), 1, p. 328.
12 Bezymenskii, *Stalin und Hitler*, pp. 142, 206–9.
13 T. Snyder, *Bloodlands: Europe between Hitler and Stalin* (London, 2010), pp. 81, 93.
14 E. Jäckel and A. Kahn, *Hitler: Sämtliche Aufzeichnungen, 1905–1924* (Stuttgart, 1980), p. 186에서 재인용.
15 J. Weitz, *Hitler's Diplomat: The Life and Times of Joachim von Ribbentrop* (New York, 1992), p. 6.
16 S. Sebag Montefiore, *Stalin: The Court of the Red Tsar* (London, 2004), p. 317.
17 Hegner, *Die Reichskanzlei*, pp. 337–8, 342–3. 조약과 그 비밀 부속 문서에 관해서는 *Documents on German Foreign Policy, 1918–1945*, Series D, 13 vols (London, 1949–64), 7, pp. 245–7.
18 Sebag Montefiore, *Stalin*, p. 318.
19 N. Khrushchev, *Khrushchev Remembers*, tr. S. Talbott (Boston, MA, 1970), p. 128.
20 Besymenski, *Stalin und Hitler*, pp. 21–2; D. Volkogonov, *Stalin: Triumph and Tragedy* (New York, 1991), p. 352.
21 L. Kovalenko and V. Maniak, *33'i: Golod: Narodna kniga-memorial* (Kiev, 1991), p. 46, in Snyder, *Bloodlands*, p. 49. 또한 pp. 39–58을 보라.
22 비신스키와 공개재판에 대해서는 A. Vaksberg, *Stalin's Prosecutor: The Life of Andrei Vyshinsky* (New York, 1990); N. Werth et al. (eds), *The Little Black Book of Communism:*

Crimes, Terror, Repression (Cambridge, MA, 1999)을 보라.

23 M. Jansen and N. Petrov, *Stalin's Loyal Executioner: People's Commissar Nikolai Ezhov, 1895–1940* (Stanford, 2002), p. 69.

24 V. Rogovin, *Partiya Rasstrelianykh* (Moscow, 1997), pp. 207–19. 또한 Bezymenskii, *Stalin und Hitler*, p. 96; Volkogonov, *Stalin*, p. 368.

25 'Speech by the Führer to the Commanders in Chief', 22 August 1939, in *Documents on German Foreign Policy*, Series D, 7, pp. 200–4; I. Kershaw, *Hitler, 1936–45: Nemesis* (London, 2001), pp. 207–8.

26 'Second speech by the Führer', 22 August 1939, in *Documents on German Foreign Policy, 1918–1945*, Series D, p. 205.

27 'Speech by the Führer to the Commanders in Chief', p. 204.

28 K.-J. Müller, *Das Heer und Hitler: Armee und nationalsozialistisches Regime 1933–1940* (Stuttgart, 1969), p. 411, n. 153. 뮐러는 이를 뒷받침하는 증거를 제시하지는 않았다.

29 W. Baumgart, 'Zur Ansprache Hitlers vor den Führern der Wehrmacht am 22. August 1939. Eine quellenkritische Untersuchung', *Viertejahreshefte für Zeitgeschichte* 16 (1968), 146; Kershaw, Nemesis, p. 209.

30 G. Corni, *Hitler and the Peasants: Agrarian Policy of the Third Reich, 1930–39* (New York, 1990), pp. 66–115.

31 예를 들어 R.-D. Müller, 'Die Konsequenzen der "Volksgemeinschaft": Ernährung, Ausbeutung und Vernichtung', in W. Michalka (ed.), *Der Zweite Weltkrieg. Analysen-Grundzüge-Forschungsbilanz* (Weyarn, 1989), pp. 240–9를 보라.

32 A. Kay, *Exploitation, Resettlement, Mass Murder: Political and Economic Planning for German Occupation Policy in the Soviet Union, 1940–1941* (Oxford, 2006), p. 40.

33 A. Bondarenko (ed.), *God krizisa: 1938–1939: dokumenty i materialy v dvukh tomakh*, 2 vols (Moscow, 1990), 2, pp. 157–8.

34 E. Ericson, *Feeding the German Eagle: Soviet Economic Aid to Nazi Germany, 1933–1941* (Westport, CT, 1999), pp. 41ff.

35 A. Bullock, *Hitler: A Study in Tyranny* (London, 1964), p. 719.

36 S. Fritz, *Ostkrieg: Hitler's War of Extermination in the East* (2011), p. 39.

37 C. Browning, *The Origins of the Final Solution: The Evolution of Nazi Jewish Policy, September 1939–March 1942* (Lincoln, NE, 2004), p. 16; Snyder, *Bloodlands*, p. 126.

38 War Cabinet, 8 September 1939, CAB 65/1; A. Prazmowska, *Britain, Poland and the Eastern Front*, 1939 (Cambridge, 1987), p. 182.

39 British Legation Kabul to Foreign Office London, Katodon 106, 24 September 1939, cited by M. Hauner, 'The Soviet Threat to Afghanistan and India, 1938–1940', *Modern Asian Studies* 15.2 (1981), 297.

40 Hauner, 'Soviet Threat to Afghanistan and India', 298.

41 Report by the Chiefs of Staff Committee, 'The Military Implications of Hostilities with Russia in 1940', 8 March 1940, CAB 66/6.

42 'Appreciation of the Situation Created by the Russo-German Agreement', 6 October 1939, CAB 84/8. 또한 M. Hauner, *India in Axis Strategy: Germany, Japan and Indian Nationalists*

in the Second World War (Stuttgart, 1981), 특히 213–37을 보라.

43 Hauner, *India in Axis Strategy*, 70–92.

44 M. Hauner, 'Anspruch und Wirklichkeit: Deutschland also Dritte Macht in Afghanistan, 1915–39', in K. Kettenacker et al. (eds), *Festschrift für Paul Kluge* (Munich, 1981), pp. 222–44; idem, 'Afghanistan before the Great Powers, 1938–45', International Journal of Middle East Studies 14.4 (1982), 481–2.

45 'Policy and the War Effort in the East', 6 January 1940, *Documents on German Foreign Policy, 1918–1945*, Series D, 8, pp. 632–3.

46 'Memorandum of the Aussenpolitisches Amt', 18 December 1939, *Documents on German Foreign Policy, 1918–1945*, Series D, 8, p. 533; Hauner, *India in Axis Strategy*, pp. 159–72.

47 M. Hauner, 'One Man against the Empire: The Faqir of Ipi and the British in Central Asia on the Eve of and during the Second World War', *Journal of Contemporary History* 16.1 (1981), 183–212.

48 Rubin and Schwanitz, *Nazis, Islamists*, p. 4 n. 13.

49 S. Hauser, 'German Research on the Ancient Near East and its Relation to Political and Economic Interests from Kaiserreich to World War II', in W. Schwanitz (ed.), *Germany and the Middle East, 1871–1945* (Princeton, 2004), pp. 168–9; M. Ghods, *Iran in the Twentieth Century: A Political History* (Boulder, CO, 2009), pp. 106–8.

50 Rubin and Schwanitz, *Nazis, Islamists*, p. 128.

51 ibid., p. 5에서 재인용.

52 T. Imlay, 'A Reassessment of Anglo-French Strategy during the Phony War, 1939–1940', *English Historical Review* 119.481 (2004), 337–8.

53 First Lord's Personal Minute, 17 November 1939, ADM 205/2. 또한 Imlay, 'Reassessment of Anglo-French Strategy', 338, 354–9를 보라.

54 Imlay, 'Reassessment of Anglo-French Strategy', 364.

55 CAB 104/259, 'Russia: Vulnerability of Oil Supplies', JIC (39) 29 revise, 21 November 1939; Imlay, 'Reassessment of Anglo-French Strategy', 363–8.

56 구데리안과 히틀러가 거듭 겁을 먹은 일에 관해서는 K. H. Frieser, *Blitzkrieg-Legende. Der Westfeldung 1940* (Munich, 1990), pp. 240–3, 316–22를 보라.

57 M. Hauner, 'Afghanistan between the Great Powers, 1938–1945', *International Journal of Middle East Studies* 14.4 (1982), 487을 보라. 제안된 수송비 인하 방안에 대해서는 Ministry of Economic Warfare, 9 January 1940, FO 371/24766.

58 Ericson, *Feeding the German Eagle*, pp. 109–18.

59 Fritz, *Ostkrieg*, pp. 38–41.

60 J. Förster, 'Hitler's Decision in Favour of War against the Soviet Union', in H. Boog, J. Förster et al. (eds), *Germany and the Second World War*, vol. 4: *The Attack on the Soviet Union* (Oxford, 1996), p. 22. 또한 Kershaw, *Nemesis*, p. 307을 보라.

61 Corni, *Hitler and the Peasants*, pp. 126–7, 158–9, 257–60. 또한 H. Backe, *Die Nahrungsfreiheit Europas: Großliberalismus in der Wirtschaft* (Berlin, 1938).

62 V. Gnucheva, 'Materialy dlya istorii ekspeditsii nauk v XVIII i XX vekakh', *Trudy Arkhiva Akademii Nauk SSSR* 4 (Moscow, 1940), esp. 97–108.

63 M. Stroganova (ed.), *Zapovedniki evropeiskoi chasti RSFSR* (Moscow, 1989); C. Kremenetski, 'Human Impact on the Holocene Vegetation of the South Russian Plain', in J. Chapman and P. Dolukhanov (eds), *Landscapes in Flux: Central and Eastern Europe in Antiquity* (Oxford, 1997), pp. 275–87.

64 H. Backe, *Die russische Getreidewirtschaft als Grundlage der Land-und Volkswirtschaft Rußlands* (Berlin, 1941).

65 Bundesarchiv-Militärarchiv, RW 19/164, fo. 126, cited by Kay, *Exploitation*, pp. 211, 50.

66 A. Hillgruber, *Hitlers Strategie: Politik und Kriegführung 1940–1941* (Frankfurt-am-Main, 1965), p. 365에서 재인용.

67 'Geheime Absichtserklärungen zur künftigen Ostpolitik: Auszug aus einem Aktenvermerk von Reichsleiter M. Bormann vom 16.7.1941', in G. Uebershär and W. Wette (eds), *Unternehmen Barbarossa: Der deutsche Überfall auf die Sowjetunion, 1941: Berichte, Anaylsen, Dokumente* (Paderborn, 1984), pp. 330–1.

68 G. Corni and H. Gies, *Brot—Butter—Kanonen. Die Ernährungswirtschaft in Deutschland unter der Diktatur Hitlers* (Berlin, 1997), p. 451; R.-D. Müller, 'Das "Unternehmen Barbarossa" als wirtschaftlicher Raubkrieg', in Uebershär and Wette, *Unternehmen Barbarossa*, p. 174.

69 German radio broadcast, 27 February 1941, Propaganda Research Section Papers, 6 December 1940, Abrams Papers, 3f 65; 3f 8/41.

70 *Die Tagebücher von Joseph Goebbels*, ed. E. Fröhlich, 15 vols (Munich, 1996), 28 June 1941, Teil I, 9, p. 409; 14 July, *Teil II*, 1, pp. 63–4.

71 Kershaw, *Nemesis*, pp. 423–4.

72 바케의 사신(私信). G. Gerhard, 'Food and Genocide: Nazi Agrarian Politics in the Occupied Territories of the Soviet Union', *Contemporary European History* 18.1 (2009), 56에서 재인용.

73 'Aktennotiz über Ergebnis der heutigen Besprechung mit den Staatssekretären über Barbarossa', in A. Kay, 'Germany's Staatssekretäre, Mass Starvation and the Meeting of 2 May 1941', *Journal of Contemporary History* 41.4 (2006), 685–6.

74 Kay, 'Mass Starvation and the Meeting of 2 May 1941', 687.

75 'Wirtschaftspolitische Richtlinien für Wirtschaftsorganisation Ost, Gruppe Landwirtschaft', 23 May 1941, in *Der Prozess gegen die Hauptkriegsverbrecher vor dem Internationalen Militärgerichtshof, Nürnberg 14 November 1945—1 October 1946*, 42 vols (Nuremberg, 1947–9), 36, pp. 135–7. 비슷한 보고가 3주 후인 6월 16일에 나왔다. Kay, *Exploitation*, pp. 164–7.

76 Backe, *Die russische Getreidewirtschaft*. Gerhard, 'Food and Genocide', 57–8에서 재인용. 또한 Kay, 'Mass Starvation', 685–700.

77 H. Backe, '12 Gebote für das Verhalten der Deutschen im Osten und die Behandlung der Russen', in R. Rürup (ed.), *Der Krieg gegen die Sowjetunion 1941–1945: Eine Dokumentation* (Berlin, 1991), p. 46; Gerhard, 'Food and Genocide', 59.

78 *Die Tagebücher von Joseph Goebbels*, 1 May 1941, *Teil I*, 9, pp. 283–4.

79 Ibid., 9 July 1941, *Teil II*, 1, pp. 33–4.

80 Russian radio broadcast, 19 June 1941, Propaganda Research Section Papers, Abrams Papers, 3f

24/41.

81 F. Halder, *The Halder War Diary*, ed. C. Burdick and H.-A. Jacobsen (London, 1988), 30 March 1941, pp. 345-6.

82 19 May 1941, *Verbrechen der Wehrmacht: Dimensionen des Vernichtungskrieges 1941–1945. Ausstellungskatalog* (Hamburg 2002), pp. 53-5.

83 'Ausübund der Kriegsgerichtsbarkeit im Gebiet "Barbarossa" und beson-dere Maßnahmen Truppe', 14 May 1941, in H. Bucheim, M. Broszat, J.-A. Jacobsen and H. Krasunick, *Anatomie des SS-Staates*, 2 vols (Olten, 1965), 2, pp. 215-18.

84 'Richtlinien für die Behandlung politischer Kommissare', 6 June 1941, in Bucheim et al., *Anatomie des SS-Staates*, pp. 225-7.

20. 대량학살로 가는 길

1 C. Streit, *Keine Kameraden. Die Wehrmacht und die sowjetischen Kriegsgefangenen 1941–1945* (Stuttgart, 1978), pp. 143, 153.

2 Kershaw, *Nemesis*, p. 359에서 재인용.

3 Ibid., p. 360.

4 Ibid., pp. 400, 435.

5 W. Lower, *Nazi Empire Building and the Holocaust in Ukraine* (Chapel Hill, NC, 2007), pp. 171-7.

6 A. Hitler, *Monologe im Führer-Hauptquartier 1941–1944*, ed. W. Jochmann (Hamburg, 1980), 17-18 September 1941, pp. 62-3; Kershaw, *Nemesis*, p. 401.

7 Kershaw, *Nemesis*, p. 434에서 재인용.

8 Hitler, *Monologe*, 13 October 1941, p. 78; Kershaw, *Nemesis*, p. 434.

9 Ericson, *Feeding the German Eagle*, pp. 125ff.

10 V. Anfilov, '. . . Razgovor zakonchilsia ugrozoi Stalina', *Voenno-istoricheskiy Zhurnal* 3 (1995), 41; L. Bezymenskii, 'O "plane" Zhukova ot 15 maia 1941 g.', *Novaya Noveishaya Istoriya* 3 (2000), 61. 또한 E. Mawdsley, 'Crossing the Rubicon: Soviet Plans for Offensive War in 1940-1941', *International History Review 25* (2003), 853을 보라.

11 D. Murphy, *What Stalin Knew: The Enigma of Barbarossa* (New Haven, 2005).

12 R. Medvedev and Z. Medvedev, *The Unknown Stalin: His Life, Death and Legacy* (London, 2003), p. 226.

13 G. Zhukov, *Vospominaniya i rasmyshleniya*, 3 vols (Moscow, 1995), 1, p. 258.

14 Assarasson to Stockholm, 21 June 1941, cited by G. Gorodetsky, *Grand Delusion: Stalin and the German Invasion of Russia* (New Haven, 1999), p. 306.

15 *Dokumenty vneshnei politiki SSSR*, 24 vols (Moscow, 1957-), 23.2, pp. 764-5.

16 A. Tooze, *The Wages of Destruction: The Making and Breaking of the Nazi Economy* (New York, 2006), pp. 452-60; R. di Nardo, *Mechanized Juggernaut or Military Anachronism? Horses and the German Army of World War II* (Westport, CT, 1991), pp. 35-54.

17 Beevor, *Stalingrad* (London, 1998), p. 26에서 재인용.

18 J. Stalin, *O Velikoi Otechestvennoi voine Sovestkogo Soiuza* (Moscow, 1944), p. 11.

19 A. von Plato, A. Leh and C. Thonfeld (eds), *Hitler's Slaves: Life Stories of Forced Labourers in Nazi-Occupied Europe* (Oxford, 2010).

20 E. Radzinsky, *Stalin* (London, 1996), p. 482; N. Ponomariov, cited by I. Kershaw, *Fateful Choices: Ten Decisions that Changed the World, 1940–1941* (London, 2007), p. 290.

21 Fritz, *Ostkrieg*, p. 191.

22 H. Trevor-Roper, *Hitler's Table Talk, 1941–1944: His Private Conversations* (London, 1953), p. 28.

23 W. Lower, '"On Him Rests the Weight of the Administration": Nazi Civilian Rulers and the Holocaust in Zhytomyr', in R. Brandon and W. Lower (eds), *The Shoah in Ukraine: History, Testimony, Memorialization* (Bloomington, IN, 2008), p. 225.

24 E. Steinhart, 'Policing the Boundaries of "Germandom" in the East: SS Ethnic German Policy and Odessa's "Volksdeutsche", 1941–1944', *Central European History* 43.1 (2010), 85–116.

25 W. Hubatsch, *Hitlers Weisungen für die Kriegführung 1939–1945. Dokumente des Oberkommandos der Wehrmacht* (Munich, 1965), pp. 139–40.

26 Rubin and Schwanitz, *Nazis, Islamists*, pp. 124, 127.

27 Ibid., p. 85; H. Lindemann, *Der Islam im Aufbruch, in Abwehr und Angriff* (Leipzig, 1941).

28 Churchill, *Second World War*, 3, p. 424.

29 A. Michie, 'War in Iran: British Join Soviet Allies', *Life*, 26 January 1942, 46.

30 R. Sanghvi, *Aryamehr: The Shah of Iran: A Political Biography* (London, 1968), p. 59; H. Arfa, *Under Five Shahs* (London, 1964), p. 242.

31 Bullard to Foreign Office, 25 June 1941, in R. Bullard, *Letters from Teheran: A British Ambassador in World War II Persia*, ed. E. Hodgkin (London, 1991), p. 60.

32 Lambton to Bullard, 4 October 1941, FO 416/99.

33 Intelligence Summary for 19–30 November, 2 December 1941, FO 416/99.

34 'Minister in Iran to the Foreign Ministry', 9 July 1941, *Documents on German Foreign Policy, 1918–1945*, Series D, 13, pp. 103–4.

35 P. Dharm and B. Prasad (eds), *Official History of the Indian Armed Forces in the Second World War, 1939–1945: The Campaign in Western Asia* (Calcutta, 1957), pp. 126–8.

36 J. Connell, *Wavell: Supreme Commander* (London, 1969), pp. 23–4 재인용.

37 R. Stewart, *Sunrise at Abadan: The British and Soviet Invasions of Iran, 1941* (New York, 1988), p. 59, n. 26.

38 'Economic Assistance to the Soviet Union', *Department of State Bulletin* 5 (1942), 109.

39 R. Sherwood, *The White House Papers of Harry L. Hopkins*, 2 vols (Washington, DC, 1948), 1, pp. 306–9.

40 Michie, 'War in Iran', 40–4.

41 Bullard, *Letters*, p. 80.

42 Reza Shah Pahlavi to Roosevelt, 25 August 1941; Roosevelt to Reza Shah Pahlavi, 2 September 1941, cited by M. Majd, *August 1941: The Anglo-Russian Occupation of Iran and Change of Shahs* (Lanham, MD, 2012), pp. 232–3; Stewart, *Abadan*, p. 85.

43 J. Buchan, *Days of God: The Revolution in Iran and its Consequences* (London, 2012), p. 27.

44 Military attaché, 'Intelligence summary 27', 19 November 1941, FO 371 27188.

45 R. Dahl, *Going Solo* (London, 1986), p. 193.

46 F. Halder, *Kriegstagebuch: tägliche Aufzeichnungen des Chefs des Generalstabes des Heeres, 1939–1942*, ed. H.-A. Jacobson and A. Philippi, 3 vols (Stuttgart, 1964), 3, 10 September 1941, p. 220; 17 September 1941, p. 236.

47 D. Stahel, *Kiev 1941: Hitler's Battle for Supremacy in the East* (Cambridge, 2012), pp. 133–4.

48 H. Pichler, *Truppenarzt und Zeitzeuge. Mit der 4. SS-Polizei-Division an vorderster Front* (Dresden, 2006), p. 98.

49 *Die Tagebücher von Joseph Goebbels*, 27 August 1941, Teil II, 1, p. 316.

50 Beevor, *Stalingrad*, pp. 56–7에서 재인용.

51 Fritz, *Ostkrieg*, pp. 158–9.

52 A. Hillgruber, *Staatsmänner und Diplomaten bei Hitler. Vertrauliche Aufzeichungen 1939–1941* (Munich, 1969), p. 329.

53 W. Kemper, 'Pervitin—Die Endsieg-Droge', in W. Pieper (ed.), *Nazis on Speed: Drogen im Dritten Reich* (Lohrbach, 2003), pp. 122–33.

54 R.-D. Müller, 'The Failure of the Economic "Blitzkrieg Strategy"', in H. Boog et al. (eds), *The Attack on the Soviet Union*, vol. 4 of W. Deist et al. (eds), *Germany and the Second World War*, 9 vols (Oxford, 1998), pp. 1127–32; Fritz, *Ostkrieg*, p. 150.

55 M. Guglielmo, 'The Contribution of Economists to Military Intelligence during World War II', *Journal of Economic History* 66.1 (2008), esp. 116–20.

56 R. Overy, *War and the Economy in the Third Reich* (Oxford, 1994), pp. 264, 278; J. Barber and M. Harrison, *The Soviet Home Front, 1941–1945: A Social and Economic History of the USSR in World War II* (New York, 1991), pp. 78–9.

57 A. Milward, *War, Economy and Society, 1939–45* (Berkeley, 1977), pp. 262–73; Tooze, *Wages of Destruction*, pp. 513–51.

58 German radio broadcast, 5 November 1941, Propaganda Research Section Papers, Abrams Papers, 3f 44/41.

59 'Gains of Germany (and her Allies) through the Occupation of Soviet Territory', in Coordinator of Information, *Research and Analysis Branch, East European Section Report*, 17 (March 1942), pp. 10–11.

60 'Reich Marshal of the Greater German Reich', 11th meeting of the General Council, 24 June 1941, cited by Müller, 'Failure of the Economic "Blitzkrieg Strategy"', p. 1142.

61 Halder, *Kriegstagebuch*, 8 July 1941, 3, p. 53.

62 C. Streit, 'The German Army and the Politics of Genocide', in G. Hirschfeld (ed.), *The Policies of Genocide: Jews and Soviet Prisoners of War in Nazi Germany* (London, 1986), pp. 8–9.

63 J. Hürter, *Hitlers Heerführer. Die deutschen Oberbefehlshaber im Krieg gegen die Sowjetunion 1941/1942* (Munich, 2006), p. 370.

64 Streit, *Keine Kameraden*, p. 128. 또한 Snyder, *Bloodlands*, pp. 179–84를 보라.

65 R. Overmans, 'Die Kriegsgefangenenpolitik des Deutschen Reiches 1939 bis 1945', in J. Echternkamp (ed.), *Das Deutsche Reich und der Zweite Weltkrieg*, 10 vols (Munich, 1979–2008), 9.2, p. 814; Browning, *Origins of the Final Solution*, p. 357; Snyder, *Bloodlands*, pp.

185 – 6.

66 K. Berkhoff, 'The "Russian" Prisoners of War in Nazi-Ruled Ukraine as Victims of Genocidal Massacre', *Holocaust and Genocide Studies* 15.1 (2001), 1 – 32.

67 Röhl, *The Kaiser and his Court*, p. 210. 카이저의 유대인에 대한 태도에 관해서는 L. Cecil, 'Wilhelm II und die Juden', in W. Mosse (ed.), *Juden im Wilhelminischen Deutschland, 1890–1914* (Tübingen, 1976), pp. 313 – 48.

68 Hitler's speech to the Reichstag, 30 January 1939, in *Verhandlungen des Reichstags, Stenographische Berichte 4. Wahlperiode 1939–1942* (Bad Feilnbach, 1986), p. 16.

69 Rubin and Schwanitz, *Nazis, Islamists*, p. 94.

70 H. Jansen, *Der Madagaskar-Plan: Die beabsichtigte Deportation der europäischen Juden nach Madagaskar* (Munich, 1997), 특히 pp. 309 – 11. 말라가시에 관한 이론에 대해서는 E. Jennings, 'Writing Madagascar Back into the Madagascar Plan', *Holocaust and Genocide Studies* 21.2 (2007), 191을 보라.

71 F. Nicosia, 'Für den Status-Quo: Deutschland und die Palästinafrage in der Zwischenkriegszeit', in L. Schatkowski Schilcher and C. Scharf (eds), *Der Nahe Osten in der Zwischenkriegszeit 1919–1939. Die Interdependenz von Politik, Wirtschaft und Ideologie* (Stuttgart, 1989), p. 105.

72 D. Cesarani, *Eichmann: His Life and Crimes* (London, 2004), pp. 53 – 6.

73 D. Yisraeli, *The Palestinian Problem in German Politics, 1889–1945* (Ramat-Gan, 1974), p. 315에서 재인용.

74 J. Heller, *The Stern Gang: Ideology, Politics and Terror, 1940–1949* (London, 1995), pp. 85 – 7.

75 T. Jersak, 'Blitzkrieg Revisited: A New Look at Nazi War and Extermination Planning', *Historical Journal* 43.2 (2000), 582.

76 특히 G. Aly, '"Judenumsiedlung": Überlegungen zur politischen Vorgeschichte des Holocaust', in U. Herbert (ed.), *Nationalsozialistische Vernichtungspolitik 1939–1945: neue Forschungen und Kontroversen* (Frankfurt-am-Main, 1998), pp. 67 – 97을 보라.

77 Streit, 'The German Army and the Politics of Genocide', p. 9; Fritz, *Ostkrieg*, p. 171.

78 J.-M. Belière and L. Chabrun, *Les Policiers français sous l'Occupation, d'après les archives inédites de l'épuration* (Paris, 2001), pp. 220 – 4; P. Griffioen and R. Zeller, 'Anti-Jewish Policy and Organization of the Deportations in France and the Netherlands, 1940 – 1944: A Comparative Study', *Holocaust and Genocide Studies* 20.3 (2005), 441.

79 L. de Jong, *Het Koninkrijk der Nederlanden in de Tweede Wereldoorlog*, 14 vols (The Hague, 1969 – 91), 4, pp. 99 – 110.

80 반제 회의에 관해서는 C. Gerlach, 'The Wannsee Conference, the Fate of German Jews, and Hitler's Decision in Principle to Exterminate All European Jews', *Journal of Modern History* 70 (1998), 759 – 812; Browning, *Origins of the Final Solution*, pp. 374ff.

81 R. Coakley, 'The Persian Corridor as a Route for Aid to the USSR', in M. Blumenson, K. Greenfield et al., *Command Decisions* (Washington, DC, 1960), pp. 225 – 53. 또한 T. Motter, *The Persian Corridor and Aid to Russia* (Washington, DC, 1952).

82 호송대에 관해서는 R. Woodman, *Arctic Convoys, 1941–1945* (London, 2004).

83 J. MacCurdy, 'Analysis of Hitler's Speech on 26th April 1942', 10 June 1942, Abrams Archive,

Churchill College, Cambridge.

84 E. Schwaab, *Hitler's Mind: A Plunge into Madness* (New York, 1992).

85 Rubin and Schwanitz, *Nazis, Islamists*, pp. 139–41. 전체적으로 M. Carver, *El Alamein* (London, 1962).

86 미국과 태평양에 관해서는 H. Willmott, *The Second World War in the Far East* (London, 2012). 또한 A. Kernan, *The Unknown Battle of Midway: The Destruction of the American Torpedo Squadrons* (New Haven, 2005)를 보라.

87 Fritz, *Ostkrieg*, p. 235에서 재인용. 그 맥락에 대해서는 pp. 231–9.

88 Ibid., pp. 261–70; Speer, *Inside the Third Reich*, p. 215.

89 1944년 10월의 모스크바 방문에 관해서는 CAB 120/158을 보라.

90 M. Gilbert, *Churchill: A Life* (London, 1991), p. 796; R. Edmonds, 'Churchill and Stalin', in R. Blake and R. Louis (eds), *Churchill* (Oxford, 1996), p. 320. 또한 Churchill, *Second World War*, 6, pp. 227–8.

91 W. Churchill, 'The Sinews of Peace', 5 March 1946, in J. Muller (ed.), *Churchill's 'Iron Curtain' Speech Fifty Years Later* (London, 1999), pp. 8–9.

92 D. Reynolds, *From World War to Cold War: Churchill, Roosevelt, and the International History of the 1940s* (Oxford, 2006), pp. 250–3.

93 M. Hastings, *All Hell Let Loose: The World at War, 1939–1945* (London, 2011), pp. 165–82; Beevor, *Stalingrad*, passim.

94 A. Applebaum, *Iron Curtain: The Crushing of Eastern Europe, 1944–56* (London, 2012)을 보라.

21. 냉전의 길

1 A. Millspaugh, *Americans in Persia* (Washington, DC, 1946), Appendix C; B. Kuniholm, *The Origins of the Cold War in the Near East: Great Power Conflict and Diplomacy in Iran, Turkey and Greece* (Princeton, 1980), pp. 138–43.

2 The Minister in Iran (Dreyfus) to the Secretary of State, 21 August 1941, *Foreign Relations of the United States, Diplomatic Papers 1941*, 7 vols (Washington, DC, 1956–62), 3, p. 403.

3 알리 다슈티(Ali Dashti)가 1928년 12월에 쓴 글. Buchan, *Days of God*, p. 73에서 재인용.

4 B. Schulze-Holthus, *Frührot in Persien* (Esslingen, 1952), p. 22. 베른하르트 슐체홀투스는 독일군 정보기관인 압베어가 타브리즈 시 부영사로 삼아 이란에 파견했다. 그는 전쟁 기간 동안 신분을 위장한 채 테헤란에 머물면서 반연합군 파당들 사이에서 지지자들을 모았다. 또한 S. Seydi, 'Intelligence and Counter-Intelligence Activities in Iran during the Second World War', *Middle Eastern Studies* 46.5 (2010), 733–52를 보라.

5 Bullard, *Letters*, p. 154.

6 Ibid., p. 216.

7 Ibid., p. 187.

8 C. de Bellaigue, *Patriot of Persia: Muhammad Mossadegh and a Very British Coup* (London, 2012), pp. 120–3.

9 Shepherd to Furlonge, 6 May 1951, FO 248/1514.
10 The Observer, 20 May 1951, FO 248/1514.
11 de Bellaigue, *Patriot of Persia*, p. 123, n. 12에서 재인용.
12 Buchan, *Days of God*, p. 82.
13 L. Elwell-Sutton, *Persian Oil: A Study in Power Politics* (London, 1955), p. 65.
14 Ibid.
15 C. Bayly and T. Harper, *Forgotten Armies: The Fall of British Asia, 1841–1945* (London, 2004), pp. 182, 120.
16 I. Chawla, 'Wavell's Breakdown Plan, 1945–47: An Appraisal', *Journal of Punjabi Studies* 16.2 (2009), 219–34.
17 W. Churchill, House of Commons debates, 6 March 1947, Hansard, 434, 676–7.
18 L. Chester, *Borders and Conflict in South Asia: The Radcliffe Boundary Commission and the Partition of the Punjab* (Manchester, 2009)를 보라. 또한 A. von Tunzelmann, *Indian Summer: The Secret History of the End of an Empire* (London, 2007).
19 I. Talbot, 'Safety First: The Security of Britons in India, 1946–1947', *Transactions of the RHS* 23 (2013), pp. 203–21.
20 K. Jeffrey, *MI6: The History of the Secret Intelligence Service, 1909–1949* (London, 2010), pp. 689–90.
21 N. Rose, *'A Senseless, Squalid War': Voices from Palestine 1890s–1948* (London, 2010), pp. 156–8.
22 A. Halamish, *The Exodus Affair: Holocaust Survivors and the Struggle for Palestine* (Syracuse, NY, 1998).
23 J. Glubb, *A Soldier with the Arabs* (London, 1957), pp. 63–6에서 재인용.
24 E. Karsh, *Rethinking the Middle East* (London, 2003), pp. 172–89.
25 F. Hadid, *Iraq's Democratic Moment* (London, 2012), pp. 126–36.
26 Beeley to Burrows, 1 November 1947, FO 371/61596/E10118.
27 Outward Saving Telegram, 29 July 1947; Busk to Burrows, 3 November 1947, FO 371/61596.
28 K. Kwarteng, *Ghosts of Empire: Britain's Legacies in the Modern World* (London, 2011), p. 50.
29 B. Uvarov and A. Waterston, 'MEALU General Report of Anti-Locust Campaign, 1942–1947', 19 September 1947, FO 371/61564.
30 N. Tumarkin, 'The Great Patriotic War as Myth and Memory', *European Review* 11.4 (2003), 595–7.
31 J. Stalin, 'Rech na predvybornom sobranii izbiratelei Stalinskogo izbiratel'nogo okruga goroda Moskvy', in J. Stalin, Sochineniya, ed. R. McNeal, 3 vols (Stanford, CA, 1967), 3, p. 2.
32 B. Pimlott (ed.), *The Second World War Diary of Hugh Dalton, 1940–45* (London, 1986), 23 February 1945, marginal insertion, p. 836, n. 1.
33 이 말들은 풀턴으로 가는 기차 안에서 처칠이 추가한 것으로 보인다. J. Ramsden, 'Mr Churchill Goes to Fulton', in Muller, *Churchill's 'Iron Curtain' Speech: Fifty Years Later*, p. 42. In general, P. Wright, *Iron Curtain: From Stage to Cold War* (Oxford, 2007).
34 B. Rubin, *The Great Powers in the Middle East, 1941–1947: The Road to the Cold War* (London, 1980), pp. 73ff.

35 'Soviet Military and Political Intentions, Spring 1949', Report No. 7453, 9 December 1948.

36 K. Blake, *The US–Soviet Confrontation in Iran 1945–62: A Case in the Annals of the Cold War* (Lanham, MD, 2009), pp. 17–18.

37 'General Patrick J. Hurley, Personal Representative of President Roosevelt, to the President', 13 May 1943, FRUS, *Diplomatic Papers 1943: The Near East and Africa*, 4, pp. 363–70.

38 Millspaugh, *Americans in Persia*, p. 77.

39 A. Offner, *Another Such Victory: President Truman and the Cold War, 1945–53* (Stanford, 2002), p. 128.

40 'The Chargé in the Soviet Union (Kennan) to the Secretary of State', 22 February 1946, *FRUS 1946: Eastern Europe, the Soviet Union*, 6, pp. 696–709.

41 D. Kisatsky, 'Voice of America and Iran, 1949–1953: US Liberal Developmentalism, Propaganda and the Cold War', *Intelligence and National Security* 14.3 (1999), 160.

42 'The Present Crisis in Iran, undated paper presented in the Department of State', *FRUS, 1950: The Near East, South Asia, and Africa*, 5, pp. 513, 516.

43 M. Byrne, 'The Road to Intervention: Factors Influencing US Policy toward Iran, 1945–53', in M. Gasiorowski and M. Byrne (eds), *Mohammad Mosaddeq and the 1953 Coup in Iran* (Syracuse, NY, 2004), p. 201.

44 Kisatsky, 'Voice of America and Iran', 167, 174.

45 M. Gasiorowski, *US Foreign Policy and the Shah: Building a Client State in Iran* (Ithaca, NY, 1991), pp. 10–19.

46 Buchan, *Days of God*, pp. 30–1.

47 Yergin, *The Prize*, p. 376에서 재인용.

48 A. Miller, *Search for Security: Saudi Arabian Oil and American Foreign Policy, 1939–1949* (Chapel Hill, NC, 1980), p. 131.

49 E. DeGolyer, 'Preliminary Report of the Technical Oil Mission to the Middle East', *Bulletin of the American Association of Petroleum Geologists* 28 (1944), 919–23.

50 'Summary of Report on Near Eastern Oil', 3 February 1943, in Yergin, *The Prize*, p. 375.

51 Beaverbrook to Churchill, 8 February 1944, cited by K. Young, *Churchill and Beaverbrook: A Study in Friendship and Politics* (London, 1966), p. 261.

52 Foreign Office memo, February 1944, FO 371/42688.

53 Churchill to Roosevelt, 20 February 1944, FO 371/42688.

54 Halifax to Foreign Office, 20 February 1944, FO 371/42688; Z. Brzezinski, *Strategic Vision: America and the Crisis of Global Power* (New York, 2012), p. 14.

55 *Historical Statistics of the United States: Colonial Times to 1970* (Washington, DC, 1970); Yergin, *The Prize*, p. 391.

56 Yergin, *The Prize*, p. 429.

57 W. Louis, *The British Empire in the Middle East, 1945–51: Arab Nationalism, the United States and Postwar Imperialism* (Oxford, 1984), p. 647.

58 Yergin, *The Prize*, p. 433.

59 de Bellaigue, *Patriot of Persia*, p. 118. 또한 M. Crinson, 'Abadan: Planning and Architecture under the Anglo-Iranian Oil Company', *Planning Perspectives* 12.3 (1997), 341–59를 보라.

60 S. Marsh, 'Anglo-American Crude Diplomacy: Multinational Oil and the Iranian Oil Crisis, 1951–1953', *Contemporary British History Journal* 21.1 (2007), 28; J. Bill and W. Louis, *Musaddiq, Iranian Nationalism, and Oil* (Austin, TX, 1988), pp. 329–30.

61 'The Secretary of State to the Department of State', 10 November 1951, *FRUS, 1952–1954: Iran, 1951–1954*, 10, p. 279.

62 Ibid.

63 R. Ramazani, *Iran's Foreign Policy, 1941–1973: A Study of Foreign Policy in Modernizing Nations* (Charlottesville, 1975), p. 190.

64 In de Bellaigue, *Patriot of Persia*, p. 150.

65 Yergin, *The Prize*, p. 437.

66 J. Bill, *The Eagle and the Lion: The Tragedy of American–Iranian Relations* (New Haven, 1988), p. 84에서 재인용.

67 *Correspondence between His Majesty's Government in the United Kingdom and the Persian Government and Related Documents Concerning the Oil Industry in Persia, February 1951 to September 1951* (London, 1951), p. 25.

68 Shinwell, Chiefs of Staff Committee, Confidential Annex, 23 May 1951, DEFE 4/43. 이 시기 영국 언론에 대해서는 de Bellaigue, *Patriot of Persia*, pp. 158–9.

69 S. Arjomand, *The Turban for the Crown: The Islamic Revolution in Iran* (Oxford, 1988), pp. 92–3.

70 *Time*, 7 January 1952.

71 Elm, *Oil, Power, and Principle*, p. 122.

72 M. Holland, *America and Egypt: From Roosevelt to Eisenhower* (Westport, CT, 1996), pp. 24–5.

73 H. Wilford, *America's Great Game: The CIA's Secret Arabists and the Shaping of the Modern Middle East* (New York, 2013), p. 73.

74 Ibid., p. 96.

75 Ibid.

76 D. Wilber, *Clandestine Services History: Overthrow of Premier Mossadeq of Iran: November 1952–August 1953* (1969), p. 7, National Security Archive.

77 Ibid., pp. 22, 34, 33.

78 S. Koch, *'Zendebad, Shah!': The Central Intelligence Agency and the Fall of Iranian Prime Minister Mohammed Mossadeq, August 1953* (1998), National Security Archive를 보라.

79 M. Gasiorowki, 'The Causes of Iran's 1953 Coup: A Critique of Darioush Bayandor's Iran and the CIA', *Iranian Studies* 45.5 (2012), 671–2; W. Louis, 'Britain and the Overthrow of the Mosaddeq Government', in Gasiorowski and Byrne, *Mohammad Mosaddeq*, pp. 141–2.

80 Wilber, *Overthrow of Premier Mossadeq*, p. 35.

81 Ibid., p. 19.

82 Berry to State Department, 17 August 1953, National Security Archive.

83 라디오에 관해서는 M. Roberts, 'Analysis of Radio Propaganda in the 1953 Iran Coup', *Iranian Studies* 45.6 (2012), 759–77을 보라. 신문에 관해서는 de Bellaigue, *Patriot of Persia*, p. 232.

84 로마에 관해서는 Soraya Esfandiary Bakhtiary, *Le Palais des solitudes* (Paris, 1992), pp. 165–6. 또한 Buchan, *Days of God*, p. 70.

85 de Bellaigue, *Patriot of Persia*, pp. 253–70.

86 'Substance of Discussions of State—Joint Chiefs of Staff Meeting', 12 December 1951, *FRUS, 1951: The Near East and Africa*, 5, p. 435.

87 'British-American Planning Talks, Summary Record', 10–11 October 1978, FCO 8/3216.

88 'Memorandum of Discussion at the 160th Meeting of the National Security Council, 27 August 1953', *FRUS, 1952–1954: Iran, 1951–1954*, 10, p. 773.

89 'The Ambassador in Iran (Henderson) to Department of State', 18 September 1953, *FRUS, 1952–1954: Iran, 1951–1954*, 10, p. 799.

22. 미국의 실크로드

1 *The International Petroleum Cartel, the Iranian Consortium, and US National Security*, United States Congress, Senate (Washington, DC, 1974), pp. 57–8; Yergin, *The Prize*, p. 453.

2 Bill, *The Eagle and the Lion*, p. 88; 'Memorandum of the discussion at the 180th meeting of the National Security Council', 14 January 1954, *FRUS, 1952–1954: Iran, 1951–1954*, 10, p. 898.

3 M. Gasiorowski, *US Foreign Policy and the Shah: Building a Client State in Iran* (Ithaca, NY, 1991), pp. 150–1.

4 V. Nemchenok, '"That So Fair a Thing Should Be So Frail": The Ford Foundation and the Failure of Rural Development in Iran, 1953–1964', *Middle East Journal* 63.2 (2009), 261–73.

5 Ibid., 281; Gasiorowski, *US Foreign Policy*, pp. 53, 94.

6 C. Schayegh, 'Iran's Karaj Dam Affair: Emerging Mass Consumerism, the Politics of Promise, and the Cold War in the Third World', *Comparative Studies in Society and History* 54.3 (2012), 612–43.

7 'Memorandum from the Joint Chiefs of Staff', 24 March 1949, *FRUS, 1949: The Near East, South Asia, and Africa*, 6, pp. 30–1.

8 'Report by the SANACC [State-Army-Navy-Air Force Co-ordinating Committee] Subcommittee for the Near and Middle East', *FRUS, 1949: The Near East, South Asia, and Africa*, 6, p. 12.

9 전반적으로 B. Yesilbursa, *Baghdad Pact: Anglo-American Defence Policies in the Middle East, 1950–59* (Abingdon, 2005).

10 R. McMahon, *The Cold War on the Periphery: The United States, India and Pakistan* (New York, 1994), pp. 16–17.

11 P. Tomsen, *The Wars of Afghanistan: Messianic Terrorism, Tribal Conflicts and the Failures of the Great Powers* (New York, 2011), pp. 181–2.

12 R. McNamara, *Britain, Nasser and the Balance of Power in the Middle East, 1952–1967* (London, 2003), pp. 44–5.

13 A. Moncrieff, *Suez: Ten Years After* (New York, 1966), pp. 40–1; D. Kunz, *The Economic*

Diplomacy of the Suez Crisis (Chapel Hill, NC, 1991), p. 68.
14 Eden to Eisenhower, 6 Sept 1956, FO 800/740.
15 M. Heikal, *Nasser: The Cairo Documents* (London, 1972), p. 88.
16 H. Macmillan, Diary, 25 August 1956, in A. Horne, *Macmillan: The Official Biography* (London, 2008), p. 447.
17 McNamara, *Britain, Nasser and the Balance of Power*, p. 46에서 재인용.
18 McNamara, *Britain, Nasser and the Balance of Power*, pp. 45, 47.
19 'Effects of the Closing of the Suez Canal on Sino-Soviet Bloc Trade and Transportation', Office of Research and Reports, Central Intelligence Agency, 21 February 1957, Freedom of Information Act Electronic Reading Room, Central Intelligence Agency.
20 Kirkpatrick to Makins, 10 September 1956, FO 800/740.
21 *Papers of Dwight David Eisenhower: The Presidency: The Middle Way* (Baltimore, 1970), 17, p. 2415.
22 W. Louis and R. Owen, *Suez 1956: The Crisis and its Consequences* (Oxford, 1989); P. Hahn, *The United States, Great Britain, and Egypt, 1945–1956: Strategy and Diplomacy in the Early Cold War* (Chapel Hill, NC, 1991)를 보라.
23 Eisenhower to Dulles, 12 December 1956, in P. Hahn, 'Securing the Middle East: The Eisenhower Doctrine of 1957', *Presidential Studies Quarterly* 36.1 (2006), 39.
24 Yergin, *The Prize*, p. 459에서 재인용.
25 Hahn, 'Securing the Middle East', 40.
26 특히 S. Yaqub, *Containing Arab Nationalism: The Eisenhower Doctrine and the Middle East* (Chapel Hill, NC, 2004)를 보라.
27 R. Popp, 'Accommodating to a Working Relationship: Arab Nationalism and US Cold War Policies in the Middle East', *Cold War History* 10.3 (2010), 410.
28 'The Communist Threat to Iraq', 17 February 1959, *FRUS, 1958–1960: Near East Region; Iraq; Iran; Arabian Peninsula*, 12, pp. 381–8.
29 S. Blackwell, *British Military Intervention and the Struggle for Jordan: King Hussein, Nasser and the Middle East Crisis* (London, 2013), p. 176; 'Memorandum of Conference with President Eisenhower', 23 July 1958, *FRUS, 1958–1960: Near East Region; Iraq; Iran; Arabian Peninsula*, 12, p. 84.
30 'Iraq: The Dissembler', *Time*, 13 April 1959.
31 'Middle East: Revolt in Baghdad', *Time*, 21 July 1958; J. Romero, *The Iraqi Revolution of 1958: A Revolutionary Quest for Unity and Security* (Lanham, MD, 2011).
32 C. Andrew and V. Mitrokhin, *The KGB and the World: The Mitrokhin Archive II* (London, 2005), pp. 273–4; W. Shawcross, *The Shah's Last Ride* (London, 1989), p. 85.
33 OIR Report, 16 January 1959, cited by Popp, 'Arab Nationalism and US Cold War Policies', p. 403.
34 Yaqub, *Containing Arab Nationalism*, p. 256.
35 W. Louis and R. Owen, *A Revolutionary Year: The Middle East in 1958* (London, 2002).
36 F. Matar, *Saddam Hussein: The Man, the Cause and his Future* (London, 1981), pp. 32–44.
37 'Memorandum of Discussion at the 420th Meeting of the National Security Council', 1

October 1959, *FRUS, 1958–1960: Near East Region; Iraq; Iran; Arabian Peninsula*, 12, p. 489, n. 6.

38 이 사건은 1975년 미국 정보기관이 암살을 정치적 도구로 사용한 일을 조사하는 동안에 드러났다. 이름이 명기되지 않은 이 대령은 분명히 '손수건 계획'이 실행에 옮겨지기 전에 바그다드에서 총살 부대에 의해 처형됐다. *Alleged Assassination Plots Involving Foreign Leaders, Interim Report of the Select Committee to Study Governmental Operations with Respect to Intelligence Activities* (Washington, DC, 1975), p. 181, n. 1.

39 H. Rositzke, *The CIA's Secret Operations: Espionage, Counterespionage and Covert Action* (Boulder, CO, 1977), pp. 109–10.

40 A. Siddiqi, *Challenge to Apollo: The Soviet Union and the Space Race, 1945–1974* (Washington, DC, 2000); B. Chertok, *Rakety i lyudi: Fili Podlipki Tyuratam* (Moscow, 1996).

41 A. Siddiqi, *Sputnik and the Soviet Space Challenge* (Gainesville, FL, 2003), pp. 135–8.

42 G. Laird, *North American Air Defense: Past, Present and Future* (Maxwell, AL, 1975); S. Zaloga, 'Most Secret Weapon: The Origins of Soviet Strategic Cruise Missiles, 1945–1960', *Journal of Slavic Military Studies* 6.2 (1993), 262–73.

43 D. Kux, *The United States and Pakistan, 1947–2000: Disenchanted Allies* (Washington, DC, 2001), p. 112; N. Polmar, *Spyplane: The U-2 History Declassified* (Osceola, WI, 2001), pp. 131–48.

44 Karachi to Washington DC, 31 October 1958, *FRUS, 1958–60: South and Southeast Asia*, 15, p. 682.

45 Memcon Eisenhower and Ayub, 8 December 1959, *FRUS, 1958–60: South and Southeast Asia*, 15, pp. 781–95.

46 R. Barrett, *The Greater Middle East and the Cold War: US Foreign Policy under Eisenhower and Kennedy* (London, 2007), pp. 167–8.

47 Department of State Bulletin, 21 July 1958.

48 Kux, *United States and Pakistan*, pp. 110–11.

49 V. Nemchenok, 'In Search of Stability amid Chaos: US Policy toward Iran, 1961–63', *Cold War History* 10.3 (2010), 345.

50 Central Intelligence Bulletin, 7 February 1961; A. Rubinstein, *Soviet Foreign Policy toward Turkey, Iran and Afghanistan: The Dynamics of Influence* (New York, 1982), pp. 67–8.

51 National Security Council Report, Statement of US Policy to Iran, 6 July 1960, *FRUS, 1958–1960: Near East Region; Iraq; Iran; Arabian Peninsula*, 12, pp. 680–8.

52 M. Momen, 'The Babi and the Baha'i Community of Iran: A Case of "Suspended Genocide"?', *Journal of Genocide Research* 7.2 (2005), 221–42.

53 E. Abrahamian, *Iran between Two Revolutions* (Princeton, 1982), pp. 421–2.

54 J. Freivalds, 'Farm Corporations in Iran: An Alternative to Traditional Agriculture', *Middle East Journal* 26.2 (1972), 185–93; J. Carey and A. Carey, 'Iranian Agriculture and its Development: 1952–1973', *International Journal of Middle East Studies* 7.3 (1976), 359–82.

55 H. Ruhani, *Nehzat-e Imam-e Khomeini*, 2 vols (Teheran, 1979), 1, p. 25.

56 CIA Bulletin, 5 May 1961, cited by Nemchenok, 'In Search of Stability', 348.

57 *Gahnamye panjah sal Shahanshahiye Pahlavi* (Paris, 1964), 24 January 1963.

58 D. Brumberg, *Reinventing Khomeini: The Struggle for Reform in Iran* (Chicago, 2001)을 보라.
59 D. Zahedi, *The Iranian Revolution: Then and Now* (Boulder, CO, 2000), p. 156.
60 'United States Support for Nation-Building' (1968); US Embassy Teheran to State Department, 4 May 1972. 둘 다 R. Popp, 'An Application of Modernization Theory during the Cold War? The Case of Pahlavi Iran', *International History Review* 30.1 (2008), 86-7에서 재인용.
61 Polk to Mayer, 23 April 1965, cited by Popp, 'Pahlavi Iran', 94.
62 Zahedi, *Iranian Revolution*, p. 155.
63 A. Danielsen, *The Evolution of OPEC* (New York, 1982); F. Parra, *Oil Politics: A Modern History of Petroleum* (London, 2004), pp. 89ff.
64 특히 M. Oren, *Six Days of War: June 1967 and the Making of the Modern Middle East* (Oxford, 2002)를 보라.

23. 초강대국 대결의 길

1 P. Pham, Ending *'East of Suez': The British Decision to Withdraw from Malaysia and Singapore, 1964-1968* (Oxford, 2010).
2 G. Stocking, *Middle East Oil: A Study in Political and Economic Controversy* (Nashville, TN, 1970), p. 282; H. Astarjian, *The Struggle for Kirkuk: The Rise of Hussein, Oil and the Death of Tolerance in Iraq* (London, 2007), p. 158.
3 'Moscow and the Persian Gulf', Intelligence Memorandum, 12 May 1972, *FRUS, 1969-1976: Documents on Iran and Iraq, 1969-72*, E-4, 307.
4 *Izvestiya*, 12 July 1969.
5 Buchan, *Days of God*, p. 129.
6 Kwarteng, *Ghosts of Empire*, pp. 72-3.
7 Department of State to Embassy in France, Davies-Lopinot talk on Iraq and Persian Gulf, 20 April 1972, *FRUS, 1969-1976: Documents on Iran and Iraq, 1969-72*, E-4, 306.
8 G. Payton, 'The Somali Coup of 1969: The Case for Soviet Complicity', *Journal of Modern African Studies* 18.3 (1980), 493-508.
9 Popp, 'Arab Nationalism and US Cold War Policies', 408.
10 'Soviet aid and trade activities in the Indian Ocean Area', CIA report, S-6064 (1974); V. Goshev, *SSSR i strany Persidskogo zaliva* (Moscow, 1988).
11 US Arms Control and Disarmament Agency, *World Military Expenditure and Arms Transfers, 1968-1977* (Washington, DC, 1979), p. 156; R. Menon, *Soviet Power and the Third World* (New Haven, 1986), p. 173. 이라크에 관해서는 A. Fedchenko, *Irak v bor'be za nezavisimost'* (Moscow, 1970).
12 S. Mehrotra, 'The Political Economy of Indo-Soviet Relations', in R. Cassen (ed.), *Soviet Interests in the Third World* (London, 1985), p. 224; L. Racioppi, *Soviet Policy towards South Asia since 1970* (Cambridge, 1994), pp. 63-5.
13 L. Dupree, *Afghanistan* (Princeton, 1973), pp. 525-6.

14 'The Shah of Iran: An Interview with Mohammad Reza Pahlavi', *New Atlantic*, 1 December 1973.

15 Ibid.

16 Boardman to Douglas-Home, August 1973, FCO 55/1116. 또한 O. Freedman, 'Soviet Policy towards Ba'athist Iraq, 1968–1979', in R. Donaldson (ed.), *The Soviet Union in the Third World* (Boulder, CO, 1981), pp. 161–91.

17 Saddam Hussein, *On Oil Nationalisation* (Baghdad, 1973), pp. 8, 10.

18 R. Bruce St John, *Libya: From Colony to Revolution* (Oxford, 2012), pp. 138–9.

19 Gaddafi, 'Address at Ṭubruq', 7 November 1969, in 'The Libyan Revolution in the Words of its Leaders', *Middle East Journal* 24.2 (1970), 209.

20 Ibid., 209–10; M. Ansell and M. al-Arif, *The Libyan Revolution: A Sourcebook of Legal and Historical Documents* (Stoughton, WI, 1972), p. 280; *Multinational Corporations and United States Foreign Policy*, 93rd Congressional Hearings (Washington, DC, 1975), 8, pp. 771–3, cited by Yergin, *The Prize*, p. 562.

21 F. Halliday, *Iran, Dictatorship and Development* (Harmondsworth, 1979), p. 139; Yergin, *The Prize*, p. 607.

22 P. Marr, *Modern History of Iraq* (London, 2004), p. 162.

23 Embassy in Tripoli to Washington, 5 December 1970, cited by Yergin, *The Prize*, p. 569.

24 G. Hughes, 'Britain, the Transatlantic Alliance, and the Arab–Israeli War of 1973', *Journal of Cold War Studies* 10.2 (2008), 3–40.

25 'The Agranat Report: The First Partial Report', *Jerusalem Journal of International Relations* 4.1 (1979), 80. 또한 U. Bar-Joseph, *The Watchman Fell Asleep: The Surprise of Yom Kippur and its Sources* (Albany, NY, 2005), 특히 pp. 174–83을 보라.

26 A. Rabinovich, *The Yom Kippur War: The Epic Encounter that Transformed the Middle East* (New York, 2004), p. 25; Andrew and Mitrokhin, *The Mitrokhin Archive II*, p. 160.

27 G. Golan, 'The Soviet Union and the Yom Kippur War', in P. Kumaraswamy, *Revisiting the Yom Kippur War* (London, 2000), pp. 127–52; idem, 'The Cold War and the Soviet Attitude towards the Arab–Israeli Conflict', in N. Ashton (ed.), *The Cold War in the Middle East: Regional Conflict and the Superpowers, 1967–73* (London, 2007), p. 63.

28 H. Kissinger, *Years of Upheaval* (Boston, 1982), p. 463.

29 'Address to the Nation about Policies to Deal with the Energy Shortages', 7 November 1973, *Public Papers of the Presidents of the United States [PPPUS]: Richard M. Nixon, 1973* (Washington, DC, 1975), pp. 916–17.

30 Ibid; Yergin, *The Prize*, pp. 599–601

31 D. Tihansky, 'Impact of the Energy Crisis on Traffic Accidents', *Transport Research* 8 (1974), 481–3.

32 S. Godwin and D. Kulash, 'The 55 mph Speed Limit on US Roads: Issues Involved', *Transport Reviews: A Transnational Transdisciplinary Journal* 8.3 (1988), 219–35.

33 예컨대 R. Knowles, *Energy and Form: Approach to Urban Growth* (Cambridge, MA, 1974); P. Steadman, *Energy, Environment and Building* (Cambridge, 1975)을 보라.

34 D. Rand, 'Battery Systems for Electric Vehicles—a State-of-the-Art Review', *Journal of Power*

Sources 4 (1979), 101–43.
35 Speech to Seminar on Energy, 21 August 1973, cited by E. S. Godbold, *Jimmy and Rosalynn Carter: The Georgian Years, 1924–1974* (Oxford, 2010), p. 239.
36 J. G. Moore, 'The Role of Congress', in R. Larson and R. Vest, *Implementation of Solar Thermal Technology* (Cambridge, MA, 1996), pp. 69–118.
37 President Nixon, 'Memorandum Directing Reductions in Energy Consumption by the Federal Government', 29 June 1973, *PPPUS: Nixon*, 1973, p. 630.
38 Yergin, *The Prize*, pp. 579, 607.
39 Ibid., p. 616.
40 K. Makiya, *The Monument: Art, Vulgarity, and Responsibility in Iraq* (Berkeley, 1991), pp. 20–32; R. Baudouï, 'To Build a Stadium: Le Corbusier's Project for Baghdad, 1955–1973', *DC Papers, revista de crítica y teoría de la arquitectura* 1 (2008), 271–80.
41 P. Stearns, *Consumerism in World History: The Global Transformation of Desire* (London, 2001), p. 119.
42 Sreedhar and J. Cavanagh, 'US Interests in Iran: Myths and Realities', ISDA Journal 11.4 (1979), 37–40; US Arms Control and Disarmament Agency, *World Military Expenditures and Arms Transfers 1972–82* (Washington, DC, 1984), p. 30; T. Moran, 'Iranian Defense Expenditures and the Social Crisis', *International Security* 3.3 (1978), 180.
43 Buchan, *Days of God*, p. 162에서 재인용.
44 A. Alnasrawi, *The Economy of Iraq: Oil, Wars, Destruction of Development and Prospects, 1950–2010* (Westport, CT, 1994), p. 94; C. Tripp, *A History of Iraq* (Cambridge, 2000), p. 206.
45 'Secretary Kerry's Interview on Iran with NBC's David Gregory', 10 November 2013, US State Department, Embassy of the United States London, website.
46 'Past Arguments Don't Square with Current Iran Policy', *Washington Post*, 27 March 2005.
47 S. Parry-Giles, *The Rhetorical Presidency, Propaganda, and the Cold War, 1945–55* (Westport, CT, 2002), pp. 164ff.
48 Shawcross, *Shah's Last Ride*, p. 179에서 재인용.
49 Secretary of State Henry A. Kissinger to President Gerald R. Ford, Memorandum, 13 May 1975, in M. Hunt (ed.), *Crises in US Foreign Policy: An International History Reader* (New York, 1996), p. 398.
50 J. Abdulghani, *Iran and Iraq: The Years of Crisis* (London, 1984), pp. 152–5.
51 R. Cottam, *Iran and the United States: A Cold War Case Study* (Pittsburgh, 1988), pp. 149–51.
52 H. Kissinger, *The White House Years (Boston, 1979)*, p. 1265; idem, *Years of Upheaval*; L. Meho, *The Kurdish Question in US Foreign Policy: A Documentary Sourcebook* (Westport, CT, 2004), p. 14.
53 *Power Study of Iran, 1974–75*, Report to the Imperial Government of Iran (1975), pp. 3–24, cited by B. Mossavar-Rahmani, 'Iran', in J. Katz and O. Marwah (eds), *Nuclear Power in Developing Countries: An Analysis of Decision Making* (Lexington, MA, 1982), p. 205.
54 D. Poneman, *Nuclear Power in the Developing World* (London, 1982), p. 86.
55 Ibid., p. 87; J. Yaphe and C. Lutes, *Reassessing the Implications of a Nuclear-Armed Iran*

(Washington, DC, 2005), p. 49.

56 B. Mossavar-Rahmani, 'Iran's Nuclear Power Programme Revisited', *Energy Policy* 8.3 (1980), 193–4, and idem, *Energy Policy in Iran: Domestic Choices and International Implications* (New York, 1981).

57 S. Jones and J. Holmes, 'Regime Type, Nuclear Reversals, and Nuclear Strategy: The Ambiguous Case of Iran', in T. Yoshihara and J. Holmes (eds), *Strategy in the Second Nuclear Age: Power, Ambition and the Ultimate Weapon* (Washington, DC, 2012), p. 219.

58 *Special Intelligence Estimate: Prospects for Further Proliferation of Nuclear Weapons* (1974), p. 38, National Security Archive.

59 K. Hamza with J. Stein, 'Behind the Scenes with the Iraqi Nuclear Bomb', in M. Sifry and C. Cerf (eds), *The Iraq War Reader: History, Documents, Opinions* (New York, 2003), p. 191.

60 J. Snyder, 'The Road to Osirak: Baghdad's Quest for the Bomb', *Middle East Journal* 37 (1983), 565–94; A. Cordesman, *Weapons of Mass Destruction in the Middle East* (London, 1992), pp. 95–102; D. Albright and M. Hibbs, 'Iraq's Bomb: Blueprints and Artifacts', *Bulletin of the Atomic Scientists* (1992), 14–23.

61 A. Cordesman, *Iraq and the War of Sanctions: Conventional Threats and Weapons of Mass Destruction* (Westport, CT, 1999), pp. 603–6.

62 *Prospects for Further Proliferation*, pp. 20–6.

63 K. Mahmoud, *A Nuclear Weapons-Free Zone in the Middle East: Problems and Prospects* (New York, 1988), p. 93.

64 Wright to Parsons and Egerton, 21 November 1973, FO 55/1116.

65 F. Khan, *Eating Grass: The Making of the Pakistani Bomb* (Stanford, 2012), p. 279.

66 Dr A. Khan, 'Pakistan's Nuclear Programme: Capabilities and Potentials of the Kahuta Project', Speech to the Pakistan Institute of National Affairs, 10 September 1990, quoted in Khan, *Making of the Pakistani Bomb*, p. 158.

67 Kux, *The United States and Pakistan*, pp. 221–4.

68 Memcon, 12 May 1976, cited by R. Alvandi, *Nixon, Kissinger, and the Shah: The United States and Iran in the Cold War* (Oxford, 2014), p. 163.

69 G. Sick, *All Fall Down: America's Tragic Encounter with Iran* (New York, 1987), p. 22.

70 'Toasts of the President and the Shah at a State Dinner', 31 December 1977, *PPPUS: Jimmy Carter*, 1977, pp. 2220–2.

71 Mossaver-Rahmani, 'Iran's Nuclear Power', 192.

72 Pesaran, 'System of Dependent Capitalism in Pre-and Post-Revolutionary Iran', *International Journal of Middle East Studies* 14 (1982), 507; P. Clawson, 'Iran's Economy between Crisis and Collapse', *Middle East Research and Information Project Reports* 98 (1981), 11–15; K. Pollack, *Persian Puzzle: The Conflict between Iran and America* (New York, 2004), p. 113. 또한 N. Keddie, *Modern Iran: Roots and Results of Revolution* (New Haven, 2003), pp. 158–62.

73 M. Heikal, *Iran: The Untold Story* (New York, 1982), pp. 145–6.

74 Shawcross, *Shah's Last Ride*, p. 35.

75 J. Carter, *Keeping Faith: Memoirs of a President* (Fayetteville, AR, 1995), p. 118.

76 A. Moens, 'President Carter's Advisers and the Fall of the Shah', *Political Science Quarterly*

106.2 (1980), 211–37.

77 D. Murray, *US Foreign Policy and Iran: American–Iranian Relations since the Islamic Revolution* (London, 2010), p. 20.

78 US Department of Commerce, *Foreign Broadcast Service*, 6 November 1979.

79 'Afghanistan in 1977: An External Assessment', US Embassy Kabul to State Department, 30 January 1978.

80 Braithwaite, *Afgantsy*, pp. 78–9; S. Coll, *Ghost Wars: The Secret History of the CIA, Afghanistan, and Bin Laden, from the Soviet Intervention to September 10, 2001* (New York, 2004), p. 48.

24. 파멸로 가는 길

1 Andrew and Mitrokhin, *Mitrokhin Archive II*, pp. 178–80.

2 Sreedhar and Cavanagh, 'US Interests in Iran', 140.

3 C. Andrew and O. Gordievsky, *KGB: The Inside Story of its Foreign Operations from Lenin to Gorbachev* (London, 1990), p. 459.

4 W. Sullivan, *Mission to Iran: The Last Ambassador* (New York, 1981), pp. 201–3, 233. 또한 Sick, *All Fall Down*, pp. 81–7; A. Moens, 'President Carter's Advisors', *Political Science Quarterly* 106.2 (1991), 244.

5 Z. Brzezinski, *Power and Principle: Memoirs of the National Security Adviser, 1977–1981* (London, 1983), p. 38.

6 'Exiled Ayatollah Khomeini returns to Iran', BBC News, 1 February 1979.

7 Sick, *All Fall Down, pp. 154–6; D. Farber,* Taken Hostage: The Iran Hostage Crisis and America's First Encounter with Radical Islam (Princeton, 2005), pp. 99–100, 111–13.

8 C. Vance, *Hard Choices: Critical Years in America's Foreign Policy* (New York, 1983), p. 343; B. Glad, *An Outsider in the White House: Jimmy Carter, his Advisors, and the Making of American Foreign Policy* (Ithaca, NY, 1979), p. 173.

9 *Constitution of the Islamic Republic of Iran* (Berkeley, 1980).

10 'Presidential Approval Ratings—Historical Statistics and Trends', www.gallup. com.

11 A. Cordesman, *The Iran–Iraq War and Western Security, 1984–1987* (London, 1987), p. 26. 또한 D. Kinsella, 'Conflict in Context: Arms Transfers and Third World Rivalries during the Cold War', *American Journal of Political Science* 38.3 (1994), 573.

12 Sreedhar and Cavanagh, 'US Interests in Iran', 143.

13 'Comment by Sir A. D. Parsons, Her Majesty's Ambassador, Teheran, 1974–1979', in N. Browne, *Report on British Policy on Iran, 1974–1978* (London, 1980), Annexe B.

14 R. Cottam, 'US and Soviet Responses to Islamic Political Militancy', in N. Keddie and M. Gasiorowski (eds), *Neither East nor West: Iran, the Soviet Union and the United States* (New Haven, 1990), 279; A. Rubinstein, 'The Soviet Union and Iran under Khomeini', *International Affairs* 57.4 (1981), 599.

15 터너의 증언은 언론에 누설됐다. 'Turner Sees a Gap in Verifying Treaty: Says Iran Bases

Can't Be Replaced until '84', *New York Times*, 17 April 1979.

16 R. Gates, *From the Shadows: The Ultimate Insider's Story of Five Presidents and How They Won the Cold War* (New York, 1996). 게이츠는 협상이 까다로웠고 터너 제독이 여행을 앞두고 아마도 변장을 위해 콧수염을 길렀다는 말 이외에는 별다른 말을 하지 않았다. pp. 122–3.

17 J. Richelson, 'The Wizards of Langley: The CIA's Directorate of Science and Technology', in R. Jeffreys-Jones and C. Andrew (eds), *Eternal Vigilance? 50 Years of the CIA* (London, 1997), pp. 94–5.

18 Rubinstein, 'The Soviet Union and Iran under Khomeini', 599, 601.

19 Gates, *From the Shadows*, p. 132.

20 R. Braithwaite, *Afgantsy: The Russians in Afghanistan, 1979–89* (London, 2011), pp. 37–44.

21 'Main Outlines of the Revolutionary Tasks'; Braithwaite, *Afgantsy*, pp. 42–3; P. Dimitrakis, *The Secret War in Afghanistan: The Soviet Union, China and Anglo-American Intelligence in the Afghan War* (London, 2013), 1–20.

22 J. Amstutz, *Afghanistan: The First Five Years of Soviet Occupation* (Washington, DC, 1986), p. 130; H. Bradsher, *Afghanistan and the Soviet Union* (Durham, NC, 1985), p. 1010.

23 N. Newell and R. Newell, *The Struggle for Afghanistan* (Ithaca, NY, 1981), p. 86.

24 N. Misdaq, *Afghanistan: Political Frailty and External Interference* (2006), p. 108.

25 A. Assifi, 'The Russian Rope: Soviet Economic Motives and the Subversion of Afghanistan', *World Affairs* 145.3 (1982–3), 257.

26 V. Bukovsky, *Reckoning with Moscow: A Dissident in the Kremlin's Archives* (London, 1998), pp. 380–2.

27 Gates, *From the Shadows*, pp. 131–2.

28 US Department of State, Office of Security, *The Kidnapping and Death of Ambassador Adolph Dubs, February 14 1979* (Washington, DC, 1979).

29 D. Cordovez and S. Harrison, *Out of Afghanistan: The Inside Story of the Soviet Withdrawal* (Oxford, 1995), p. 35; D. Camp, *Boots on the Ground: The Fight to Liberate Afghanistan from Al-Qaeda and the Taliban* (Minneapolis, 2012), pp. 8–9.

30 CIA Briefing Papers, 20 August; 24 August; 11 September; 14 September, 20 September; Gates, *From the Shadows*, pp. 132–3.

31 'What Are the Soviets Doing in Afghanistan?', 17 September 1979, National Security Archive.

32 D. MacEachin, *Predicting the Soviet Invasion of Afghanistan: The Intelligence Community's Record* (Washington, DC, 2002); O. Sarin and L. Dvoretsky, *The Afghan Syndrome: The Soviet Union's Vietnam* (Novato, CA, 1993), pp. 79–84.

33 M. Brecher and J. Wilkenfeld, *A Study of Crisis* (Ann Arbor, MI, 1997), p. 357.

34 Pravda, 29, 30 December 1979.

35 Amstutz, *Afghanistan*, pp. 43–4. 이 소문들은 너무도 강력하고 설득력이 있어서 덥스 대사가 직접 CIA에 사실 여부를 알아봐달라고 의뢰했다. Braithwaite, *Afgantsy*, pp. 78–9. 현지에 유포된 소문에 대해서는 R. Garthoff, *Détente and Confrontation: Soviet–American Relations from Nixon to Reagan* (Washington, DC, 1985), p. 904. 또한 Andrew and Mitrokhin, *Mitrokhin Archive II*, pp. 393–4.

36 A. Lyakhovskii, *Tragediya i doblest' Afgana* (Moscow, 1995), p. 102.
37 Braithwaite, *Afgantsy*, pp. 78–9, 71; Lyakhovskii, *Tragediya i doblest' Afgana*, p. 181.
38 V. Zubok, *A Failed Empire: The Soviet Union in the Cold War from Stalin to Gorbachev* (Chapel Hill, NC, 2007), p. 262; Coll, *Ghost Wars*, p. 48에서 재인용.
39 'Meeting of the Politburo Central Committee', 17 March 1979, pp. 142–9, in Dimitrakis, *Secret War*, p. 133.
40 Lyakhovskii, *Tragediya i doblest' Afgana*, pp. 109–12.
41 *Pravda*, 13 January 1980.
42 Braithwaite, *Afgantsy*, p. 77.
43 'The Current Digest of the Soviet Press', *American Association for the Advancement of Slavic Studies* 31 (1979), 4.
44 Zubok, *A Failed Empire*, p. 262.
45 Lyakhovskii, *Tragediya i doblest' Afgana*, p. 215.
46 *Pravda*, 13 January 1980.
47 Lyakhovskii, *Tragediya i doblest' Afgana*, p. 252에서 재인용.
48 브레진스키는 그런 경고를 무시했다. *Power and Principle*, pp. 472–5; Vance, *Hard Choices*, pp. 372–3; Glad, *Outsider in the White House*, pp. 176–7.
49 D. Harris, *The Crisis: The President, the Prophet, and the Shah: 1979 and the Coming of Militant Islam* (New York, 2004), p. 193.
50 Ibid., pp. 199–200.
51 Farber, *Taken Hostage*, pp. 41–2.
52 Saunders, 'Diplomacy and Pressure, November 1979—May 1980', in W. Christopher (ed.), *American Hostages in Iran: Conduct of a Crisis* (New Haven, 1985), pp. 78–9.
53 H. Alikhani, *Sanctioning Iran: Anatomy of a Failed Policy* (New York, 2001), p. 67.
54 'Rivals doubt Carter will retain poll gains after Iran crisis', *Washington Post*, 17 December 1979. See here C. Emery, 'The Transatlantic and Cold War Dynamics of Iran Sanctions, 1979–80', *Cold War History* 10.3 (2010), 374–6.
55 'Text of Khomeini speech', 20 November 1979, NSC memo to President Carter, cited by Emery, 'Iran Sanctions', 374.
56 Ibid.
57 Ibid., 375.
58 'The Hostage Situation', Memo from the Director of Central Intelligence, 9 January 1980, cited by Emery, 'Iran Sanctions', 380.
59 Carter, *Keeping Faith*, p. 475.
60 Ibid. 또한 G. Sick, 'Military Operations and Constraints', in Christopher, *American Hostages in Iran*, pp. 144–72.
61 Woodrow Wilson Center, *The Origins, Conduct, and Impact of the Iran–Iraq War, 1980–1988: A Cold War International History Project Document Reader* (Washington, DC, 2004).
62 'NSC on Afghanistan', Fritz Ermath to Brzezinski, cited by Emery, 'Iran Sanctions', 379.
63 'The State of the Union. Address Delivered Before a Joint Session of the Congress', 23 January 1980, p. 197.

64 M. Bowden, *Guests of the Ayatollah: The First Battle in America's War with Militant Islam* (2006), pp. 359–61.

65 J. Kyle and J. Eidson, *The Guts to Try: The Untold Story of the Iran Hostage Rescue Mission by the On-Scene Desert Commander* (New York, 1990). 또한 P. Ryan, The Iranian Rescue Mission: Why It Failed (Annapolis, 1985).

66 S. Mackey, *The Iranians: Persia, Islam and the Soul of a Nation* (New York, 1996), p. 298.

67 Brzezinski to Carter, 3 January 1980, in H. Brands, 'Saddam Hussein, the United States, and the Invasion of Iran: Was There a Green Light?', *Cold War History* 12.2 (2012), 322–3. 또한 O. Njølstad, 'Shifting Priorities: The Persian Gulf in US Strategic Planning in the Carter Years', *Cold War History* 4.3 (2004), 30–8을 보라.

68 R. Takeyh, 'The Iran–Iraq War: A Reassessment', *Middle East Journal* 64 (2010), 367.

69 A. Bani-Sadr, *My Turn to Speak: Iran, the Revolution and Secret Deals with the US* (Washington, DC, 1991), pp. 13, 70–1; D. Hiro, *Longest War: The Iran–Iraq Military Conflict* (New York, 1991), pp. 71–2; S. Fayazmanesh, *The United States and Iran: Sanctions, Wars and the Policy of Dual* Containment (New York, 2008), pp. 16–17.

70 Brands, 'Saddam Hussein, the United States, and the Invasion of Iran', 321–37.

71 K. Woods and M. Stout, 'New Sources for the Study of Iraqi Intelligence during the Saddam Era', *Intelligence and National Security* 25.4 (2010), 558.

72 'Transcript of a Meeting between Saddam Hussein and his Commanding Officers at the Armed Forces General Command', 22 November 1980, cited by H. Brands and D. Palkki, 'Saddam Hussein, Israel, and the Bomb: Nuclear Alarmism Justified?', *International Security* 36.1 (2011), 145–6.

73 'Meeting between Saddam Hussein and High-Ranking Officials', 16 September 1980, in K. Woods, D. Palkki and M. Stout (eds), *The Saddam Tapes: The Inner Workings of a Tyrant's Regime* (Cambridge, 2011), p. 134.

74 Brands and Palkki, 'Saddam, Israel, and the Bomb', 155에서 재인용.

75 'President Saddam Hussein Meets with Iraqi Officials to Discuss Political Issues', November 1979, in Woods, Palkki and Stout, *Saddam Tapes*, p. 22.

76 Brands, 'Saddam Hussein, the United States, and the Invasion of Iran', 331에서 재인용. 사담의 피해망상적 관점에 대해서는 K. Woods, J. Lacey and W. Murray, 'Saddam's Delusions: The View from the Inside', *Foreign Affairs* 85.3 (2006), 2–27을 보라.

77 J. Parker, *Persian Dreams: Moscow and Teheran since the Fall of the Shah* (Washington, DC, 2009), pp. 6–10.

78 Brands, 'Saddam Hussein, the United States, and the Invasion of Iran', 331.

79 O. Smolansky and B. Smolansky, *The USSR and Iraq: The Soviet Quest for Influence* (Durham, NC, 1991), pp. 230–4.

80 'Military Intelligence Report about Iran', 1 July 1980, cited by Brands, 'Saddam Hussein, the United States, and the Invasion of Iran', 334. 또한 H. Brands, 'Why Did Saddam Hussein Invade Iran? New Evidence on Motives, Complexity, and the Israel Factor', Journal of Military History 75 (2011), 861–5; idem, 'Saddam and Israel: What Do the New Iraqi Records Reveal?', Diplomacy & Statecraft 22.3 (2011), 500–20.

81 Brands, 'Saddam Hussein, the United States, and the Invasion of Iran', 323.
82 Sick, All Fall Down, pp. 313–14; J. Dumbrell, The Carter Presidency: A Re-Evaluation (Manchester, 2005), p. 171.
83 Brzezinski, Power and Principle, p. 504.
84 J.-M. Xaviere (tr.), Sayings of the Ayatollah Khomeini: Political, Philosophical, Social and Religious: Extracts from Three Major Works by the Ayatollah (New York, 1980), pp. 8–9.
85 E. Abrahamian, *Khomeinism: Essays on the Islamic Republic* (London, 1989), p. 51.
86 T. Parsi, *The Treacherous Alliance: The Secret Dealings of Iran, Israel and the United States* (New Haven, 2007), p. 107.
87 R. Claire, *Raid on the Sun: Inside Israel's Secret Campaign that Denied Saddam Hussein the Bomb* (New York, 2004).
88 Woods, Palkki and Stout, *Saddam Tapes*, p. 79.
89 'Implications of Iran's Victory over Iraq', 8 June 1982, National Security Archive.
90 *The Times*, 14 July 1982.
91 G. Shultz, *Turmoil and Triumph: Diplomacy, Power and the Victory of the American Deal* (New York, 1993), p. 235.
92 B. Jentleson, *Friends Like These: Reagan, Bush, and Saddam, 1982–1990* (New York, 1994), p. 35; J. Hiltermann, *A Poisonous Affair: America, Iraq and the Gassing of Halabja* (Cambridge, 2007), pp. 42–4.
93 'Talking Points for Amb. Rumsfeld's Meeting with Tariq Aziz and Saddam Hussein', 14 December 1983, cited by B. Gibson, *Covert Relationship: American Foreign Policy, Intelligence and the Iran–Iraq War, 1980–1988* (Santa Barbara, 2010), pp. 111–12.
94 Gibson, *Covert Relationship*, p. 113에서 재인용.
95 H. Brands and D. Palkki, 'Conspiring Bastards: Saddam Hussein's Strategic View of the United States', *Diplomatic History* 36.3 (2012), 625–59.
96 'Talking Points for Ambassador Rumsfeld's Meeting with Tariq Aziz and Saddam Hussein', 4 December 1983, cited by Gibson, *Covert Relationship*, p. 111.
97 Gibson, *Covert Relationship*, pp. 113–18.
98 Admiral Howe to Secretary of State, 'Iraqi Use of Chemical Weapons', 1 November 1983, cited by Gibson, *Covert Relationship*, p. 107.
99 Z. Fredman, 'Shoring up Iraq, 1983 to 1990: Washington and the Chemical Weapons Controversy', *Diplomacy & Statecraft* 23.3 (2012), 538에서 재인용.
100 유엔 안전보장이사회는 결의안 540호를 통과시켜 군사작전 종결을 촉구했으나, 화학무기에 대해서는 언급하지 않았다. 유엔의 한 고위 관계자에 따르면, 하비에르 페레스 데 케야르(Javier Pérez de Cuéllar) 사무총장이 이 문제를 검토하자는 안건을 제기했으나 "아주 싸늘한 분위기에 맞닥뜨렸다. 안전보장이사회는 그것을 전혀 원치 않았다." Hiltermann, A Poisonous Affair, p. 58. 또한 Gibson, *Covert Relationship*, pp. 108–9를 보라.
101 Fredman, 'Shoring up Iraq', 539.
102 'Iraqi Use of Chemical Weapons', in Gibson, *Covert Relationship*, p. 108.
103 Fredman, 'Shoring Up Iraq', 542.
104 A. Neier, 'Human Rights in the Reagan Era: Acceptance by Principle', *Annals of the American*

Academy of Political and Social Science 506.1 (1989), 30–41.

105 Braithwaite, *Afgantsy*, pp. 201–2, and M. Bearden and J. Risen, *Afghanistan: The Main Enemy* (New York, 2003), pp. 227, 333–6.

106 Braithwaite, *Afgantsy*, p. 214; D. Gai and V. Snegirev, Vtorozhenie (Moscow, 1991), p. 139.

107 Braithwaite, *Afgantsy*, pp. 228–9.

108 Ibid., p. 223.

109 J. Hershberg, 'The War in Afghanistan and the Iran–Contra Affair: Missing Links?', *Cold War History* 3.3 (2003), 27.

110 National Security Decision Directive 166, 27 March 1985, National Security Archive.

111 Hershberg, 'The War in Afghanistan and the Iran–Contra Affair', 28; also H. Teicher and G. Teicher, *Twin Pillars to Desert Storm: America's Flawed Vision in the Middle East from Nixon to Bush* (New York, 1993), pp. 325–6.

112 Braithwaite, *Afgantsy*, p. 215.

113 Coll, *Ghost Wars*, pp. 161–2, 71–88.

114 *Beijing Review*, 7 January 1980.

115 M. Malik, *Assessing China's Tactical Gains and Strategic Losses Post-September 11* (Carlisle Barracks, 2002), cited by S. Mahmud Ali, *US–China Cold War Collaboration: 1971–1989* (Abingdon, 2005), p. 177.

116 Braithwaite, *Afgantsy*, pp. 202–3.

117 Teicher and Teicher, *Twin Pillars to Desert Storm*, p. 328에서 재인용.

118 'Toward a Policy in Iran', in *The Tower Commission Report: The Full Text of the President's Special Review Board* (New York, 1987), pp. 112–15.

119 H. Brands, 'Inside the Iraqi State Records: Saddam Hussein, "Irangate" and the United States', *Journal of Strategic Studies* 34.1 (2011), 103.

120 H. Emadi, *Politics of the Dispossessed: Superpowers and Developments in the Middle East* (Westport, CT, 2001), p. 41.

121 Hershberg, 'The War in Afghanistan and the Iran–Contra Affair', 30–1.

122 Ibid., 35, 37–9.

123 M. Yousaf and M. Adkin, *The Bear Trap* (London, 1992), p. 150.

124 'Memorandum of Conversation, 26 May 1986', *Tower Commission Report*, pp. 311–12; Hershberg, 'The War in Afghanistan and the Iran–Contra Affair', 40, 42.

125 Hershberg, 'The War in Afghanistan and the Iran–Contra Affair', 39에서 재인용.

126 S. Yetiv, *The Absence of Grand Strategy: The United States in the Persian Gulf, 1972–2005* (Baltimore, 2008), p. 57.

127 E. Hooglund, 'The Policy of the Reagan Administration toward Iran', in Keddie and Gasiorowski, *Neither East nor West*, p. 190. 또 다른 사례로는 Brands, 'Inside the Iraqi State Records', 100을 보라.

128 K. Woods, *Mother of All Battles: Saddam Hussein's Strategic Plan for the Persian Gulf War* (Annapolis, 2008), p. 50.

129 B. Souresrafil, *Khomeini and Israel* (London, 1988), p. 114.

130 *Report of the Congressional Committees Investigating the Iran–Contra Affair, with Supplemental,*

Minority, and Additional Views (Washington, DC, 1987), p. 176.

131 무기 판매에 대해서는 *Report of the Congressional Committees Investigating the Iran–Contra Affair*, passim.

132 A. Hayes, 'The Boland Amendments and Foreign Affairs Deference', *Columbia Law Review* 88.7 (1988), 1534–74.

133 'Address to the Nation on the Iran Arms and Contra Aid Controversy', 13 November 1986, *PPPUS: Ronald Reagan*, 1986, p. 1546.

134 'Address to the Nation on the Iran Arms and Contra Aid Controversy', 4 March 1987, *PPPUS: Ronald Reagan*, 1987, p. 209.

135 L. Walsh, *Final Report of the Independent Counsel for Iran/Contra Matters*, 4 vols (Washington, DC, 1993).

136 G. H. W. Bush, 'Grant of Executive Clemency', Proclamation 6518, 24 December 1992, *Federal Register* 57.251, pp. 62145–6.

137 'Cabinet Meeting regarding the Iran–Iraq War, mid-November 1986' 및 'Saddam Hussein Meeting with Ba'ath Officials'(1987년 초). 모두 Brands, 'Inside the Iraqi State Records', 105에서 재인용.

138 'Saddam Hussein Meeting with Ba'ath Officials', early 1987, cited by Brands, 'Inside the Iraqi State Records', 112–13에서 재인용.

139 Ibid., 113.

140 *Comprehensive Report of the Special Advisor to the Director of Central Intelligence on Iraq's Weapons of Mass Destruction*, 3 vols (2004), 1, p. 31; Brands, 'Inside the Iraqi State Records', 113.

141 Colin Powell Notes of meeting 21 January 1987, Woodrow Wilson Center, *The Origins, Conduct, and Impact of the Iran–Iraq War.*

142 Brands, 'Inside the Iraqi State Records', 112.

143 D. Neff, 'The US, Iraq, Israel and Iran: Backdrop to War', *Journal of Palestinian Studies* 20.4 (1991), 35.

144 Brands and Palkki, 'Conspiring Bastards', 648.

145 Fredman, 'Shoring Up Iraq', 548.

146 WikiLeaks, 90 BAGHDAD 4237.

147 'Excerpts from Iraqi Document on Meeting with US Envoy', *New York Times*, 23 September 1990.

25. 비극으로 가는 길

1 Paul to Foreign & Commonwealth Office, 'Saddam Hussein al-Tikriti', 20 December 1969, FCO 17/871; 'Saddam Hussein', Telegram from British Embassy, Baghdad to Foreign and Commonwealth Office, London, 20 December 1969, FCO 17/871.

2 'Rumsfeld Mission: December 20 Meeting with Iraqi President Saddam Hussein', National Security Archive. 프랑스와 사담에 관해서는 C. Saint-Prot, *Saddam Hussein: un gaullisme arabe?* (Paris, 1987). 또한 D. Styan, *France and Iraq: Oil, Arms and French Policy Making in*

the Middle East (London, 2006)를 보라.

3 'Saddam and his Senior Advisors Discussing Iraq's Historical Rights to Kuwait and the US Position', 15 December 1990, in Woods, Palkki and Stout, *Saddam Tapes*, pp. 34–5.

4 President George H. W. Bush, 'National Security Directive 54. Responding to Iraqi Aggression in the Gulf', 15 January 1991, National Security Archive.

5 G. Bush, *Speaking of Freedom: The Collected Speeches of George H. W. Bush* (New York, 2009), pp. 196–7.

6 J. Woodard, *The America that Reagan Built* (Westport, CT, 2006), p. 139, n. 39.

7 President George H. W. Bush, 'National Security Directive 54. Responding to Iraqi Aggression in the Gulf'.

8 G. Bush and B. Scowcroft, *A World Transformed* (New York, 1998), p. 489.

9 J. Connelly, 'In Northwest: Bush–Cheney Flip Flops Cost America in Blood', *Seattle Post-Intelligencer*, 29 July 2004에서 재인용. 또한 B. Montgomery, *Richard B. Cheney and the Rise of the Imperial Vice Presidency* (Westport, CT, 2009), p. 95를 보라.

10 W. Martel, *Victory in War: Foundations of Modern Strategy* (Cambridge, 2011), p. 248.

11 President Bush, 'Address before a Joint Session of the Congress on the State of the Union', 28 January 1992, *PPPUS: George Bush, 1992–1993*, p. 157.

12 소련의 붕괴에 관해서는 S. Plokhy, *The Last Empire: The Final Days of the Soviet Union* (New York, 2014)를 보라. 이 시기의 중국에 관해서는 L. Brandt and T. Rawski (eds), *China's Great Economic Transformation* (Cambridge, 2008).

13 Bush, 'State of the Union,' 28 January 1992, p. 157.

14 UN Resolution 687 (1991), Clause 20.

15 S. Zahdi and M. Smith Fawzi, 'Health of Baghdad's Children', *Lancet* 346.8988 (1995), 1485; C. Ronsmans et al., 'Sanctions against Iraq', *Lancet* 347.8995 (1996), 198–200. 사망자 수는 나중에 하향 수정됐다. S. Zaidi, 'Child Mortality in Iraq', *Lancet* 350.9084 (1997), 1105.

16 *60 Minutes*, CBS, 12 May 1996.

17 B. Lambeth, *The Unseen War: Allied Air Power and the Takedown of Saddam Hussein* (Annapolis, 2013), p. 61.

18 개관을 위해서는C. Gray, 'From Unity to Polarization: International Law and the Use of Force against Iraq', *European Journal of International Law* 13.1 (2002), 1–19를 보라. 또한 A. Bernard, 'Lessons from Iraq and Bosnia on the Theory and Practice of No-Fly Zones', *Journal of Strategic Studies* 27 (2004), 454–78.

19 Iraq Liberation Act, 31 October 1998.

20 President Clinton, 'Statement on Signing the Iraq Liberation Act of 1998', 31 October 1998, *PPPUS: William J. Clinton, 1998*, pp. 1938–9.

21 S. Aubrey, *The New Dimension of International Terrorism* (Zurich, 2004), pp. 53–6; M. Ensalaco, *Middle Eastern Terrorism: From Black September to September 11* (Philadelphia, 2008), pp. 183–6. 그러나 앗자흐란 공격에 관해서는 C. Shelton, 'The Roots of Analytic Failure in the US Intelligence Community', *International Journal of Intelligence and CounterIntelligence* 24.4 (2011), 650–1을 주목하라.

22 클린턴의 편지에 대한 답장(1999년, 날짜 미상). Clinton Presidential Records, Near Eastern

Affairs, Box 2962; Folder: Iran-US, National Security Archive. 오만 외무부 장관이 전한 클린턴의 편지에 관해서는 'Message to President Khatami from President Clinton', undated, 1999, National Security Archive를 보라.

23 'Afghanistan: Taliban seeks low-level profile relations with [United States government]—at least for now', US Embassy Islamabad, 8 October 1996, National Security Archive.

24 'Afghanistan: Jalaluddin Haqqani's emergence as a key Taliban Commander', US Embassy Islamabad, 7 January 1997, National Security Archive.

25 'Usama bin Ladin: Islamic Extremist Financier', CIA biography 1996, National Security Archive.

26 'Afghanistan: Taliban agrees to visits of militant training camps, admit Bin Ladin is their guest', US Consulate (Peshawar) cable, 9 January 1996, National Security Archive.

27 Ibid.

28 *National Commission on Terrorist Attacks upon the United States* (Washington, DC, 2004), pp. 113-14.

29 President Clinton, 'Address to the Nation', 20 August 1998, *PPPUS: Clinton, 1998*, p. 1461. 사흘 전 클린턴 대통령은 이제는 유명해진 증언을 했다. "나는 그 여자 르윈스키 양과 성관계를 갖지 않았다(I did not have sexual relations with that woman, Miss [Monica] Lewinsky)"는 그가 이전에 했던 말은 사실이며, "성관계, 부적절한 성관계나 다른 어떤 종류의 부적절한 관계도 없다(there is not a sexual relationship, an improper sexual relationship or any other kind of improper relationship)"는 그의 주장도 "'is'라는 단어가 무슨 의미냐에" 따라 다르기 때문에 옳다는 것이었다. *Appendices to the Referral to the US House of Representatives* (Washington, DC, 1998), 1, p. 510.

30 'Afghanistan: Reaction to US Strikes Follows Predictable Lines: Taliban Angry, their Opponents Support US', US Embassy (Islamabad) cable, 21 August 1998, National Security Archive.

31 'Bin Ladin's Jihad: Political Context', US Department of State, Bureau of Intelligence and Research, Intelligence Assessment, 28 August 1998, National Security Archive.

32 'Afghanistan: Taliban's Mullah Omar's 8/22 Contact with State Department', US Department of State cable, 23 August 1998, National Security Archive.

33 'Osama bin Laden: Taliban Spokesman Seeks New Proposal for Resolving bin Laden Problem', US Department of State cable, 28 November 1998, National Security Archive.

34 Ibid.

35 'Afghanistan: Taliban's Mullah Omar's 8/22 Contact with State Department', US Department of State cable, 23 August 1998, National Security Archive.

36 Ibid.

37 예컨대 'Afghanistan: Tensions Reportedly Mount within Taliban as Ties with Saudi Arabia Deteriorate over Bin Ladin', US Embassy (Islamabad) cable, 28 October 1998; 'Usama bin Ladin: Coordinating our Efforts and Sharpening our Message on Bin Ladin', US Embassy (Islamabad) cable, 19 October 1998; 'Usama bin Ladin: Saudi Government Reportedly Turning the Screws on the Taliban on Visas', US Embassy (Islamabad) cable, 22 December 1998, National Security Archive.

38 *Osama bin Laden: A Case Study*, Sandia Research Laboratories, 1999, National Security Archive.

39 'Afghanistan: Taleban External Ambitions', US Department of State, Bureau of Intelligence and Research, 28 October 1998, National Security Archive.

40 A. Rashid, *Taliban: The Power of Militant Islam in Afghanistan and Beyond* (rev. edn, London, 2008).

41 *Osama bin Laden: A Case Study*, p. 13.

42 'Bin Ladin Determined to Strike in US', 6 August 2001, National Security Archive.

43 'Searching for the Taliban's Hidden Message', US Embassy (Islamabad) cable, 19 September 2000, National Security Archive.

44 *The 9/11 Commission Report: Final Report of the National Commission on Terrorist Attacks upon the United States* (New York, 2004), p. 19.

45 Ibid., passim.

46 President George W. Bush, Address to the Nation on the Terrorist Attacks, 11 September 2001, *PPPUS: George W. Bush, 2001*, pp. 1099–100.

47 'Arafat Horrified by Attacks, But Thousands of Palestinians Celebrate; Rest of World Outraged', Fox News, 12 September 2001.

48 Statement of Abdul Salam Zaeef, Taliban ambassador to Pakistan, 12 September 2001, National Security Archive.

49 Al-Jazeera, 12 September 2001.

50 'Action Plan as of 9/13/2001, 7:55am', US Department of State, 13 September 2001, National Security Archive.

51 'Deputy Secretary Armitage's Meeting with Pakistani Intel Chief Mahmud: You're Either with Us or You're Not', US Department of State, 13 September 2001, National Security Archive.

52 'Message to Taliban', US Department of State cable, 7 October 2001, National Security Archive.

53 'Memorandum for President Bush: Strategic Thoughts', Office of the Secretary of Defense, 30 September 2001, National Security Archive.

54 President Bush, State of the Union address, 29 January 2002, *PPPUS: Bush, 2002*, p. 131.

55 'US Strategy in Afghanistan: Draft for Discussion', National Security Council Memorandum, 16 October 2001, National Security Archive.

56 'Information Memorandum. Origins of the Iraq Regime Change Policy', US Department of State, 23 January 2001, National Security Archive.

57 'Untitled', Donald Rumsfeld notes, 27 November 2001, National Security Archive.

58 Ibid.

59 'Europe: Key Views on Iraqi Threat and Next Steps', 18 December 2001; 'Problems and Prospects of "Justifying" War with Iraq', 29 August 2002. Both issued by US Department of State, Bureau of Intelligence and Research Intelligence Assessment, National Security Archive. Lord Goldsmith to Prime Minister, 'Iraq', 30 July 2002; 'Iraq: Interpretation of Resolution 1441', Draft, 14 January 2003; 'Iraq: Interpretation of Resolution 1441', Draft, 12 February

2003, The Iraq Enquiry Archive.

60 'To Ousted Boss, Arms Watchdog Was Seen as an Obstacle in Iraq', *New York Times*, 13 October 2013.

61 'Remarks to the United Nations Security Council', 5 February 2003, National Security Archive.

62 'The Status of Nuclear Weapons in Iraq', 27 January 2003, IAEA, National Security Archive.

63 'An Update on Inspection', 27 January 2003, UNMOVIC, National Security Archive.

64 Woods and Stout, 'New Sources for the Study of Iraqi Intelligence', esp. 548–52.

65 'Remarks to the United Nations Security Council', 5 February 2003; cf. 'Iraqi Mobile Biological Warfare Agent Production Plants', CIA report, 28 May 2003, National Security Archive.

66 'The Future of the Iraq Project', State Department, 20 April 2003, National Security Archive.

67 Ari Fleischer, Press Briefing, 18 February 2003; Paul Wolfowitz, 'Testimony before House Appropriations Subcommittee on Defense', 27 March 2003.

68 'US Strategy in Afghanistan: Draft for Discussion', National Security Council Memorandum, 16 October 2001, National Security Archive.

69 Planning Group Polo Step, US Central Command Slide Compilation, c. 15 August 2002, National Security Archive.

70 H. Fischer, 'US Military Casualty Statistics: Operation New Dawn, Operation Iraqi Freedom and Operation Enduring Freedom', *Congressional Research Service*, RS22452 (Washington, DC, 2014).

71 2001년에서 2014년 사이에 이라크와 아프가니스탄에서 발생한 민간인 사상자 수는 보통 17만 명에서 22만 명 정도로 추산한다. 예컨대 www.costsofwar.org를 보라.

72 L. Bilmes, 'The Financial Legacy of Iraq and Afghanistan: How Wartime Spending Decisions Will Constrain Future National Security Budgets', *Harvard Kennedy School Faculty Research Working Paper Series*, March 2013.

73 R. Gates, *Memoirs of a Secretary at War* (New York, 2014), p. 577.

74 'How is Hamid Karzai Still Standing?', *New York Times*, 20 November 2013.

75 'Memorandum for President Bush: Strategic Thoughts', National Security Archive.

76 '"Rapid Reaction Media Team" Concept', US Department of Defense, Office of the Assistant Secretary for Special Operations and Low-Intensity Conflict, 16 January 2003, National Security Archive.

77 M. Phillips, 'Cheney Says He was Proponent for Military Action against Iran', *Wall Street Journal*, 30 August 2009.

78 'Kerry presses Iran to prove its nuclear program peaceful', Reuters, 19 November 2013.

79 'Full Text: Al-Arabiya Interview with John Kerry', 23 January 2014, www.alara-biya.com.

80 President Obama, 'Remarks by the President at AIPAC Policy Conference', 4 March 2012, White House.

81 D. Sanger, 'Obama Order Sped Up Wave of Cyber-Attacks against Iran', *New York Times*, 1 June 2012; idem, *Confront and Conceal: Obama's Secret Wars and Surprising Use of American Power* (New York, 2012).

1 *B. Gelb, Caspian Oil and Gas: Production and Prospects* (2006); *BP Statistical Review of World Energy June 2006*; PennWell Publishing Company, *Oil & Gas Journal*, 19 December 2005; Energy Information Administration, *Caspian Sea Region: Survey of Key Oil and Gas Statistics and Forecasts*, July 2006; 'National Oil & Gas Assessment', US Geological Survey (2005).

2 T. Klett, C. Schenk, R. Charpentier, M. Brownfield, J. Pitman, T. Cook and M. Tennyson, 'Assessment of Undiscovered Oil and Gas Resources of the Volga-Ural Region Province, Russia and Kazakhstan', US Geological Service (2010), pp. 3095-6.

3 Zelenyi Front, 'Vyvoz chernozema v Pesochine: brakon'ervy zaderrzhany', Press Release (Kharkiv, 12 June 2011).

4 *World Bank, World Price Watch* (Washington, DC, 2012).

5 아프가니스탄은 전 세계 아편 생산의 74퍼센트를 담당하고 있다. 2007년의 92퍼센트에서 줄어든 것이다. *United Nations Office on Drugs and Crime—World Drug Report 2011* (Vienna, 2011), p. 20. 아이러니는 현지 아편 가격이 보여주듯이 아편 생산을 줄이려는 활동이 더 효과적일수록 가격은 올라간다는 것이다. 그리고 이에 따라 재배와 밀매는 더욱 수익성이 높아진다. 최근 수치 일부에 관해서는 *Afghanistan Opium Price Monitoring: Monthly Report* (Ministry of Counter Narcotics, Islamic Republic of Afghanistan, Kabul, and United Nations Office on Drugs and Crime, Kabul, March 2010)를 보라.

6 'Lifestyles of the Kazakhstani leadership', US diplomatic cable, EO 12958, 17 April 2008, WikiLeaks.

7 *Guardian*, 20 April 2015

8 'President Ilham Aliyev—Michael (Corleone) on the Outside, Sonny on the Inside', US diplomatic cable, 18 September 2009, WikiLeaks EO 12958. 알리예프가 두바이에 갖고 있는 재산에 관해서는 *Washington Post*, 5 March 2010.

9 'HIV created by West to enfeeble third world, claims Mahmoud Ahmadinejad', *Daily Telegraph*, 18 January 2012에서 재인용.

10 Hillary Clinton, 'Remarks at the New Silk Road Ministerial Meeting', New York, 22 September 2011, US State Department.

11 J. O'Neill, *Building with Better BRICS*, Global Economics Paper, No. 66, Goldman Sachs (2003); R. Sharma, *Breakout Nations: In Pursuit of the Next Economic Miracles* (London, 2012); J. O'Neill, *The Growth Map: Economic Opportunity in the BRICs and Beyond* (London, 2011).

12 Jones Lang Lasalle, *Central Asia: Emerging Markets with High Growth Potential* (February 2012).

13 www.rotana.com/erbilrotana.

14 *The World in London: How London's Residential Resale Market Attracts Capital from across the Globe*, Savills Research (2011).

15 카메룬의 세계적 스타 사뮈엘 에토오는 2011년 이탈리아 인테르밀라노(Inter Milano)에서 이적했다. Associated Press, 23 August 2011. 2010년 17세 이하 여자 월드컵 축구대회는 "수상 경력이 있는 시브샤크티(Shiv Shakti) 무용단"이 특별 출연한 10분짜리 개회식이 열려

이채를 띠었다. 'Grand Opening: Trinbagonian treat in store for U-17 Women's World Cup', *Trinidad Express*, 27 August 2010.

16 T. Kutchins, T. Sanderson and D. Gordon, *The Northern Distribution Network and the Modern Silk Road: Planning for Afghanistan's Future*, Center for Strategic and International Studies (Washington, DC, 2009).

17 I. Danchenko and C. Gaddy, 'The Mystery of Vladimir Putin's Dissertation', edited version of presentations by the authors at a Brookings Institution Foreign Policy Program panel, 30 March 2006.

18 'Putin pledges $43 billion for infrastructure', Associated Press, 21 June 2013. 추산에 관해서는 International Association 'Coordinating Council on Trans-Siberian Transportation', 'Transsib: Current Situation and New Business Perspectives in Europe-Asian Traffic', UNECE Workgroup, 9 September 2013을 보라.

19 예컨대 *Beijing Times*, 8 May 2014를 보라.

20 예를 들어 최근의 중국-파키스탄 경제 회랑 구축을 위한 460억 달러 투자 발표를 보라. Xinhua, 21 April 2015.

21 'Hauling New Treasure along Silk Road', *New York Times*, 20 July 2013.

22 금 소매가에 미친 중국의 영향에 관한 보고는 World Gold Council, China's Gold Market: Progress and Prospects (2014). 프라다와 관련 회사들의 중국내 매출은 2011년에만 40퍼센트 증가했다. *Annual Report, Prada Group* (2011). 2013년 말까지 프라다 그룹의 중화권에서의 수익은 남·북아메리카를 합친 것의 거의 두 배 가까이 됐다. *Annual Report* (2014).

23 *Investigative Report on the US National Security Issues Posed by Chinese Telecommunications Companies Huawei and ZTE*, US House of Representatives Report, 8 October 2012.

24 Department of Defense, *Sustaining US Global Leadership: Priorities for 21st Century Defense* (Washington, DC, 2012).

25 President Obama, 'Remarks by the President on the Defense Strategic Review', 5 January 2012, White House.

26 Ministry of Defence, *Strategic Trends Programme: Global Strategic Trends—Out to 2040* (London, 2010), p. 10.

27 International Federation for Human Rights, *Shanghai Cooperation Organisation: A Vehicle for Human Rights Violations* (Paris, 2012).

28 'Erdoğan's Shanghai Organization remarks lead to confusion, concern', *Today's Zaman*, 28 January 2013.

29 Hillary Clinton, 'Remarks at the New Silk Road Ministerial Meeting',

22 September 2011, New York City.

30 President Xi Jinping, 'Promote People-to-People Friendship and Create a Better Future', 7 September 2013, Xinhua.

찾아보기

ㄱ
가르단, 클로드 드 512
가믈랭, 모리스 704
가산 왕국 120
가우가멜라 전투 25, 26
가즈니 167, 222, 224, 521, 948
간자비, 마흐사티 170
갈리아 38, 91, 157
갈릴레오 갈릴레이 475
개스코인-세실, 로버트 548, 550
거문도 545
건륭제 544
게이츠, 로버트 856
게티, 진 폴 775, 791
게피다이 93
계몽운동 388
계약의 궤 83
고르바초프, 미하일 905
고르차코프 공작 528, 533
고아(인도) 375, 467
고트족 93, 158, 752
고틀란드 섬 197
골레스탄 조약 514, 518
골츠, 콜마르 폰 데어 562, 563
광저우 357, 360, 361, 422
괴링, 헤르만 712, 740
괴벨스, 요제프 709, 712, 715, 716, 730, 736
구들레이프 218
《구루 그란트 사히브》 437
9·11 공격 917
구자라트 438, 495
구즈족 223
구텐베르크, 요하네스 455
국제원자력기구 842, 924
국제통화기금 801
군데샤푸르 77, 101, 167, 168
굴벤키안, 캘루스트 603
귀위크 카간 278, 280
그노시스주의 108
그랜드투어 478
그레고리우스 8세 257
그레고리우스 9세 275
그레고리우스(나지안조스의) 98
그레이, 에드워드 553, 555, 556, 567, 601
그로미코, 안드레이 829, 863
그리보예도프, 알렉산드르 518
그리스 8, 24, 28~32, 37, 61, 80, 149, 167, 212, 412, 750
그리스 화염 583
글래드스턴, 윌리엄 534
글래스피, 에이프릴 895, 896
글린카, 미하일 517
금나라 269
금욕주의 109, 149, 702
금융 위기(15세기) 378
기독교
-박해 142, 145, 151
-불교와의 화해 108, 109
-유대교와의 경쟁 105, 106, 111
-유럽의 공통분모 290
-조로아스터교와의 경쟁 102, 107, 108, 111
-종파주의 145, 146
-하자르족 187~189, 192
기욤 드 뤼브룩 278, 280, 350

ㄴ
나가사키 767
나세르, 가말 압델 796~799, 802~806, 815, 816
나와브 499, 501, 502
나우타포레이아 437
나자르바예프, 누르술탄 941, 946
나크시에로스탐 69, 70
나크시이자한 정원 433
나폴레옹 보나파르트 512, 514~516, 519, 727, 797
나폴리 244, 406
난징 443
난징 조약 544
남아프리카공화국 905, 939, 943
네스토리우스 99
네이샤부르 164, 270, 273, 357
노브고로드 202, 214, 219, 220, 274
노스, 프레더릭 503
녹스 다시, 윌리엄 579~581, 583, 585~591, 593, 632, 760, 791, 827, 854, 939
뉴턴, 아이작 475
니네베 11, 125
니시비스 49, 87, 145
니우로테르담 468
니카라과 콘트라 890
니컬슨, 아서 558, 559, 565
《니케아 신경》 96
니케아 회의 96, 97
니콜라이 1세 519
니콜라이 2세 559
닉슨, 리처드 M. 809, 829~832, 854

ㄷ
다가마, 바스쿠 15, 384, 417~419, 422, 423, 425, 428, 429, 446, 471
다라 51, 118, 121
다란 폭격 908
다리우스 1세 23, 68
다리우스 3세 25, 26
다마스쿠스 13, 14, 122, 151, 157, 164, 246, 251, 365, 428, 524, 829, 871
다미에타 262, 263
다우드, 모하마드 796, 809, 826, 847, 857, 858
다우드 칸 796, 809, 826, 847, 857, 858
단다나칸 전투 224
단돌로, 엔리코 260
달라디에, 에두아르 704
달리프 싱 539
달림플, 윌리엄 928
당 왕조 161
대(大)플리니우스 354
대영박물관 478
댈럼, 토머스 453
덜레스, 존 포스터 786, 794, 804, 809
덥스, 에이돌프 859
덩샤오핑 905
데메트리오스 77
데바쿨라 63
데티, 구이도 424
델타포스 869, 911
도스토옙스키, 표도르 517
도스트 모하마드 520, 521
독립전쟁(미국) 7, 505
독일
-2차 세계대전 패배 751, 752
-농업 생산 697, 698
-소련과의 비밀 협정 688~694
-식량 부족 698, 739, 739
-통일 554
동로마제국
-몽골의 위협 279, 280
-바이킹 루시와의 경쟁 214, 215
-붕괴 226~227, 260, 261
-셀주크의 등장 225~226
-십자군 233~237
-전성기 226
-하자르와의 동맹 186~189
동인도회사(네덜란드) 467, 486, 490, 498

동인도회사(영국) 460, 486, 490, 491, 499, 501~504, 509, 758, 777
두브로브니크(라구사) 238, 374, 375
둔황 32, 36, 88, 104, 178, 967
뒤러, 알브레히트 405
듀랜드, 모티머 549
드러먼드-울프, 헨리 581, 583, 585
드레이퍼스, 루이스 G. 758
디골리어, 에버릿 리 773
디니스 1세 392
디아스, 바르톨로메우 397
디오클레티아누스 53, 54, 80
디즈레일리, 벤저민 534

ㄹ

라고스 395
라구사 → 두브로브니크
라데크, 카를 695
라믈라 152
라미시트(시라프의) 249
라바니(물라) 916
라반 바르 사우마 288
라비아 발히 170
라스카사스, 바르톨로메 데 402, 455
라이 185, 194, 216
라이프니츠, 고트프리트 492
라이헤나우, 발터 폰 697, 737
라즈마라, 알리 779
라파엘로 373
라호르 438, 439, 496, 630, 795, 911
락샤드위프 제도 42
러시아(러시아제국)
-나폴레옹의 침공 514, 515, 727
-농노제 폐지 527
-발칸 반도 침공 538
-세상의 종말 381, 383
-영국과의 관계 510, 511, 514, 515, 519~529, 533~539, 542~558
-오스만제국에 대한 구상 563, 564
-유대인 이주 614
-인도 무역 498
-제국의 팽창 510~512, 515~517
-차르 체제 붕괴 616, 617
-체첸 테러 516, 524
-페르시아와의 관계 512, 514, 515, 518~520, 528, 529
러일전쟁 552
럼스펠드, 도널드 879, 901, 920, 923
레닌그라드 728, 729, 739, 751
레닌, 블라디미르 619, 728
레몽 4세(툴루즈 백작) 235
레반트 회사 460
레브신, 알렉세이 523
레브아르다시르 95
레비, 프리모 526
레오 10세 429
레오나르도 다빈치 373
레이건, 로널드 878, 879, 883, 889~893
레자, 모하마드 770, 810
레자 칸 623, 624, 734
레판토 전투 453
로도스 섬 240
로디 왕조 435
로레인, 퍼시 623
로렌스, T. E. 614
로마
-관광의 시작 478
-기독교의 중심지 72
-약탈 90, 91, 752
-전염병 366
-조국의 제단 기념물 526
로마누스 4세 225
로마제국
-기독교 도입 73, 79~84
-노예제 204
-성장 37~45
-이집트 정복 37~40
-인도 무역 42~44

-중국과의 관계 47, 48
-중국산 비단 45, 46
-콘스탄티노플 건설 55, 56
-페르시아 원정 49, 50
-페르시아 전쟁 116~128
로멜, 에르빈 723, 747
로스토프나도누 728
로열더치셸 603, 827
로이드 조지, 데이비드 605, 607, 613, 614
로이터, 폴 584
로젠베르크, 알프레트 723
로커비 격추 908
롤린슨, 헨리 523, 524
루마니아 750
루마일라 유전 820
루스벨트, 커밋 781, 782
루스벨트, 프랭클린 735, 734, 772~774
루스티켈로 346
루이 9세 278, 282
루제로(시칠리아의) 236, 237
루카 356
루터, 마르틴 454, 462
루프트한자 701
뤄양 36, 67, 449
류리코보고로디셰 195
류베치 220
르네상스 8, 68, 354, 412, 952
르노(샤티용의) 253, 257
리들리, 클래런스 770
리벤트로프, 요아힘 폰 691, 693, 698, 700, 741
리브슨-가워, 그랜빌 조지 534
리비아 564, 816, 826, 827, 918
리처드 1세 255
리치, 마테오 443
리트비노프, 막심 691

ㅁ

마뇨, 알레산드로 428, 429
마누엘 1세 250, 417
마니교 62, 71, 161
마다가스카르 742, 744
마데이라 제도 391, 392
마드라사 182
마드라스 490~492, 494, 501
마드르 드 데우스호 451
마르가리트, 페드로 데 400
마르 카르다그 107
마르쿠스 안토니우스 39
마르크스, 카를 525
마르텔, 카를 158
마르티알리스 44
마리아(예수의 어머니) 98, 99, 146, 157, 218
마리아-테레지아 494
마슈하드 13, 377, 617
마스제드솔레이만(유전) 591, 592, 632
마야제국 440
마오쩌둥 905
마우리키우스(황제) 121
마이소르(왕국) 512
마이스키, 이반 690
마이코프 748
마인츠 206
마젤란 423
마즈다크 108, 109
마카리우스 81
마카사르 468
마카오 426, 444, 467
마환 375
마흐디야 220
마흐펠라 동굴 144
막센티우스(황제) 79
만리장성 28, 445
만사 무사 390, 391
만주 376
말라즈기르트 전투 225
말라카 422, 427, 468
말레이 반도 361, 379, 426, 441, 763, 954
말린디 417

맘루크 283~285, 288~290, 346
매리엇, 앨프리드 585~587
맥밀런, 해럴드 798
맨해튼 프로젝트 831
머피, 리처드 888
먼, 토머스 484
메난드로스 62, 63
메디나(야스리브) 120, 128, 132, 142, 156, 194, 253, 598
메디아인 22
메디아 화염 583
메디치, 프란체스코 데 435
메르브 13, 67, 70, 90, 101, 167, 185, 216, 224, 273, 546, 617
메리 1세 450
메시나 364
메카 120, 128, 130~132, 134, 135, 141, 156,169, 173, 213, 249, 253, 360, 365, 389, 419, 425, 427, 598, 620, 828, 876
메토디우스 188
메히아, 페드로 408
멜라렌 호 217
모가디슈 823
모가레비, 아흐마드 851
모건, J. P. 575
모로코 159, 244, 391, 455, 561
모리셔스 823
모리스, 윌리엄 580
모리타니 391
모사데그, 모하마드 760~762, 778~782, 784~786, 791, 794, 798, 815, 844, 902
모세 146, 149, 192, 193, 224
모술 12, 83, 101, 164, 553, 613, 620, 622, 769
모스크바 514, 688, 691~693, 695, 698, 706, 725, 727~729, 735, 737, 739, 746, 749, 820, 847, 882, 905, 957
모스크바 올림픽 877
모자파르 옷딘 548, 582
모하마드, 압둘 하피즈 618
모하치 전투 430
몬테수마 2세 403
몰로토프, 뱌체슬라프 691, 693, 698, 700, 726, 735
몰트케, 헬무트 폰 562
몸바사 931
몽골족
-세밀화 439
-전염병 전파 362~364
-정복의 문화적 영향 353~357
-종교적 관용 348~352
-'타타르' 353
-폭력 270~274
-행정 시스템 348~352
몽케 카간 281
《묘법연화경》 64
무라드 3세 454
무르만스크 458, 746
무솔리니, 베니토 689
무자헤딘 887, 888, 890, 891
무질, 로베르트 562
무치리 46
무타와킬, 와킬 아흐메드 913, 918
무함마드(선지자) 115, 128~132, 134~136
-사망 시기 150
-승계 154
-전염병 365
-주화에 나온 초상 155, 156
-헤지라 132
물고기 숭배 180
물탄 948
뭄바이 109, 931
뮌헨 올림픽 865
미국
-1차 세계대전 목표 602, 603
-2차 세계대전 참전 747
-국가 부채 증가 928
-독립전쟁 7, 505
-석유 공급 625~627, 773~776, 830~832, 854

-이란 무기 스캔들 888~892
-자동차 속도 제한 831
-중국과의 정보 협력 856
-핵 기술 보유 837
미국의 소리 771
미드웨이 전투 747
미르자 알리 칸 702
미르자, 압둘-후세인 611, 612, 623
미오스호르모스 42
미켈란젤로 373
미키엘, 비탈레 250
민스크 726
밀, 존 스튜어트 534
밀비오 다리 전투 79

ㅂ
바그다드
-거트루드 벨 만찬 635
-건설과 성장 162, 163, 177
-건축을 통한 변모 833
-럼스펠드 방문 879
-셀주크의 정복 223~226
-약탈 281, 282
-영국의 점령 611~613, 621, 628, 765
-직물업의 확산 357
바그다드 조약 795
바그람 27, 861
바니사드르, 아볼하산 870
바드르 작전 828
바드르 전투 134
바랑기아 호위대 219
바레인 76, 612, 774, 877
바렌니코프, 발렌틴 862
바르마크 가문 168
바르바라 823
바르바리콘 47
바르추크 269
바리가자 47, 56
바미얀 불상 110
바부르(황제) 435, 436, 438, 940
바빌론 11, 22, 23, 26, 28, 50, 76
바스라(카락스) 50, 164, 166, 430, 553, 612, 620, 734, 746
바스타르나이 92
바시키르족 180
바실리우스 2세 216
바에사, 페드로 데 444
바이마르 공화국 741
바이코누르 우주기지 807
바이킹 루시 195, 197, 201, 206, 207, 210, 211, 214
바이테렉 타워 946
바자르간, 메흐디 853
바케, 헤르베르트 708
바쿠 514, 590, 617, 704, 731, 943, 947, 951
바쿠 유전 726
바타비아 467
바투미 552
바트나이 47, 49
바하이 811
바헤나에르, 루카스 얀스존 465
바흐람 120
바흐티아르, 샤푸르 853
박트라 35
박트리아 낙타 35
반 데르 헬스트, 바르톨로메우스 470
반다르아바스 486, 550, 813
반달족 91, 93
반유대주의 691, 703, 721, 741, 744, 745
반제 회의 745
반초(장군) 48
발라사군 8, 161, 222
발랄릭테페 162
발레리아누스 50
발렌스 89
발루예프, 표트르 542
발칸 전쟁 564
발흐 14, 70, 109, 160, 185, 194, 203, 224, 273

밸푸어 선언 615
밸푸어, 아서 599, 605, 607, 614, 615
뱀 숭배 180
버마 석유 591
버크, 에드먼드 501
버티, 프랜시스 559
번스, 알렉산더 521~523
번슨, 모리스 드 601
베긴, 메나헴 872
베네수엘라 400, 406, 464, 632, 773, 815
베네치아
-경제적 번영 372~374
-노예 교역 209, 210, 238, 345, 346
-몰락 477, 478
-전염병 364~366, 372
-포르투갈과의 경쟁 423~425
-피사와의 갈등 240, 241
-흑해 무역 345, 346
베두인 136
베들레헴 111
베레니케 43
베로나 244
베르나르(클레르보의) 243
베르사유 조약 526, 574, 697
베르케(킵차크칸국 지도자) 288
《베르탱 연대기》 211
베를린-바그다드 철도 560
베를린 장벽 808
베빈, 어니스트 765
베스푸치, 아메리고 401
베이루트 289, 374, 783
베이징 281, 376, 379, 492, 496, 544, 856, 940, 950
베이커, 매슈 451
베이커, 제임스 895
베자이아 390
베자족 205
베쿠도, 마티아스 428
베크위스, 찰스 869
베트남 44, 379, 821, 874, 930
베트라파트 → 군데샤푸르
베트만홀베크, 테오발트 폰 569
벤-구리온, 다비드 741
벤소, 카밀로 525
벨, 거트루드 612, 621, 629, 635, 762
벨기에 569, 575, 597, 751
벨라 4세 275
벨라스케스, 디에고 401
벨로오제로 195
벵골 438, 474, 490, 502, 503, 505, 617, 764
보니파키우스 8세(교황) 346
보두앵 1세 239
보두앵 2세 242
보드룸 53
보로디노 727
보스니아 합병 556
보스턴 차 사건 504
보어 전쟁 552
보에몽 1세 232, 235, 236, 261
보카치오, 조반니 363, 366
볼가불가르(족) 179, 181, 202
볼셰비키 607, 617~619, 692
볼프, 요제프 522
봄베이 492, 495, 597, 954
부스타니, 주제 924
부시, 조지 H. W.('아버지 부시') 892, 902~905
부시, 조지 W. 918, 920~922, 929
부시르 547, 551, 746, 839, 931
부와이흐 왕조 213, 224
부토, 줄피카르 알리 826
부하라 14, 102, 167, 172, 181, 220, 522, 523, 528
부하린, 니콜라이 695
부흐티슈 가문 168
북대서양조약기구(NATO) 800
북한 922
불가리아 364, 380, 750
불교 11, 61~68, 71, 72, 104

-기독교와의 유사성 107, 108
-몽골족 349, 351
불러드, 리더 730, 735, 758, 759
불린, 앤 407
불워-리튼, 로버트 537
붉은 군대 숙청 695, 696
붓다 64, 108, 109, 360
뷔유망, 조제프 704
브라이던, 윌리엄 521
브래컨버리, 헨리 538
브레스트 560, 726
브레즈네프, 레오니트 861~863
브레진스키, 즈비그네프 870, 874
브룩, 루퍼트 573
브뤼셀 462, 463, 566
브리튼 섬 항공전 706
브리티시 석유회사(BP) 593, 854, 960
블라디미르 1세 215
블라디미르 2세 219
블라디보스토크 529, 545, 734
블레어, 앤서니 923
블레이크, 로버트 489
블레이크, 윌리엄 290
블릭스, 한스 925
비둘기 경주 439
비수툰 비문 23
비스마르크호 746
비신스키, 안드레이 695
비첸, 니콜라에스 488
비타르카 무드라 105
비토리에 에마누엘레 525
빅토리아 여왕 7, 534, 535, 569
빈 452, 510, 561
빈 라덴, 오사마 702, 786, 884, 909~918, 920
빌베이스 전염병 365
빌헬름 2세 558, 566, 741

ㅅ
사다트, 안와르 829
사라고사 조약 627
사마르칸트 13, 14, 48, 102, 109, 160, 162, 203, 206, 272, 377, 435, 439, 449, 528, 546, 616
사마천 34
사만다르 187, 188
사만 왕조 182, 221
사메바 대성당 951
사산 왕조 68, 70
사우디아라비아 106, 703, 729, 772~775, 791, 792, 803, 815, 816, 829, 832, 835, 837, 867, 870, 878, 879, 884, 908, 909, 914, 932
사이크스, 마크 602
사이크스-피코 협정 612
사제왕 요한 262
사조노프, 세르게이 556, 569
사파비 왕조 433
사하라 사막 159, 390, 391, 930, 965
살라흐 앗딘 유수프 이븐 아이유브(살라딘) 251, 253, 254, 256
살랑 터널(고속도로) 796, 881
살로나 54
살루스티우스 41
살비아누스 94
삼국 협약 554, 558
30년 전쟁 471
상조르즈 다 미나 393
상투메 408
새 숭배 180
생테티엔 475
샤 자한 440, 497
샤미르, 이츠하크 743
샤밀(이맘) 516, 524
샤푸르 1세 70, 71, 77
샤푸르 2세 82~84, 87
《샤흐나메》 222
서고트 91, 171
서역 32, 34
서인도회사(네덜란드) 467
설리번, 윌리엄 852, 853

성 그레고리우스 79
성십자가 126, 218, 235
세계무역센터 폭파 909, 916, 917
세계화 37, 446
세네카 45
세르비아 573
세바스토폴 564
세비야 392, 416
세시저, 프레더릭 616
세우타 390, 392
세인트존, 올리버 487
세페르 431
셀던 지도 445
셀레우코스 29, 37
셀레우키아 50
셀레우키아크테시폰 주교 관구 95, 97
셀림 2세 432
셀주크인 223~226, 246
셰익스피어, 윌리엄 76, 452
소(小)플리니우스 73
소그드 상인 66, 88, 104, 161, 948
소련
-냉전의 이해관계 799~810, 819~826, 846~848
-독일과의 조약 688~700, 706, 725, 734, 741, 751
-독일의 침공 707~747
-붕괴 905
-생물학적 프로그램 363
-성 평등 619, 620
-스탈린의 숙청 692, 771
-식량 부족과 기근 694
소말리아 823, 909
소코트라 섬 426
소포클레스 31
솜 공세 571
송응성 445
쇼-스튜어트, 패트릭 571
수단 205, 561, 823
수라트 486, 490
수마트라 361, 466
수사 22, 23
수에즈 운하 424, 583, 599, 603, 607, 614, 723, 764, 766, 779, 785, 797~801, 819, 823
수정의 밤 741
술타나바드 514
쉴레이만 1세 432, 518
슈미트, 헬무트 846
슈워츠코프, 노먼 902
슈자 두라니(샤) 520, 521
슈테른, 아브라함 743
슈페어, 알베르트 689
슐리펜, 알프레트 폰 559, 562
슐츠, 조지 877, 888
스리랑카(실론) 51, 101, 103, 375, 468, 956
스미스, 애덤 446
스베르들롭스크 808
스코크로프트, 브렌트 903
스코틀랜드 93, 275, 289, 493, 908
스키타이인 24, 32
스키토폴리스 162
스타라야라도가 195
스타인, 오렐 104
스탈, 레슬리 906
스탈린그라드 전투 748
스탈린, 요시프 688, 690~699, 707, 724~727, 734, 735, 748~752, 760, 767, 768, 770, 771
스탠더드 오일 625, 626
스텝 유목민
-기독교 도입 101
-바이킹 루시와의 경쟁 211, 212
-생활방식과 교역 179~185
-페르시아와 로마 위협 88~93
스톨리핀, 표트르 543
스튜어트, 로버트 515
스트라본 42
스팅어 미사일 883, 885
스토다트, 찰스 522, 523

스페츠나즈(특수부대) 887
스푸트니크 발사 807
스프링라이스, 세실 551
스플리트 238
슬라그베 218
슬라브인 188, 206, 208, 721, 741
슬레이드, 에드먼드 596, 612
시나그라 87
시돈 289
시라크, 자크 901
시라프 166, 249
시몬 벤 요하이 144
시베리아니족 184
시스탄 70, 549
시암 왕국 376
시에나 356
시에사 데 레온, 페드로 406, 473
시온주의 875
시진핑 949, 956, 958
시칠리아 220, 232, 237, 364, 406, 429, 747
시코텡카틀 403
〈시편〉 433, 592
신드 정복 159
신성동맹 453
신천지 개척무역상 회사 459
신체 절단(도둑질에 대한 형벌) 147
실론 → 스리랑카
싱가포르 763
쑤저우 416

ㅇ
아가티아스 102, 119
아그라 436
아데니스트라이 50
아덴 823, 954
아라산커우 950
아라야 반도 464
아라크 746
아람어 72, 76, 100, 133, 147, 383
아랍 민족주의의 대두 802, 803
아랍 해적 215
아랍연합공화국 804
아랍-이스라엘 전쟁(1948) 765
아르깅 393
아르다시르 1세 68, 70
아르메니아 상인 441, 498
아르빌 25, 946
아르사케스 37
아르수프 239
아르타크세르크세스 622
아리스토텔레스 26, 169
아마눌라 칸 618, 702
아말피 217, 219, 220, 238, 390
아민, 하피줄라 861
아바단 593, 598, 634, 746, 776, 779, 870
아바르족 117, 124, 125
아바스 1세(샤) 433
아바스 미르자(왕자) 518
아바스 왕조 159, 206, 207, 216, 283, 449
아바자 관광 지구 943
아바카(몽골족) 285
아부 압바스 925
아브드 알말리크 155
아브라함 131, 134, 144, 149, 192
아비바르드 51
아사르손, 빌헬름 725
아소르스 제도 391, 451
아소카(황제) 30, 61
아슈가바트 951
아스완 댐 797
아테네 102, 158, 388, 412
아스타나 946, 951, 956
아야스 345, 356
아우구스투스(황제) 39~42, 49, 54
아우랑제브(황제) 497
아우슈비츠 740
아유브 칸 808
아이오나 섬 93

아이젠하워, 드와이트 D. 782, 783, 799~802, 809
아이하눔(델포이 격언) 29
아이히만, 아돌프 742, 744
아인잘루트 전투 284
아일라 152
아잔 193
아제르상귀니스 전투 241
아즈텍인 403, 460
아지즈, 타리크 893, 895
아체 466
아카바 공격(십자군의) 253
아케메네스 제국 68
아퀴나스, 토머스 247
아크바르 1세 438, 497
아크사라이 궁전 377
아틸 187, 188, 203, 210, 212
아틸라 92, 93
아편전쟁 544
아폴론 숭배 30
아프가니스탄
-미국 주도의 침공 795, 796
-미국의 반군 지원 881~883
-북부 보급망 947~948
-비타라피 정책 824
-소련의 침공 795, 796, 858~864
-알카에다의 패배 909~921
-양귀비 재배 941
아프가니스탄 전쟁 519, 520, 537
아프라하트(수도원장) 85
아프리카 군단 723
아프베어 701, 702
아흐메드 센제르(술탄) 263
악숨 왕국 43
악의 축 922
안나 콤네나 247
안녹산(소그드 출신 장군) 161
안트베르펜 427, 462, 463
안티오키아 122, 215, 233, 235, 236, 241~243, 248, 282
알라니족 91~93
알라리크 91
알래스카 515, 529, 950
알레포 12, 284, 524, 781
알렉산드로스 대제 25~31, 39, 47, 50, 61, 62, 274, 351, 394, 419
알렉산드르 1세(차르) 527
알렉산드르 2세(차르) 534
알렉산드르 3세(차르) 539
알렉산드리아 151, 216, 220, 237, 248, 256, 347, 360, 370, 374, 429, 431
-성장 27, 39
-향신료 교역 439
알렉산드리아(아라코시아) → 칸다하르
알렉산드리아(아리아) → 헤라트
알렉산드리아(캅카스) → 바그람
알렉시우스 1세(황제) 235, 236, 240, 242, 247
알리(무함마드의 사촌) 172
알리예프, 일함 941
알마수디 170
알마티 951
알메이다, 프란시스쿠 드 426
알무스타심 빌라흐 281
알무크타피 206
알발라두리 156
알부케르크, 아폰수 드 427
알비루니, 아부 라이한 14, 168
알아사드, 하피즈 852
알아스카리, 자파르 635
알자스-로렌 613
알제리 816
알카다피, 무암마르 827, 872
알카밀(술탄) 261, 262
알카소바스 협정 394
알카시가리, 마흐무드 222
알카에다 884, 909, 911, 915, 916, 919, 920, 922, 925
알콰라즈미, 이븐 무사 14, 169

알킨디 170
알파라비, 아부 나스르 169
알프 아르슬란(셀주크 지배자) 225
알후세이니, 무함마드 아민 703, 747
암스테르담
-성장 462, 468~470, 476, 477
-운하 주택 469, 941
압둘 일라흐 805
압둘라(요르단 왕) 765
앗사이드, 누리 805
애덜라드(바스의) 246
애시몰 박물관 207, 478
애치슨, 딘 776, 777
아크레 239, 248, 255, 282, 284, 289, 602, 752
앨런비, 에드먼드 614
앨리그로도, 제임스 456
앵글로-이란 석유회사 760, 761, 776~780, 791, 792, 960
앵글로-페르시아 석유회사 592, 595, 596, 612, 621, 626, 627, 630~633
야르무크 강 전투 137
야즈데게르드 1세 95
야즈데게르드 3세 151
야파 239
얄타 회담 749, 768
에데사 76, 84, 99, 100, 122, 127, 155, 243,
에드워드 1세 288, 289
에드워드 7세 551, 582
에라스뮈스 430
에메사 122
에스파냐
-무슬림 축출 381
-발견 항해와 교역 루트 422, 423, 445, 452, 472, 627
-아메리카 대륙 정복 398~411
-영국과의 관계 449~452, 456, 487
-유대인 강제 개종 381
-포르투갈과의 협정 422, 423, 627, 774
에스파냐 회사 460
에스파뇰라 399, 457
에우도키아 125
오일러, 레온하르트 475
에우리피데스 24, 31
에우클레이데스 170
에이머리, 리어폴드 731
에테마드, 아크바르 839
에텔, 에르빈 731
에토오, 사뮈엘 947
에티오피아 41, 48, 106, 128, 142
엔베르 파샤 597
엔히크(항해왕자) 393, 394
엘리자베스 1세(여왕) 450~455, 457, 459
엘미나 468
엘알라메인 전투 747
엘에스코리알 궁전 460
엘웰-서튼, 로렌스 761
엘핀스턴, 윌리엄 521
영국(대영제국)
-1차 세계대전의 목표 596~607
-국가 부채 증가 628~631
-러시아와의 관계 510, 511, 514, 515, 519, 520, 537~539, 545~558
-러시아와의 화해 553~556
-로마의 정복 38
-미국 이민 485, 486
-북아메리카 식민지 상실 503~506
-수에즈 운하 동쪽으로부터의 철수 819
-유대인 이민 614
-이란에 대한 정책 776~780
-인도 지배 490~492, 495~499, 501~503
-페르시아와의 관계 513~515
-해사 혁명 488
-영-러 동맹 557
예루살렘
-로마의 수복 126, 144
-베네치아의 이해관계 238~240
-십자군 227, 228, 231~238, 282, 290, 291
-아랍의 정복 137, 156

-영국의 점령 612~614
-콜럼버스의 해방 계획 382, 383
-페르시아의 정복 123
예르몰로프, 알렉세이 516, 518
예멘 41, 48, 53, 106, 823
예수 40, 72, 76, 79~84, 95, 98, 99, 103, 106, 110, 123, 143, 145, 146, 149, 155, 157, 218, 234, 240, 241, 258, 381~383, 408, 418, 875
예일, 일라이휴 491, 492
오가르코프, 니콜라이 863
오고타이 카간 273, 276, 277
오데사 551, 564, 729
오렌부르크 552
오르다스, 디에고 데 406
오르메, 로버트 499
오바마, 버락 836, 928, 932, 954, 955
오세베르그 217
오스만제국
-독일과의 관계 562~564
-러시아의 공격 512
-문화적 성취 432, 433
-붕괴 564
-영국과의 관계 452~454
-위축과 쇠퇴 442, 443
-포르투갈과의 경쟁 430, 431
오시라크 원자로 841, 875, 876
오킨레크, 클로드 731, 734
OPEC(석유수출국기구) 815, 827, 832, 834
올브라이트, 매들린 906
와인버거, 카스퍼 877, 892, 895
와파 정원 12, 436
완가라 상인 389
왈와시크 178
왕수인 445
《왕의 책》 167
요들, 알프레트 702
요르단 47, 152, 469, 873, 878
요안네스(다마스쿠스의) 157
요안네스(다센의) 145
요안네스 크리소스토무스 105
요크타운 506
요한네스 2세 243
욤키푸르 전쟁 829, 833, 842
우다이푸르 496
우드, 에드워드 690, 774
우슬리, 고어 513, 514, 516
우카즈 120
우크라이나
-독일의 침공 690, 698, 708, 709~717, 723, 724, 728, 740
-러시아의 에너지 무기 사용 949
-체르노좀(검은 흙) 940
-친러시아 반란 937, 938, 949
움카스르 822
워싱턴, 조지 960
워터게이트 스캔들 854
원 왕조 376
원자폭탄 767, 778, 840
월리스, 윌리엄 289
월스트리트 주가 폭락 632
월지 유목민 32, 33, 47
월포위츠, 폴 926
웨이블, 아치볼드 730
웰슬리, 아서 519
위구르(위구르족, 위구르인) 161, 269, 288, 885, 938
위먼관 35
윌러비, 휴 458
윌슨, 아널드 592
윌슨, 우드로 602, 625
윌슨, 찰스 883
윌슨, 해럴드 819
유고슬라비아 750
유교 67
유대교
-이슬람교와의 공존 11, 62, 141~144
-하자르족 188, 189, 192, 193
유대인 망명자 614

유대인 상인 193, 194, 207
유럽연합 752, 955~957, 966
유스티누스 2세 117
유스티니아누스(황제) 100, 116, 117
U-2 정찰기 808
6일 전쟁 816
율리우스 카이사르 55
《음선정요》 353
이그나티예프, 니콜라이 527, 528
이든, 앤서니 797~799, 801
이라크
-OPEC 창설 815
-건국 620, 628, 629
-독일의 영향 701, 702
-미국의 지원 877~101, 885, 893
-바스당 창설 703
-봉건제 629
-석유산업 국유화 819
-악의 축 922
-전후 이해관계 765, 766, 775~780
-쿠웨이트 침공 897, 901~903
-포위 강박 893
-핵 능력 834, 840~842, 875, 876, 924, 925
이라크 석유 777
이란
-CIA 지원 쿠데타 781~784
-OPEC 창설 815
-금수 조치 866
-독일의 영향 703~704, 730, 731, 735
-미국 무기 공급 886~892
-소수 종교 811, 875
-악의 축 922
-이슬람 혁명 844~848, 851~857
-이슬람 혁명 수출 876
-인질 위기 865~867, 886
-전후 이해관계 757~762, 767~780
이란-이라크 전쟁 870~881, 885~887
이란 항공기 격추 908
이바니시빌리, 비지나 951
이반 1세 352
이반 4세 459
이븐 바투타 356, 360
이븐 시나 14, 168, 169
이븐 알리, 후세인 598
이븐 알하이삼 168
이븐 야쿠브, 이브라힘 149
이븐 주바이르 252
이븐 파들란 179, 180, 182, 186, 196
이븐 할둔 238
이블린, 존 470
이사벨 1세 398, 399, 419, 422
이사키우스 2세 251
이스라엘
-이란에 대한 무기 공급 889
-이란-이라크 전쟁 871
-잃어버린 부족들 189, 262
-핵 능력 841
이스라엘 노예 72
이스메이, 헤이스팅스 800
이스켄데룬 601
이스테미 117
이스파한 14, 433, 734
이슬람교
-공산주의 783
-몽골족 349, 351, 353
-볼셰비즘 618
-'새 러시아인' 510
-수니-시아 분파 172
-중앙아시아 정복 158~161
-초기 개종자 135, 136
-하자르족 188, 189, 192
-히틀러 701~703
이집트
-곡물 수출 39
-독립 629
-로마의 정복 39, 40
-맘루크의 등장 284, 284
-반영 폭동 785

-범아랍주의 806
-사치품 수출 248, 249
-살라딘의 등장 251
-알렉산드로스의 정복 25
-오스만의 정복 429
-파루크 축출 781
-파티마의 정복 213, 216, 226
-페르시아의 정복 21, 124
-포르투갈과의 관계 424, 425
이타마라카 전투 487
이현 104
인노켄티우스 3세 257
인노켄티우스 4세 278
인도
-독립 운동 630
-러시아의 태도 539, 542
-로마 무역 42~44
-말 교역 435~438
-술을 끊은 지배자들 165
-여행자들의 이야기 354, 355
-영국의 지배 490~492, 494~506, 535~538
-영국의 철수 763
-중국 무역 356, 357, 361, 375
-포르투갈 무역 419, 422
인도 국민회의 630
인디고 46, 237
일본 362, 379, 399, 441, 444, 495, 607, 734, 747, 762, 763, 814
일칸국 288, 290, 351
잉카 401, 473

ㅈ

자다르 238, 257
자말 앗딘 알아프가니 584
자바 44, 379, 509
자브르, 살리흐 765
자이나교 62
자한기르(황제) 495, 496
자히르 샤 857
작센하우젠 740
잘랄라바드 12, 521, 885, 910
장안 36
저지대 국가 371, 406, 456, 461~464, 467, 468, 470, 476, 479, 484
전차 경주 55
정화 제독 375, 376
제네바 의정서 880
제노바
-몰락 372, 373
-베네치아와의 경쟁 240, 241, 250
-전염병 364
-피사 함대 파괴 346
-흑해 무역 345~347
-흥성 217, 219, 220, 238~241, 244, 345~347
제다 911
제라시 153, 162
제이한 948
젠네 389
조로아스터교 69~72, 78, 84, 97, 102, 104, 107~109, 111, 119, 127, 152, 181
조르주-피코, 프랑수아 602
조반니 다 몬테코르비노 350
조반니 다 피안델카르피네 278, 279
조시모스 94
조지 3세 513, 544
조지 5세 595
조호르 427
존스-브리지스, 하퍼드 519
존슨, 린든 B. 813
종교개혁 110, 450, 454, 456
주르잔 194
주앙 2세 396, 397
주코프, 게오르기 726
주화 전쟁 155
중국
-기근 88, 380
-기독교 선교사 110, 111, 171
-기후 변화 380

-몽골의 정복 269, 271, 272, 277, 281, 288, 353
-불교의 전파 66, 67
-스텝 유목민들에 대한 공물 납부 32~34
-아랍인의 도착 160
-아편 중독 501
-영국과의 관계 543~545
-은의 유입과 교역 증가 443~446
-테무르의 정복 377, 378
-화하 개념 28
중국 국가개발은행 953
중흥통신 953
지노비예프, 그리고리 618, 695
지멘스 701
지브롤터 해협 157
지브릴(가브리엘) 129
진주만 747

ㅊ

차가타이 칸 285
차다예프, 표트르 517
찰스 2세 495
처칠, 윈스턴 571, 572, 594~596, 628, 691, 704, 730, 735, 749~751, 759, 763, 768, 772~774, 783
청두 951
청 왕조 491, 544
체니, 리처드 836, 839, 843, 904, 931
체임벌린, 네빌 689, 768
체첸 516, 524, 938
체코슬로바키아 점령 689
체호프, 안톤 548
첼랴빈스크 핵시설 808
최부 416
충칭 950
치아노, 갈레아초 689
치타이 856
침향 194, 249, 398
칭기즈칸 268~273, 277, 279, 284, 348, 349, 352, 735

ㅋ

카나리아 제도 391, 394
카디스 452
카디시야 전투 137
카라차가낙(가스전) 939
카라치 795, 911
카라케네 51
카라코룸 278, 280, 350, 449
카라쿰 사막 90
카라한 왕조 222, 223
카락스 → 바스라
카르네이히틴 전투 253, 257
카르자이, 하미드 928
카를 5세 407, 410
카메네프, 레프 695
카바드 2세(샤) 125, 127
카부데르드 제도 393
《카부스나마》 205
카불 12, 66, 436, 438, 498, 520, 521, 859, 861, 862, 909, 921
카브타라제, 세르고 760
카사니(아야톨라) 779, 783
카슈가르 14, 32, 67, 70, 101, 617
카스피 관문 49
카심, 압둘 카림 804
카이로 9, 216, 220, 234, 245, 262, 283, 365, 389, 427, 747, 785, 829
카이사레아 포위 239
카타리나(브라간사의) 495
카탈라우눔 평원 전투 93
카탈리나(아라곤의) 407
카터, 지미 844, 846, 854, 864~869, 874
카파 364
카파로 디 루스티코 243
카프브르통 494
칵치켈 마야 405
칸넨베르크, 아르투르 688
칸다하르 42, 521, 537, 546, 796, 882, 909, 913, 914

칸디다 77
칼리닌 727
칼미크인 511
칼뱅, 장 462, 484
칼케돈 공의회 99, 100, 120, 145
칼하트 425
캄보디아 376, 821
캉, 디오구 397
캉봉, 폴 622
캐드먼, 존 631, 633
캐버너, 찰스 619
캔터베리 72, 102
캘리컷(코리코드) 361, 375, 417, 419
캘커타 490, 502
커즌, 조지 528, 549, 596, 622, 628
컨세션스 신디케이트 591
케넌, 조지 771
케네디, 존 F. 805, 814
케리, 존 836, 932
KGB(국가보안위원회) 805, 828, 851, 852
케찰코아틀 403
케타브치 한 581, 583, 585, 586
코놀리, 아서 522, 523
코란 129, 133, 146~149, 153, 154, 156, 172, 178, 182, 192, 247, 484, 875
코르도바 171, 189, 193, 206, 213
코르시카 섬 241
코르테스, 에르난도 403, 404
코르푸 242, 261
코린토스 158, 453
코임바토레 42
코친 375, 376, 468
코트, 에두아르 585
코플런드, 마일스 781
코헤 101
콕스, 퍼시 598, 607
콘스탄티노플
-건설 55, 56, 80
-기독교의 중심지 72, 100, 101, 125
-러시아의 점령 계획 563
-몰락 380, 381, 412
-방어 성벽 124, 125
-약탈 258~261
-연합국의 1차 세계대전 목표 599~601
-유대인 도착 382
-전염병 364
-페르시아의 위협 122~125
콘스탄티누스 54~57, 79~84, 94, 96, 125
콘월리스, 찰스 505, 506
콜드웰, 존 624
콜라푸르 42
콜럼버스, 크리스토퍼 15, 194, 382, 383, 387, 388, 392, 397~402, 405, 408, 416, 418, 422, 435, 446, 461, 471, 472, 593, 627, 966
콜롬보 468, 954
콤 746, 812
쿠라이시 부족 131, 134, 141
쿠로파트킨, 알렉세이 538
쿠르드족 838, 880, 907, 923
쿠만인 273, 276
쿠바 미사일 위기 829, 890
쿠빌라이 카간 350, 353
쿠샨제국 47, 48, 53, 63, 67, 70, 77
쿠슈크 546
쿠얼러 856
쿠웨이트 612, 774, 775, 792, 815, 816, 897, 901~903, 905, 906
쿠차 67
쿠투즈(술탄) 284
쿠파 152
퀘리니, 비첸초 424
퀘타 521, 549, 826, 948
큐어데일 207
크라쿠프 약탈 282
크라프트베르크 우니온 839, 855
크레타 섬 215, 261
크뢰소루아르 855
크림 전쟁 525~529

크바테르니크, 슬라브코 744
크테시폰 50, 51, 89, 101, 125~127, 133, 137
클라이브, 로버트 502, 504
클러크, 조지 568
클레르몽 227
클레망소, 조르주 613, 614
클레멘스 5세 350
클레오파트라 39
클린턴, 빌 907, 908, 912, 913
클린턴, 힐러리 942, 956
키루스(총대주교) 151
키루스 2세 24, 26, 68
키르기스인 510
키릴로스 98, 99, 188
키신저, 헨리 829, 830, 836~838, 843
키예프 214, 219, 220, 244, 274, 516, 727, 940
키질 석굴군 66
키케로 41
키프로스 215, 346, 365
킵차크칸국 288, 362, 364

ㅌ

타라키, 누르 무함마드 859, 861
타브리즈 350, 356, 357
타슈켄트 70, 203, 528, 542, 543, 546, 552, 617, 620, 951
타운리, 윌리엄 566
타이노족 403
타이완 496
타지마할 440
타크이부스탄 105
타크타크 유전 939
타클라마칸 사막 32, 35
타키투스 351, 354
탁실라 64
탄도 미사일 807, 856
탈라스 전투 164
탈레반 110, 786, 884, 908~910, 912~922, 927
탐무즈 원자로 841
터너, 스탠스필드 856
터키 석유회사 603, 627
테노치티틀란 404
테라페우타이 종파 62
테르빙기 고트 92
테르툴리아누스 73, 76
테무르 377, 378, 380, 433, 435
테살로니키 약탈 251
테오도루스 137
테오도시우스 2세 93
테헤란 102, 513, 518, 625, 730, 731, 735, 844, 846, 951
테헤란 회담 749, 772
템플, 헨리 존 520, 524
텡그리 180, 181
톈산 금맥 939
토 미사일 889
토그릴 베그 224
토라보라 884, 910
토르데시야스 조약 422, 627
토스카넬리, 파올로 383
톨레도 247
투데당(이란 대중당) 759, 852
투루판 67
투르크 회사 460
툴라 727
튀니스 390, 418
튀니지 93
튤립 혁명 938
트라야누스 황제 50, 73
트라케 89, 261, 380
트로기르 238, 275
트루먼, 해리 S. 771, 903
트리니다드토바고 947
트리폴리 233, 239
트베리 274, 727
틀락스칼라 403
티로스 233, 242, 289
티르피츠호 746

티리다테스 3세 78, 79
티마테오스 1세(총대주교) 171, 224
티모셴코, 세묜 724
티치아노 373
티크리트 101
티통, 막시밀리앙 475
티푸 술탄 512
틴니스 216, 217
틸랴테페 무덤들 31
팀북투 389, 390

ㅍ
파루크 1세 781, 796
파리 102, 247, 282, 510, 525, 527, 533, 554, 581, 617, 745, 833, 875, 950
파리 조약 533
파사르가대 23
파스쿠스키 547
파슨스, 앤서니 846, 855
파울로스(바울) 95
파울루스 5세 433
파워스, 게리 808
파월, 콜린 922, 925
파이살 1세 620, 621
파이살 2세 805
파이프라인 587, 593, 947~949
파키스탄 27, 277, 776, 795, 796, 808, 809, 826, 842, 843, 847, 859, 862, 881, 882, 884, 891, 909, 918, 919, 927, 948, 950
파타남 42
파테푸르시크리 439
파트흐알리 518
파티마 왕조 213, 216
판자켄트 160, 162
팔레스타인 68, 92, 137, 143~145, 150, 152, 154, 159, 234, 237, 238, 243, 282, 284, 285, 365, 602, 614, 615, 734, 741~744, 752, 764, 765, 865
팔레스타인해방기구(PLO) 865, 925
팔미라 47, 162
팔켄하인, 에리히 폰 614
페골로티, 프란체스코 355, 356
페드로 4세 391
페라크 427
페르난도 2세 398, 399, 419, 422
페르디난트, 프란츠 565, 567, 596, 603
페르시아(제국)
-기독교 교회 94~96, 101~103, 121~122, 124, 127
-러시아와의 관계 512, 514, 518~520, 545~551
-로마와의 동맹 90, 94
-로마와의 전쟁 117~126, 130, 145, 158
-문화 부흥 433, 434
-붕괴 135~137
-셀레우코스 왕조 전복 37
-수도원 설립 350
-영국과의 관계 455, 459, 460, 512~515, 537, 545~551, 553~555
-인도 무역 496, 498
-중국과의 관계 48
-영국-페르시아 협정 622
페르시아 서사문학 162
페르시아 회랑 746, 759
페샤와르 520, 808
페스 159
페스트 362~372
페이지, 월터 606
페체네크 유목민 182, 196, 212
페트라 47
페트라르카 368
페티-피츠모리스, 헨리 550, 551, 582, 589
평화를 위한 원자력 프로그램 837
포드 자동차 566, 950
포드, 제럴드 837, 839
포르투갈
-금 교역 392~394
-노예 교역 394~396, 408
-발견 항해와 교역 루트 417~419, 422~427,

446, 452, 472, 627
-에스파냐와의 협정 422, 423, 627, 774
-향신료 교역 이득 427~429
포르트나사우 468
포스터, 노먼 946
포츠담 회담 749
포카스(황제) 121, 123
포크, 윌리엄 814
포트로스 515
폭스콘 951
폰티우스 필라투스 57
폴라니족 187
폴라츠크 220
폴란드
-유대인 이주 742
-전후 영토 749, 750
-피침 697~700, 707
폴로, 마르코 354, 360
폴크스바겐 722
푸스타트 152, 213, 216
푸시킨, 알렉산드르 516, 528
푸아티에 158
푸틴, 블라디미르 948
《풍자시집》(유베날리스) 45
프라 안젤리코 373
프란체스코(아시시의) 261
프랑스
-군대 493
-러시아와의 관계 554, 556, 558
-몰락 723, 734, 751
-이집트 정복 512, 513
-적선 협정 627
-페르시아와의 관계 512
프랑스-프로이센 전쟁 553, 554
프랭크스, 토미 923
프레이저, 윌리엄 780
프레이저-타이틀러, 윌리엄 700, 706
프로비셔, 마틴 458
프로코피우스 116, 121
프리드리히 1세(바르바로사) 255
프리드리히 2세 282
프리울리, 지롤라모 423
프린치프, 가브릴로 575
프톨레마이오스 39, 170
플루타르코스 25, 31
피낭 763
피렌체 355, 383, 417, 478
피르다우시 222
피사 219, 220, 238, 240, 241, 244, 256, 261, 346, 390
피셔, 존 590
피아첸차 227
피에로 델라 프란체스카 373
피우스 5세 450
피카소, 파블로 951
피트, 윌리엄 500
피프스, 새뮤얼 488
필리포스 2세 25
필리프 2세 255
필리핀 422, 443
핑청 67

ㅎ

하기아소피아 대성당 258, 260, 432
하드리아누스 1세 208, 209
하딩, 아서 587
하딩, 찰스 547, 555, 612
하랄드 시구르다르손 219
하르키우 694
하를럼 469
하바니야 공군기지 735, 766
하서주랑 32, 34, 36
하스다이 이븐 샤프루트 189
하스 하집, 유수프 223
하우스, 에드워드 602
하우트만, 프레데리크 데 466
하위헌 판 린스호턴, 얀 465
하이브리드 자동차 832

하이서, 로버트 846
하이파 239, 615, 634, 729, 764
하자르족 186~189, 192
하카니, 잘랄루딘 882, 883, 909
하타미, 모하마드 908
한(漢)왕조 32
할더, 프란츠 699, 716, 736
함무라비 21
함자, 키디르 840
항저우 379
해럴드 2세 220
해밀턴-고든, 조지 525
해적 215, 410, 411
해적 소탕 면허 411
해클루트, 리처드 456
행키, 모리스 605, 960
향신료 제도 422, 423, 429, 467
헐리, 패트릭 770
헝가리 봉기 800
헤데비 203, 209
헤라클리우스 황제 122~127, 137, 144, 145
헤라트 12, 27, 273, 357, 377, 520, 546, 796, 858, 882, 948
헤라트 협약 537
헤로도토스 22, 23, 354
헤로인 941
헤르손 219
헤이스팅스 전투 219
헤즈볼라 886
헨더슨, 로이 786, 804
헨리 3세 248
헨리 8세 7, 407
헬레나(콘스탄티누스의 어머니) 218
헬만드 관개 계획 809
호라즘 23, 218, 269, 270, 272
호라티우스 황제 49
호람샤흐르 770, 870
호메로스 31, 170
호메이니 786, 812, 813, 815, 821, 844~847, 852, 853~855, 857, 859, 861, 865, 866, 868~870, 872~875, 877, 879, 886, 894
호스로 1세 102, 119
호스로 2세 120, 121, 123~126
호킨스, 존 457
《홈스 앤드 가든스》 687, 688
홉스, 토머스 475
홍콩 이양 544
화웨이 953
화학무기금지기구(OPCW) 924
환제(한나라) 49
회프너, 에리히 721
후다이비야 조약 134
후마윤 438, 439
후세인, 사담 786, 806, 826, 836, 874, 875, 877, 879, 885, 893, 895, 896, 901, 902, 904, 907, 914, 923, 925, 926, 929
후흐오르등 161
훈족 88, 89, 91~93, 117, 158, 267
훌라구 칸 285, 351
흉노(족) 32~34, 282, 952
흐로트, 휘호 더 464
흐루쇼프, 니키타 805
히로시마 767, 906
히바 522, 528
히에로니무스 91
히키, 윌리엄 499
히틀러, 아돌프 561, 688~690, 692, 694, 696~699, 701, 703, 705~709, 712, 715, 716, 722, 723, 725, 726, 728~734, 737, 739, 742~744, 747, 748, 751, 752, 767, 768
힌두교 11, 71, 104, 110, 426
힘러, 하인리히 722
힘야르 왕국 106, 128, 142

실크로드 세계사

고대 제국에서 G2 시대까지

1판 1쇄 2017년 5월 20일
2판 1쇄 2019년 11월 15일
2판 3쇄 2022년 12월 20일

지은이 | 피터 프랭코판
옮긴이 | 이재황

펴낸이 | 류종필
편집 | 이정우, 이은진
마케팅 | 이건호
경영지원 | 김유리
표지·본문 디자인 | 박미정
교정교열 | 오효순

펴낸곳 | (주)도서출판 책과함께
주소 (04022) 서울시 마포구 동교로 70 소와소빌딩 2층
전화 (02) 335-1982
팩스 (02) 335-1316
전자우편 prpub@daum.net
블로그 blog.naver.com/prpub
등록 2003년 4월 3일 제2003-000392호

ISBN 979-11-88990-47-4 04900 (세트)